Jordan L. Harding

Alois Schmiedbauer

Salzburg, Gestalt und Antlitz
Salzburg, A Synthesis of Art and Nature
Salzbourg, aspects et physionomie

6. erweiterte und völlig neu bearbeitete Auflage
© 1973 by SN Verlag, Salzburg / Austria
Alle Rechte, auch an Bildern, beim Verlag
Übersetzungen:
Richard Rickett (Englisch)
Marthe und Franz Eissler (Französisch)
Sämtliche Aufnahmen:
Alois Schmiedbauer, Salzburg
Luftaufnahme: Max Puschey,
Genehmigung Zl. 344.509 - Luft / 64
Farbreproduktionen:
Fa. Hans Seyss, Wien
Schwarzweiß-Reproduktionen:
Salzburger Druckerei, Salzburg
Satzherstellung:
Filmsatzzentrum Deutsch-Wagram Ges.m.b.H.
Druck- und Bindearbeit:
Salzburger Druckerei, Salzburg
ISBN 3-85304-031-4

Alois Schmiedbauer

Salzburg

Gestalt und Antlitz
A Synthesis of Art and Nature
Aspects et physionomie

SN Verlag Salzburg

Inhaltsverzeichnis

Einführung 7

Salzburg, Gestalt und Antlitz 8

Blick auf die Stadt 45–80

Die Bürgerstadt 81–130
Eng die Gassen 82–93
Das Bürgerhaus 94–109
Kirchen der Bürger 110–115
Kunst und Handwerk 116–130

Die Fürstenstadt 131–214
Blick auf die Fürstenstadt 132–135
Weit die Plätze 136–143
Kirchen und Klöster 144–157
Festung Hohensalzburg 158–167
Die alte Residenz 168–173
Das Residenz-Neugebäude 174–178
Schloß Mirabell 180–187
Schloß Leopoldskron 188–191
Brunnen und Schwemmen 192–197
Kunst und Handwerk 198–214

Stadttore und Befestigungen 215–224

Berühmte Stätten / Hervorragendes Kunstgut 225–256

Neueres Salzburg 257–272

Sehenswerte Umgebung 273–284

Bilderverzeichnis; Kunst- und
kulturgeschichtliche Erläuterungen 285

Literaturnachweis 339

Index   Résumé

Introduction   7   Introduction   7

Salzburg, A Synthesis of Art and Nature   8, 35   Salzbourg: aspects et physionomie   8, 38

View of the City   45–80   Vue sur la ville   45–80

The Burghers' Town   81–130   La Cité des bourgeois   81–130
Narrow Streets   82–93   Les ruelles étroites   82–93
A Burgher's House   94–109   La maison bourgeoise   94–109
Burghers' Churches   110–115   Eglises des bourgeois   110–115
Arts and Crafts   116–130   Art et artisanat   116–130

The Ecclesiastical City   131–214   La Cité des princes   131–214
View of the Ecclesiastical City   132–135   Vue sur la Cité des princes   132–135
Spacious Squares   136–143   Les places spacieuses   136–143
Churches and Monasteries   144–157   Eglises et couvents   144–157
Hohensalzburg Fortress   158–167   La forteresse du Hohen-Salzbourg   158–167
The Old Residenz   168–173   L'ancienne Résidence   168–173
The New Residenz   174–178   La nouvelle Résidence   174–178
Mirabell Palace   180–187   Le château Mirabell   180–187
Schloss Leopoldskron   188–191   Le château de Leopoldskron   188–191
Fountains and Horse-Troughs   192–197   Fontaines et abreuvoirs   192–197
Arts and Crafts   198–214   Art et artisanat   198–214

Gates and Fortifications   215–224   Portes de la ville et fortifications   215–224

Celebrated Monuments and Works of Art   225–256   Lieux célèbres / Éminents objets d'art   225–256

Modern Salzburg   257–272   Le nouveau Salzbourg   257–272

In the Immediate Vicinity   273–284   Environs dignes d'être vus   273–284

List of Illustrations with Captions   303   Tables des illustrations
                                                     (explications, indications diverses)   319

Einführung

Die Gestalt der alten Stadt ist gekennzeichnet vom Eigen-
artigen und jeweils Besonderen ihrer Anlage. Sie fußt
auf landschaftlichen Gegebenheiten der Örtlichkeit und
wird im weiteren ausgeprägt durch ständische Ordnun-
gen, politische oder soziale Erwägungen und wirtschaftliche Notwendigkeiten. Vereinzelt sind auch religiöse
Anlässe für die Entwicklung der Stadt bestimmend.

Das Antlitz aber schufen der Kulturwille und die Lebens-
ansprüche der Bewohner. Es erhielt durch das im Ver-
laufe der Zeiten wechselnde Kunstwollen vielseitige
Züge, und wurde nicht zuletzt individuell geprägt durch
die Verwendung bestimmter Baustoffe und die künstlerische Auseinandersetzung mit ihnen. Über all das hinaus aber hat die alte Stadt Salzburg noch Besonderhei-
ten, die ihr Stadtbild aus dem Allgemeinen herausheben.

Bestimmte geschichtliche Verhältnisse brachten es mit
sich, daß schon am Beginn der mittelalterlichen Stadtentwicklung die Örtlichkeiten abgegrenzt wurden für
einen Bezirk der geistlichen Herrschaft und einen der
Bürger, der den anderen gürtelförmig umgibt. Bei der
späteren Entwicklung der Stadt zur Residenz eines geistlichen Fürstentums gab es für die Salzburger Bürgerschaft wenig Möglichkeiten zur Ausgestaltung der Stadt.
Dies blieb der Tatkraft ihres Herrn, des Erzbischofs von
Salzburg, überlassen.
Als darum am Ende des 16. Jahrhunderts der ganz von
den Ideen seiner Zeit erfüllte Erzbischof Wolf Dietrich
von Raitenau den Plan für eine zeitgemäße Neugestaltung des geistlich-fürstlichen Bezirkes faßte, berief er
den italienischen Architekten Vincenzo Scamozzi. Dieser
schuf durch seine Idee einer künstlerisch geordneten,
herrschaftlich-repräsentativen Stadtgestaltung die
Grundlage für den im Stadtbild heute so augenfälligen
Gegensatz einer „Fürstenstadt" zur Bürgerstadt. Die Fürstenstadt kennzeichnen weiträumige Plätze, prächtige
Kirchen und prunkreiche Paläste. Die Bürgerstadt besitzt
dichtgescharte, hohe Häuser an engen krummen Gassen.
Der Ausbau dieser damals entstandenen Anlage des
Salzburger Altstadtbildes durch die Nachfolger Wolf
Dietrichs wurde anscheinend immer von einer Gesamt-
schau her straff geführt, die in bewußter Ordnung nicht

nur die Dominanten nach geistiger Bedeutung setzte,
sondern auch in den Dimensionen und der Ausgestaltung des Gebauten Wert- und Rangstufen zum Ausdruck
zu bringen wußte. So entstand die Stadt als ein einzig-
artiges städtebauliches Beispiel.
Die musisch-gesetzhafte Einheitlichkeit in der Form des
Einzelnen wie des Ganzen, die betont herausgestellten
Gegensätze im Erscheinungsbild etwa des Weiten zum
Engen, des Gewachsenen zum Geplanten, des Über-
zum Untergeordneten, besonders jedoch die hierbei
stets erkennbare Bezogenheit alles Gestalteten auf
höhere geistige Beweggründe, erheben die Stadt Salzburg in den Bereich des einfühlend gestalteten Kunst-
werkes.

So wie besondere geschichtliche Verhältnisse im 16. und
17. Jahrhundert die Ausprägung des heutigen Stadtbildes bewirkt haben, lag wiederum zu Anfang des 19. Jahrhunderts in der für Stadt und Land Salzburg entstandenen politischen Situation die Ursache für ein weitgehen-
des Sich-Erhalten dieses historischen Bestandes. Eine
Qualität, die anderswo oft pietätlos dem Fortschritts-
drang und Neuerungswillen viel mehr als hier zum Opfer
gebracht wurde. Beim neuen Ausbau der Stadt mag für
die betontere Abhebung des alten Kerngebietes vom
Neubaubereich nicht unerheblich seine durch Berg und
Fluß scharf abgegrenzte Lage mitbestimmend gewesen
sein.

In unserer Zeit hat die weitere Entwicklung Salzburgs zur
angehenden Großstadt ihr Weichbild städtebaulich nicht
mehr zu durchformen vermocht. Was um das historische
Altstadtgebiet baulich entstand, zeigt ebenso wie ander-
wärts die geistige und formale Entbundenheit der Gegenwart, die sich herkömmlichen Werten nicht mehr ver-
pflichtet fühlt.
Was aber von dieser Stadt, die noch immer eingebettet
ist in eine schöne Landschaft, weit über bloß ästhetische
und romantisch-sentimentale Empfindungen hinaus auf
uns einwirkt und in glücklichem Erleben Beispiel und
Vorbild zu geben vermag, ist das in seinem künstlerisch-
gesetzhaften Charakter trotz Zeitströmungen und Katastrophen in Wesenszügen noch erhaltene historische
Kerngebiet der Altstadt.

Zwischen dem schroffen Kalkgebirge südlich der Stadt Salzburg und dem nordwärts liegenden wald- und seenreichen Hügelland bildet die Landschaft ein großes Becken. Dieses wird von der Salzach, die beim Paß Lueg in einem Durchbruch von wildromantischer Schönheit den Hochgebirgswall bezwingt, von Süd nach Nord durchflossen. Bevor der Fluß das offene Land gewinnt, muß er noch durch die vom Kapuzinerberg und der Dolomitklippe des Festungsberges gebildete Enge, in der die Stadt Salzburg liegt.

Die geographischen Bedingungen verleihen diesem Gebiet sein besonderes Klima. Überraschend jäh vollzieht sich oft der Wechsel von stürmisch kaltem Wetter zu glühender Hitze. Die gegen Westen offene Lage und der Damm des Hochgebirges im Süden bewirken reichliche Niederschläge.
Diese klimatischen Verhältnisse des Salzburger Beckens begünstigen eine sehr üppige Vegetation. Das Grün der Landschaft ist von einer seltenen Sattheit und Tiefe. Vielfältig gestuft und abgewandelt in Wäldern, Gärten und Feldern umrahmt es die freundliche Buntheit der Siedlungen und verschmilzt mit den Farben des Himmels und der Berge zu einem Bild von großer Anmut. Jeder neue Tag leiht dieser Landschaft einen anderen Reiz. Man muß es selbst erleben, welchen Zauber die Natur hier verströmt, wie sie in dieser Landschaft die Gegensätze von Berg und Ebene, von steilen Gipfeln und sanft gerundeten Hügeln in immer neuen Abwandlungen zum Bild formt.

Die Beschaffenheit des Bodens, die Lage und das Klima machten die Gegend des Salzburger Beckens schon in grauer Vorzeit zu einem geeigneten Siedlungsraum. Mitbestimmend für ein Seßhaftwerden war sicher auch der Zugang zu den Bodenschätzen im Gebirge. Die aus sumpfigen Niederungen aufstrebenden Hügel boten sichere Wohnplätze, die wasser- und waldreiche Umgebung gewährte ausreichende Ernährung. Die Gewinnung und Verarbeitung von Metallen, vor allem von Kupfer, besonders aber die Ausbeute des im Dürrnberg bei Hallein vorkommenden Salzes – das später dem Fluß und der Stadt den Namen gab – begünstigten die Entwicklung und den Aufstieg der hier siedelnden Völkerschaften. Ein blühender Handel erschloß die Weite und machte mit den Lebensansprüchen und geistigen Errungenschaften anderer Völker bekannt. So erwuchsen Wohlstand und Kultur, deren Höhe uns zahlreiche Funde bezeugen. Besonders die edelgestaltete, reichverzierte bronzene Schnabelkanne vom Dürrnberg, heute ein Schmuckstück des Salzburger Museums, bekundet in Form und Ausdruck ein entwickeltes künstlerisches Empfinden auf einer hohen Stufe handwerklichen Könnens. Aus vorgeschichtlicher Zeit sind im näheren Bereich der Stadt nur der Rainberg und der Kapuzinerberg als illyrische und später keltische Siedlungsstätten feststellbar. Erst die Römer bezogen gegen Beginn unserer Zeitrechnung das Kerngebiet der heutigen Stadt, den Raum zwischen Mönchsberg und Salzach. Die geborgene Lage innerhalb eines breiten Gürtels von Moorland, zwischen der Felsmauer des Berges und dem reißenden Gebirgsfluß, bot der Stadt Juvavum einen natürlichen Schutz. Sie war Verwaltungszentrum eines weitreichenden Amtsbezirkes und Kreuzungspunkt wichtiger Haupt- und Nebenstraßen der Provinz Norikum. Die Stadt erstreckte sich damals links der Salzach, die Ivarus hieß, ungefähr vom Kajetanerplatz bis zur Getreidegasse, und am rechten Ufer von der Linzer Gasse bis etwa zum Schloß Mirabell. Nach den Resten von Tempeln, Palästen und Landhäusern zu urteilen, die man gefunden hat, müssen hier Wohlhabenheit und Kultur geherrscht haben.

Das quellende Leben der Stadt versiegte, als der Pulsschlag aus dem Mutterland schwächer wurde und der ungestüme Andrang junger Völkerschaften das alte Römerreich erschütterte. Viele der einst eingewanderten Romanen zogen wieder in ihre Heimat. Was an Menschen zurückblieb, konnte den Raum der Stadt nicht mehr ausfüllen. Was an alter Kultur noch übrig war, wurde von den Stürmen der Völkerwanderung zerstört. Die prächtigen Tempel und Häuser verfielen, das städtische Leben erlosch. Auf den Ruinen Juvavums führen die wenigen Überlebenden ein sehr bescheidenes Dasein. Das Christentum hatte in der Stadt schon zur Römerzeit Fuß gefaßt. Alte Kunde berichtet von einer Christengemeinde, ja sogar von einer Kirche bei der Stadt Juvavum. Die Wahrscheinlichkeit dieses Berichtes scheint durch Funde gestützt zu werden, die man nach dem Zweiten Weltkrieg in der Linzer Gasse gemacht hatte, wie auch durch das Bestehen der alten Kultstätten in der Felswand des Mönchsberges beim Petersfriedhof. Ob diese wirklich aus römischer Zeit stammen oder vielleicht aus der Frühzeit des Sankt-Peter-Klosters (Klein), konnte bisher nicht geklärt werden. Aber die Stürme der Völkerwanderung hatten auch den organisatorisch dem Süden angegliederten Kirchenbereich empfindlich getroffen und vom Mutterland abgetrennt.
Zu Beginn des 6. Jahrhunderts n. Chr. wanderten Bayern in das herrenlos gewordene Norikum ein und besiedelten es.

Hohensalzburg, Blick nach Süden   View from Hohensalzburg, looking south   Hohen-Salzbourg, vue vers le sud

Ausblick vom Hochgitzen   View from Hochgitzen   Vue du Hochgitzen

Die Stadt vom Gaisberg   Salzburg from the Gaisberg   La ville, vue du Gaisberg

Der fränkische Missionsbischof Hruodpert (Rupert), der sich die Bekehrung der teils heidnischen, teils arianischen Bayern zur Aufgabe gemacht hatte, gewann die Gunst des Bayernherzogs Theodo. Dieser schenkte ihm den Ort „Juvavum" und einen beträchtlichen Landbesitz mit zwanzig Salzpfannen in Reichenhall. Kluge Politik, verbunden mit guter Wirtschaftsführung, verhalfen der jungen Stiftung zu Aufstieg und Blüte.

Das Anwachsen der weltlichen Bedeutung und die Festigung der kirchlichen Macht fanden 798 ihren äußeren Ausdruck in der Ernennung des Salzburger Bischofs Arno zum Erzbischof und Metropoliten der Kirchenprovinz Bayern.
Als nach der Niederwerfung der Avaren Kaiser Karl die Besiedlung und Missionierung der eroberten Gebiete den Bayern übertrug, erwuchsen Salzburg aus seiner kirchlichen Führerstellung bedeutende Aufgaben und Möglichkeiten. Es bildete nicht nur ein wichtiges Durchzugstor für die Siedlerströme nach Osten, sondern zugleich auch ein bedeutsames Zentrum kultureller Ausstrahlung. Alle diese Umstände förderten das Wachsen der Stadt. Auf dem Nonnberg, östlich des heutigen Klosters, vielleicht bei einem schon in römischer Zeit erbauten Kastell (Klein) hatte sich der Bayernherzog wahrscheinlich als Stützpunkt für seine Grundherrschaft und auch zum Schutze des Salzhandels die „Saltzpurch" erbaut. Sie war wohl kein Steinbau, sondern nur ein fester Platz mit hölzerner Wehranlage, der in Notzeiten auch als Fluchtburg dienen konnte. Ihr Name übertrug sich später auf Stadt und Land. Am Fuß des Burgberges, teilweise auf dem Boden der Römerstadt, wurden vermutlich die zur Burg gehörigen Jäger, Fischer, Handwerker und Knechte angesiedelt. Es entwickelte sich ein kleiner Burgflecken, den die Geschichte seither als den Ort „Salzburg" kennt (Klaar).

Nach der Besitznahme des Gebietes durch Rupertus, um 696, entstand hart am Felsen des Mönchsberges, wahrscheinlich in der Gegend der heutigen Kreuzkapelle, das alte Kloster Sankt Peter mit dem nördlich der Kirche angeschlossenen Bischofssitz. Auf dem Nonnberg, in der Nähe der herzoglichen Burg, gründete Rupertus ein Frauenkloster, als dessen erste Äbtissin er eine Verwandte, Erentrudis, einsetzte. Zum äußeren Klosterbereich gehörte auch noch das Gebiet am Fuß des Hügels.
Als Abtbischof Virgil, ein Iroschotte, 774 eine eigene Domkirche erbaute, ergab sich mit der Berufung eines Domkapitels die Notwendigkeit, im abgefriedeten Raum auch für das Wohnhaus der Domherren, für Nebengebäude, Stallungen, Gärten und einen Friedhof zu sorgen. So füllte sich der alte Siedlungsgrund in der Flußbucht am Mönchsberg immer dichter mit Bauwerken verschiedener Art.

Bereits im Jahre 739 war Salzburg zum ständigen Bischofssitz geworden und galt somit nach den kanonischen Regeln als „Stadt". Zweifellos hatte sich schon außerhalb der umfriedeten Klosterbezirke eine Siedlung zu entwickeln begonnen, die nach dem Haupttor gegen die Bischofsburg hin, „Porta" genannt wurde. Neben Jägern, Fischern, Kaufleuten und jenen, die als Dienstmannen eines Klosters das Recht besaßen,

außerhalb der Pforten zu hausen, werden dort vor allem Leute gewohnt haben, die das Stift bei der Urbarmachung des weiten Landbesitzes als Arbeitskräfte benötigte. Diese älteste „Bürgerstadt" war als schmaler Streifen flußwärts den geschlossenen Bezirken der Klöster vorgelagert und erstreckte sich etwa von der Chiemseegasse bis gegen den heutigen Alten Markt. Sie bestand wahrscheinlich nur aus kleinen stroh- und schilfgedeckten Holzhäusern, die eine einzige lange Gasse bildeten, deren Verlauf etwa der Linie Pfeiffergasse – Judengasse entsprach. Ob und wie weit ihr Gebiet durch Mauern oder ein Pfahlwerk geschützt war, ist nicht mehr festzustellen. Der Markt, der Mittelpunkt für das wirtschaftliche und gesellschaftliche Leben, befand sich auf dem heutigen Waagplatz. Die erste Pfarrkirche dieser Siedlung war die Michaelskirche. Sie besteht noch heute ohne pfarrliche Widmung, inmitten der Häuser am nördlichen Rand des Residenzplatzes. Mit dem rechten Ufer war die Stadt durch eine Holzbrücke verbunden, die in der Gegend des Klampferergäßchens den Fluß an der engsten Stelle überspannte. Am jenseitigen Brückenkopf entstand schon frühzeitig eine kleine Siedlung. Sie wurde im Laufe der Entwicklung zur Vorstadt „Am Stain".

So war bereits damals, am Beginn des 9. Jahrhunderts, die Gestalt der Stadt, wie wir sie kennen, im wesentlichen vorgezeichnet: Bauten des Landesherrn und der Geistlichkeit bildeten ein Zentrum, die Wohnstätten der Dienstmannen und Kaufleute den Abschluß gegen den Fluß zu. Von ihnen ist keine Spur mehr erhalten. Eine bildliche Darstellung aus dieser Zeit ist nicht überliefert.

Für den frühen Kirchenbau haben die im Gebiet um den Dom in den Jahren 1956 bis 1967 durchgeführten Grabungen die Beherrschung des Steinbaues erwiesen, zu dem auch antike Werkstücke verwendet worden sind. Ebenso ist seither klar, daß die Bauherren von den architektonischen Anlagen im Westen und Süden Europas Kenntnis besaßen. Der auf römischer Kulturschicht von 767 bis 774 errichtete dreischiffige Dom des Abtbischofs Virgil besaß mit dem Atrium eine Länge von 99 Meter und war 33 Meter breit. Mit diesen imposanten Ausmaßen gehörte der Bau neben Saint Denis in Paris und der Emmeramskirche in Regensburg zu den größten Kirchen der westlichen Welt.
Aus etlichen Urkunden, Verzeichnissen und Berichten gewinnt man noch ein ungefähres Bild jener Epoche, über deren Denkungsart und Kultur geistliche Bücher und liturgische Geräte, die sich erhalten haben, Aufschluß geben.

Die ausgedehnte Missionstätigkeit der Salzburger Bischöfe, die mit dem christlichen Glauben auch die höhere Lebensart des Westens bis in weit entlegene Gebiete des Ostens trugen, benötigte verschiedene Fachleute. Neben Handwerkern und Bauleuten wirkten Maler, Bildhauer und Schreiber mit den Priestern zusammen und schufen so auch in fremden Ländern die Grundlage für die abendländisch-christliche Kultur. Herkunft und persönliche Beziehungen der Äbte und Bischöfe förderten einen regen geistigen Verkehr mit dem kaiserlichen Hof und den führenden Klöstern des

Westens, vermittelten die Bekanntschaft mit neuen künstlerischen Bestrebungen und den Austausch von Werken. So erfüllte kraftvolles Leben die junge Stiftung, und sie blühte empor, bevor noch die berühmten geistlichen Stätten Mitteleuropas – Fulda, Reichenau, Sankt Gallen – ihre für den deutschen Bereich so bedeutungsvolle Aufgabe wahrnahmen.

Über den Herrschaftsbereich der Diözese, der sich nunmehr vom Inn im Westen bis zur Leitha im Osten, von der Donau im Norden, bis an die Drau im Süden erstreckte, ging die geistige Einflußsphäre der Salzburger Erzbischöfe noch hinaus, durch ihre Stellung als Metropoliten der Kirchenprovinz Bayern, in der die Bistümer Freising, Regensburg, Passau, Neuburg an der Donau und Säben in Tirol zusammengefaßt waren. Im 11. Jahrhundert erhielt der Erzbischof von Salzburg – ein einmaliges Privilegium dieser Art – das Recht, Bischöfe zu ernennen, einzusetzen und zu weihen und damit die Möglichkeit, in seinem weitreichenden Diözesansprengel eigene Bistümer zu errichten. Das 1026 verliehene und später mehrmals bestätigte Recht, als Legat des Heiligen Apostolischen Stuhles in dringenden Fällen im Bereich seiner Kirchenprovinz mit päpstlicher Autorität zu entscheiden, sich in den Kardinalspurpur zu kleiden, auf einem Zelter zu reiten und sich ein Kreuz vorantragen zu lassen, hob den Salzburger Erzbischof über andere Kirchenfürsten hinaus. Mit der durch Kaiser Rudolf von Habsburg im Jahre 1278 erfolgten Verleihung der Gerichtshoheit fand ein Jahrhunderte während der Entwicklungsprozeß zum reichsunmittelbaren geistlichen Fürstentum formell seinen Abschluß.

Schon seit dem 9. Jahrhundert hatte die Stadt an Umfang beträchtlich zugenommen. Der Wandel der gesellschaftlichen Verhältnisse hatte die Besitzanteile verändert und auch auf die Stadtverwaltung eingewirkt. Unter dem Einfluß der cluniazenischen Reformbestrebungen wurde im Jahre 988 das Amt des Klostervorstehers von Sankt Peter selbständig gemacht und von der Würde eines Salzburger Erzbischofes getrennt.

Um 1110 erst errichtete dann Konrad I. einen neuen erzbischöflichen Wohnsitz in der Nähe des Domes. Der „Hof Salzburg", wie dieser Bischofshof in den alten Schriftstücken genannt wird, stand ungefähr an der Stelle des heutigen Residenzgebäudes. In nächster Umgebung befanden sich die Klöster der „Domfrauen" und der „Petersfrauen" sowie die heutige Franziskanerkirche (Liebfrauenkirche), auf die im Laufe der Entwicklung der Bürgerstadt die Pfarrechte der Michaelskirche übergingen.

Auf freien Flächen im Kaiviertel erbauten sich am Anfang des 13. Jahrhunderts die Suffraganbischöfe und einige Klöster stattliche Höfe als Absteigequartiere in der Residenzstadt ihres geistlichen Herrn. Das von Erzbischof Gebhard gegründete Kloster Admont hat sich schon im 12. Jahrhundert in der Nähe des Westertores, dem heutigen Gstättentor, eine Hofstatt erworben, die im 14. Jahrhundert in den Besitz der Stadt überging und das Bürgerspital aufnahm.

Der heftige Widerstreit der Kaiser und der Päpste hat Stadt und Land mehr als einmal in Not und Bedrängnis gebracht. Als Stützpunkt und festen Halt setzte Erzbischof Gebhard 1077 hoch über die Stadt auf eine Felskuppe die Feste Hohensalzburg. Seine Nachfolger erneuerten und verstärkten die Wehranlagen und bauten die Burg im Laufe der Jahrhunderte zu einem uneinnehmbaren Bollwerk aus, das wie ein Wahrzeichen geballter Macht weithin sichtbar die Gegend beherrscht. Aber nicht nur in den Bezirken der Geistlichkeit hatte die Stadt sich verändert. Vom 9. Jahrhundert bis zur Mitte des 13. Jahrhunderts wuchs vor allem die Bürgerstadt beträchtlich an. Die allgemeine Entwicklung von Handel und Gewerbe, bewirkt durch das Aufblühen des Stiftslandes hatte die Bedeutung des Bürgertums gesteigert. Trotz Notzeit und schweren Schäden, die die kriegerischen Auseinandersetzungen und der Investiturstreit der Stadt brachten, hob sich der Wohlstand der Bürger. Ihr Anteil an der verbauten Fläche des Stadtgebietes war gegenüber dem 9. Jahrhundert auf das Vierfache gestiegen.

Die Ausweitung des bürgerlichen Stadtteiles erfolgte, durch das Gelände bedingt, flußabwärts. Der Markt, die Zentralstelle des bürgerlichen Lebens, wurde vom Waagplatz in die Gegend der heutigen Sparkasse verlegt. Er stand durch die Brücke mit dem Stadtteil am rechten Ufer der Salzach und dem Straßenzug durch das Ostertor, der heutigen Linzer Gasse, in Verbindung. An der Hauptverkehrslinie der linken Stadt, die den Fluß entlang zur Vorstadt Mülln führte, entstand nunmehr in der Gegend des Kranzlmarktes und in der ersten Hälfte der heutigen Getreidegasse eine größere Anzahl neuer Häuser. Vom Kranzlmarkt gegen die Pfarrkirche hin bildete sich der Straßenzug der Abts- und Milchgasse, die später nach Bürgermeister Sigmund Haffner benannt wurde. Um die bedeutend angewachsene Stadt spannte sich vom Nonntaler Tor am Kajetanerplatz den Fluß entlang bis zum Westertor beim Bürgerspital die 1278 neugeschaffene steinerne Stadtmauer.

Die Siedlung „Enthalb-Ach" am rechten Salzachufer wurde in den Befestigungsgürtel einbezogen und ebenfalls durch Mauern und Tore nach außen und auch gegen die Wasserseite gesichert. In der Steingasse sperrte das innere Steintor (Judentor) den Zugang nach Süden. Das Ostertor in der Linzer Gasse (beim heutigen Gablerbräu) überwachte den Hauptstraßenzug nach Nordosten, und das Lederertor, an der Mündung der Lederergasse in die heutige Theatergasse, sicherte gegen den Fluß zu ab.

Wenn es der Forschung auch gelang, aus Berichten und Urkunden die Anlage und Ausdehnung der Stadt bis zur Mitte des 13. Jahrhunderts zurück festzustellen, ihr Aussehen bleibt uns bis auf ein Geringes unbekannt. Die großen Brände, die Salzburg in den Jahren 1167, 1196, 1200 und 1203 heimsuchten, haben außer dem Dom vor allem die hölzernen Häuser der Bürger zerstört. Was sich an Kulturdokumenten erhielt, sind Bruchstücke, die uns den Verlust eines reichen Erbes vor Augen führen. Über die wesentlichen baulichen Veränderungen der alten Bischofskirche, besonders über den 1181 von Grund auf unter Erzbischof Konrad III. von Wittelsbach begonnenen Neubau hinaus zum gewaltigen romanischen Münster, haben die erwähnten Domgrabungen neue Erkenntnisse und klärende Einsichten gebracht. Wenn sich auch eine aus dem aufgedeckten Grundriß dieses Domes anfangs anzunehmende Fünfschiffigkeit des Innenraumes nicht bestä-

Salzburg vom Kapuzinerberg   Salzburg from the Kapuzinerberg   Vue du Kapuzinerberg

Die Altstadt von der Hettwerbastei   The Old City from the Hettwer Bastion   La Vieille Cité, vue du bastion de Hettwer

Stadtblick vom Mönchsberg   Salzburg from the Mönchsberg   Vue sur la ville, du Moenchsberg

tigen ließ, die zutage gekommenen Ausmaße des Münsters stellen es den mächtigen Kaiserdomen am Rhein zur Seite. Im Raum unter der Westempore der Kirche auf dem Nonnberg befinden sich noch Reste von künstlerisch hochwertigen Wandbildern aus der Mitte des 12. Jahrhunderts. Sie sind, wie die erhaltenen illuminierten Handschriften Salzburgs aus jener Zeit, Beispiele von hochentwickelter Kultur und feinem Kunstsinn. Aus dem Anfang des 12. Jahrhunderts stammt die Peterskirche, aus dem Beginn des 13. Jahrhunderts die Liebfrauenkirche, die seit 1585 von den Franziskanern betreut und darum Franziskanerkirche genannt wird. Beide Gotteshäuser haben trotz der erheblichen baulichen Veränderungen viel von der Wucht und dem heiligen Ernst frühmittelalterlicher Kirchenbauten bewahrt. Ein Portallöwe in der Sigmund-Haffner-Gasse und ein Tympanonrelief im Salzburger Museum rühren wahrscheinlich noch vom alten Dom her. Auch diese Stücke erweisen den einheitlich hohen Stand von Handwerk und künstlerischer Fähigkeit einer beachtenswerten Kultur.

Von ältesten Wohnhäusern wurden in den Jahren 1965 sowie 1967 vereinzelte Reste von steinernen Säulen aufgefunden, die vermutlich dem 13. Jahrhundert zugehören. Beim Umbau des Gebäudes der Landeshypothekenanstalt 1967 erwies sich ein unbeachtetes Depot für Heizmaterial als eigentümlicher Raum mit schwer deutbarer ursprünglichen Funktion. Die Form der schweren Gewölbe und mächtigen Säulen legt eine Herkunft aus dem 12. bis 13. Jahrhundert nahe. Beim Umbau eines alten Hauses am linksseitigen Salzachkai in der Nähe des Rathauses, fand man 1937 Teile einer alten Stube, die aus den Anfängen der Tragasse, wie die Getreidegasse ursprünglich hieß, stammen dürfte.

Die von Wirren und Umwälzungen bewegte Zeit des 13. und des frühen 14. Jahrhunderts spiegelt sich auch in der Politik des jungen Fürstentums. Nicht immer waren die Landesherren ihrer Aufgabe gewachsen. Kraftvolle Führerpersönlichkeiten hatten oft schwächliche Nachfolger, die den Glanz und Ruhm Salzburgs nicht zu wahren vermochten. Perioden von Machtstreitigkeiten zwischen den Großen benützte das aufstrebende Bürgertum, um seine Stellung zu festigen, was aus den damaligen Stadtrechten ersichtlich ist. Die wachsende Bedeutung des Bürgerstandes zeigte sich in den folgenden drei Jahrhunderten auch in der Umgestaltung des Stadtbildes. Die Vergrößerung der Stadt erfolgte hauptsächlich durch den Bau von Bürgerhäusern. Diese wurden, nach den bei den verheerenden Stadtbränden gemachten Erfahrungen, nunmehr vorwiegend in Mauerwerk ausgeführt.

Man zog jetzt die noch freien Flächen bei der Schanzlgasse und Nonnbergstiege, im Kaiviertel und in der Herrengasse hinter dem Domhof zur Verbauung heran. Auch die Getreidegasse dehnte sich bis zum Bürgerspital hin aus. Ihre Häuser wurden, ebenso wie die der Sigmund-Haffner-Gasse, an der Rückfront gegen den Frongarten zu, der erst später im 17. Jahrhundert verbaut wurde, durch den Anbau von Hinterhäusern erweitert. In dieser Zeit entstanden auch außerhalb des Westertores, im Raume der „Gstätten" den Berg entlang bis zur „Klause", Bauwerke verschiedener Bestimmung. Die im

Lauf des 14. Jahrhunderts neu zugewachsenen Stadtgebiete wurden im Osten durch das äußere Nonntaltor bei der Schanzlgasse und im Westen durch das Klausentor am Ende der Gstättengasse gesichert. Als in der zweiten Hälfte des 15. Jahrhunderts die Türkengefahr den Ausbau der Wehranlagen in den bedrohten Städten ratsam erscheinen ließ, wurde auch in Salzburg der Mauergürtel verstärkt und ergänzt. Dies geschah besonders bei den Neubauten im Kai-, Gries- und Gstättenviertel. Damals entstand, als Fortsetzung der auf das Bürgerspital zulaufenden Stadtmauer, die Anlage der Bürgerwehr auf dem Mönchsberg. Das Vorgelände des Berges hatte man, wahrscheinlich schon gegen Ende des 13. Jahrhunderts, durch drei Tore in der Vorstadt Mülln, von denen das Mülleggertor beim Sankt-Johannes-Spital (Landeskrankenhaus) noch erhalten ist, gesichert.

Auch der Stadtteil am rechten Flußufer war erheblich über die Grenzen des nach der Mitte des 13. Jahrhunderts geschaffenen Mauerringes hinausgewachsen. Die neu entstandenen Bürgerhäuser schützte man dort durch die Errichtung des Sebastianitores in der Linzer Gasse, des Bergstraßtores in der Dreifaltigkeitsgasse und des äußeren Lederertores in der Theatergasse. Die Tore wurden außerdem durch eine Stadtmauer verbunden. Ihr letzter Rest, der Hexenturm, stand bis zum Bombenangriff des Jahres 1944. Die Steingasse erhielt zusätzlich zum Stein- oder Judentor noch das äußere Steintor. Dieses wurde 1832 wegen Baufälligkeit abgetragen.

Im Zuge solcher Umgestaltungen verlagerte sich der Schwerpunkt der Stadt weiter flußabwärts. Der Markt wurde nun dorthin verlegt, wo sich der heutige „Alte Markt" befindet. Vielleicht wurde es erst durch die Zerstörung der großen Stadtbrände des 13. Jahrhunderts ermöglicht, diesen langen Rechteckplatz zu schaffen. Das Geschäftszentrum der Stadt wurde damit in die Nähe des Keutzlturmes gerückt, der seit 1407 als Gerichts- und Rathaus diente. Von 1614 bis 1616 wurde das Rathaus umgebaut und 1772 neuerdings verändert. Damals erhielt es die Fassade, die es noch heute besitzt. Die Kämpfe um Geltung und Macht zwischen Adel, Bürgern und Landesherren zwangen die Erzbischöfe zum Ausbau ihrer festen Burgen. Auch die Wehranlagen auf Hohensalzburg wurden den veränderten Angriffs- und Verteidigungsverhältnissen angepaßt. Besonders Erzbischof Leonhard von Keutschach, der Zeitgenosse Maximilians des „letzten Ritters", machte die Feste durch seine baulichen Neugestaltungen unbezwingbar. Die prächtige Einrichtung der Fürstenzimmer gab ihr zugleich den Glanz einer herrschaftlichen Residenz.

Aus den Resten der spätmittelalterlichen Bauten, die sich bis in unsere Tage erhalten haben, sowie aus Urkunden, Berichten und einigen zeichnerischen Darstellungen gewinnen wir ein klares Bild vom Aussehen der Stadt. Mochte die Ansicht Salzburgs in der Schedelschen Weltchronik von 1493 noch weitgehend ein Gebilde der Phantasie gewesen sein, so geben uns eine bemalte große Federzeichnung von 1553 und ein großer, 1945 zugrundegegangener Holzschnitt von 1565 aus dem Besitz des Klosters Sankt Peter bedeutsame Hinweise, wie die Stadt vor der großen Umgestaltung durch Wolf Dietrich ausgesehen hat.

Geänderte Lebensbedingungen und wechselnder Zeitgeschmack aber auch Katastrophen haben viele Gebäude und Einrichtungen durch neue ersetzt und manches Alte äußerlich gewandelt; der Wesensunterschied zwischen Fürstenstadt und Bürgerstadt hat sich dennoch bis heute erhalten. Die Fürstenstadt prangt mit Kirchen, Großbauten und weiten Plätzen, in der Bürgerstadt drängt sich in gewundenen Straßenschluchten Haus an Haus, und nur selten wird die Zeile der schmalen Fronten durch ein breitgelagertes Gebäude unterbrochen.

Die meisten Großbauten der mittelalterlichen Fürstenstadt gingen wieder zugrunde. Der gewaltige Dom in den reifen Formen der Romanik, von dessen mannigfaltigem Schicksal die Chronisten berichten, ist aus dem Stadtbild spurlos verschwunden. Über sein Aussehen ließen neu aufgefundene Stadtansichten wesentliche Erkenntnisse gewinnen. Vom Bild des Innenraumes und von der Ausstattung ist nur wenig gesichert. Aus der gotischen Bauperiode sind uns mit der Bürgerspitalskirche, der Margaretenkapelle im Petersfriedhof und der Kirche auf dem Nonnberg drei kennzeichnende Beispiele erhalten geblieben. Auf Hohensalzburg künden Mauern und Türme, gewaltige Säle und die Fürstenzimmer von der großartigen Baugesinnung der Epoche.

Im Gegensatz zur Fürstenstadt hat sich die Bürgerstadt manches vom mittelalterlichen Charakter bewahrt. Mit schmaler Front von ein bis drei Fenstern Breite steht das Bürgerhaus zur Straße. Einheirat, Erbschaft oder Ankauf des Nachbarhauses haben einen Besitz manchmal auf fünf und mehr Fenster Straßenfront verbreitert. Die Geschlossenheit der meist schlichten Fassaden wird dadurch gesteigert, daß die hochgezogene Stirnmauer häufig das Dach verbirgt. Das erweckt den Eindruck, als hätten die Häuser Flachdächer, was der Stadt den Ruf italienischen Aussehens eingebracht hat. Diese Dächer sind aber weder flach noch italienisch. Es sind sogenannte Grabendächer, eine heimische Besonderheit, die schon vor der Beeinflussung durch die Renaissance nachweisbar und von örtlich durchaus begrenzter Verbreitung ist. Das Grabendach besteht aus einer Anzahl aneinandergereihter Satteldächer, die senkrecht zur Straßenachse liegen. Seine Grundform, das flache Satteldach, stammt zweifellos vom Gebirgsbauernhaus. Die Herkunft dieses bäuerlichen Flachdaches wird von der Forschung auf die Zeit vor der bajuwarischen Besiedlung zurückgeführt (A. Seifert).

Man hat später, um die Brandgefahr zu vermindern, die Außenmauern des Hauses über die Firsthöhe hinaufgebaut. Die Wasserabläufe des Daches, die beträchtlich unter der oberen Mauerkante aus der Giebelwand herausragen, geben mit ihren später angebrachten Auffangkesseln den alten Häuserfronten ein besonderes Gepräge. Die Hohlkehle, die die meisten Bauwerke Salzburgs heute als oberen Abschluß der Fassaden aufweisen, kam erst im 17. Jahrhundert auf. Früher schnitt die Stirnwand der Häuser ohne merkliches Gesims ab.

Das alte Stadthaus ist mehrstöckig und hat an der Rückseite einen Hof. Oftmals besitzt es auch ein Hinterhaus, dessen Stockwerke mit denen des Vorderhauses durch offene Gänge verbunden sind. Aus dem ursprünglich einfachen Holzgang hat sich allmählich (vom 14. bis 16. Jahrhundert) die steinerne Ganglaube entwickelt. Die Form der Bogenträger läßt häufig noch die Herkunft aus der hölzernen Stütze erkennen. Nicht selten ist auch das letzte Stockwerk des Hauses noch mit Holzsäulen oder -pfeilern ausgestattet. Wie für die Stützen der Lauben verwendete man auch für die Gewände der Fenster und Türen heimischen roten Marmor oder den Konglomeratstein des Mönchsbergs. Da und dort finden sich in den Wohnstätten der alten Salzburger Geschlechter auch noch Türgewände aus Rotmarmor, die entgegen den sonst üblichen einfachen Kehlungen, Wappen, Bildmedaillons und Hauszeichen zeigen. Sie verraten im Stil Züge der Kunst des Südens, die im 16. Jahrhundert hier Einfluß gewann. Vor einigen Jahrzehnten konnte man bei Umbauten in alten Bürgerhäusern unter Schalung und Verputz verschiedentlich Tramdecken freilegen, die aus dem 15. Jahrhundert stammen. Sie sind in der Sauberkeit ihrer handwerklichen Ausführung ebenso beispielhaft wie im Geschmack ihres Dekors.

Als die Bürgerschaft am Beginn des 15. Jahrhunderts den Plan zu einem Umbau ihrer Pfarrkirche faßte, berief sie hiezu einen der Besten seiner Zunft, Meister Hans von Burghausen. Der Meister von Burghausen stellte vor das düstere Langhaus der Franziskanerkirche die lichte Halle des Chores mit den kühn aufragenden Säulen. Der Neubau des Langhauses unterblieb. So entstand ein Raum, der in seinem eindrucksvollen Gegensatz von Hell und Dunkel stark ergreift. Gegen Ende des Jahrhunderts bestellte die Stadt bei Meister Michael Pacher aus Bruneck in Südtirol einen neuen Hochaltar. Dieses vermutlich bedeutendste Schnitzwerk spätmittelalterlicher Kunst in Salzburg wurde 1709 abgetragen und ging zugrunde. Als einziger Rest blieben einige Tafelbilder (heute Österreichische Galerie, Wien) und die Figur der Madonna in der Franziskanerkirche erhalten. Der Liebreiz und die Anmut dieses Bildwerks lassen den Wert dessen ermessen, was verlorenging. Eine Ahnung von der Pracht des Altars gibt der Hinweis, daß seine Herstellungskosten fast dreimal so hoch waren wie die des berühmten Altars von Sankt Wolfgang, den Meister Pacher 1481 geschaffen hat. Das abgelöste Gold und Silber erbrachte in der Schmelze noch den Betrag von 512 Gulden.

Zu den mannigfachen Aufträgen, die in dieser Zeit aus den Reihen der Bürger und eingesessenen Geschlechter den kunstfertigen Meistern der verschiedenen Zünfte zuströmten, kamen weitere aus der regen Bautätigkeit des Erzbischofs Leonhard von Keutschach. Das eigenartige Schnitzwerk in den Fürstenzimmern der Hohensalzburg zeigt die Phantasie und Erzählerfreude der spätmittelalterlichen Schnitzer auf ihrem Höhepunkt und das handwerkliche Können in der überlegenen Beherrschung aller Mittel. Der formenreiche buntglasierte Kachelofen in der Goldenen Stube wird mit Recht als ein unvergleichliches Werk seiner Art bezeichnet.

In dem schmalen stillen Raum der Festungskirche sind als ungewöhnlicher raumbeherrschender Wandschmuck dreizehn mächtige Platten aus rotem Marmor mit den Reliefs der Apostel und des Heilands angebracht. Sie zeigen besonders im Ausdruck der Gesichter, über die mittelalterliche, ganz auf Verinnerlichung gerichtete

Auffassung hinausgehende Züge einer neuen Weltschau. Sie stellt den aus Natur und Geist geformten Menschen in den Mittelpunkt aller Betrachtung. Als frühes, künstlerisch noch weiter gediehenes Beispiel dieses Wollens kann man den prächtigen Denkstein an der südlichen Außenwand der Festungskirche betrachten, den Meister Hans Valkenauer 1515 für Leonhard von Keutschach schuf.

In der Bildhauerei erreichten Leistungen des 14. bis 16. Jahrhunderts eine weit überlokale Bedeutung. Dem Anfang des 14. Jahrhunderts gehören einige monumentale Kruzifixe aus einer Salzburger Werkstatt zu, die, im Gegensatz zum feierlichen Ernst der Gottesdarstellung des 13. Jahrhunderts, das menschlich erlebte qualvolle Leiden Christi, ergreifend und bedrückend vorstellen. Aus dem frühen 15. Jahrhundert stammt eine Folge von Marienfiguren, die häufig aus einer Steingußmasse hergestellt sind, deren gleichmäßige, feinkörnige Struktur eine besondere Ausarbeitung der Einzelheiten möglich machte. Edler Schwung belebt die einfache Haltung. In betont rhythmisch abgestimmten Falten verhüllt die Gewandung den Körper. Das liebreizende Antlitz spiegelt Herzenswärme und Mütterlichkeit. Nicht zu Unrecht haben diese Marien den Namen „Schöne Madonnen" erhalten. Die Forschung hat den Südosten des Deutschen Reiches als ihre Heimat und Böhmen und Salzburg als Herkunftsgebiete bezeichnet. Bedeutende Werke dieser Art befinden sich im Franziskanerkloster, in der Peterskirche, der Kirche von Mülln und im Kloster Nonnberg.

Lange schon waren die sehr verschiedenartig gezeichneten Sorten des weißen und roten heimischen Marmors und die von Salzburger Bildhauern daraus gefertigten Erzeugnisse im Ausland besonders geschätzt. Aus der Reihe der im 15. Jahrhundert hier tätigen Künstler ragt die Gestalt Hans Valkenauers hervor. Er erhielt sogar den Auftrag, ein Grabmal für die deutschen Könige in Speyer zu schaffen. Das Werk blieb unvollendet. Die erhaltenen interessanten Bruchstücke beherbergt das Salzburger Museum.

Auch im neu aufkommenden Gebiet der Tafelmalerei ist Salzburg hervorragend vertreten. Doch sind die Meister der Frühzeit namentlich nicht faßbar. In der zweiten Hälfte des 15. Jahrhunderts erheben sich Conrad Laib und Rueland Frueauf der Ältere beachtlich über die anderen heimischen Meister.

Die aus sozialen und religiösen Spannungen erwachsenen Kämpfe, die das 16. Jahrhundert erfüllten, wirkten sich auch in Salzburg unheilvoll aus. Dem Erzstift brachten sie einschneidende finanzielle Beschränkungen, der Bürgerschaft die Minderung oder den Verlust alterworbener Rechte. Infolge dieser Zeitumstände erlangten auch die baulichen Umgestaltungen der Stadt nur geringe Bedeutung. Erzbischof Matthäus Lang ließ die Vorwerke der Festung Hohensalzburg verstärken und erbaute an der Auffahrt, hinter dem Keutschachbogen, als gewaltiges Sperrwerk den Bürgermeisterturm mit dem Schlangenrondell.

Am Ende des Jahrhunderts erwuchs dem Erzstift durch die Wahl des achtundzwanzigjährigen Wolf Dietrichs von Raitenau zum Erzbischof eine machtvolle Persönlichkeit, die die Gestalt Salzburgs einschneidend verändern sollte. Er war in Rom erzogen worden und ganz von den Ideen der Renaissance erfüllt. Als im Jahre 1598 das alte romanische Münster durch einen Brand stark beschädigt worden war und die Wiederherstellung mißlang, ließ er es abbrechen und verband die Planung eines neuen Domes mit der einer vollständigen Neugestaltung der Fürstenstadt. Sie sollte die mittelalterliche Stadt Salzburg zu einer künstlerisch gestalteten, den Geist und das Gesicht der neuen Zeit tragenden Fürstenresidenz umformen. In die gedrängte Fülle von Bauwerken der Geistlichkeit und der Bürger, die sich um das Münster und die alte Hofstatt scharten, rissen die vom Palladio-Schüler Vincenzo Scamozzi angeregten Konzeptionen für den Dom, die Residenz, das Residenz-Neugebäude und die Anlage der wirkungsvollen großen Plätze weite Lücken. Es werden an die 55 Häuser gewesen sein, die im Stadtgebiet niedergelegt werden mußten, um die nötige Baufläche zu gewinnen. Auch der Domfriedhof mußte aufgelassen werden. Dafür wurde jenseits der Salzach der schon seit Ende des 15. Jahrhunderts bestehende Sankt-Sebastians-Friedhof nach italienischem Vorbild mit Arkadengrüften umgeben und zum Hauptfriedhof der Stadt ausgebaut. In dessen Mitte ließ sich der Erzbischof durch Meister Elia Castello, von dem auch die farbigen Stuckdecken im Residenz-Neugebäude stammen, ein Mausoleum errichten. Mit seinen wohlausgewogenen Maßen und der ungewöhnlich bunten Keramikausstattung stellt dieser kleine Bau ein erlesenes Meisterwerk der Renaissancekunst dar.

Der erzbischöfliche Marstall wurde von der Residenz getrennt. Neue Hofstallungen entstanden bei den Steinbrüchen an der Mönchsbergwand. Damit wurde das Gelände des Frongartens, das schon Burckhard von Weißpriach ausnützen wollte, in die Stadtverbauung einbezogen. Ein neugeschaffener Straßenzug, Kaigasse - Kapitelgasse - Hofstallgasse - Sigmundsplatz, verband nun die Fürstenstadt direkt mit der Hauptverkehrslinie und durch das Westertor auch mit dem neu erschlossenen Stadtgebiet auf dem Gries, das man durch Aufschüttung des Ufers gewonnen hatte. Er bot aber auch eine repräsentative Aufmarschstraße für die zum Dom führenden festlichen Umzüge und geistlichen Prozessionen.

Wolf Dietrich ließ auch eine „herrlich schöne Pruggen" weiter flußabwärts beim Rathaus, dort, wo heute die Staatsbrücke steht, errichten. Die Fleischbänke, die sich früher auf der alten Brücke befunden hatten, wurden auf das Gries verlegt, und damit der Anfang für die Entstehung der Griesgasse geschaffen. Rechts der Salzach erbaute der Erzbischof außerhalb der Stadtmauer das Lustschloß Altenau, das sein Nachfolger Mirabell benannt hat.

Wolf Dietrich scheiterte mit seinen hochfliegenden Plänen. Ihm war es nur bestimmt gewesen, die Anlage der neuen Fürstenstadt vorzuzeichnen. Gebaut wurde sie unter seinen Nachfolgern Markus Sittikus und Paris Lodron, vollendet erst an der Wende des 17. zum 18. Jahrhundert durch Johann Ernst Graf Thun.

Markus Sittikus von Hohenems baute weiter an der Residenz, hauptsächlich aber am Dom. Nach einer zweiten Grundsteinlegung 1614 konnte er diesen bis zur Dachhöhe bringen. Wie weit Santino Solari, der von ihm berufene italienische Architekt, bei dem neuen Bau die frühere Planung einbezogen hat, ist nicht feststellbar. Außer dem Bau am Dom und der Residenz sichert diesem Erzbischof die Errichtung des Lustschlosses Hellbrunn, eines der originellsten Lustschlösser diesseits der Alpen, einen ruhmvollen Namen in der Salzburger Architekturgeschichte.

Während des Dreißigjährigen Krieges kam mit Erzbischof Paris von Lodron einer der tüchtigsten Männer auf den salzburgischen Fürstenthron. Seiner klugen Politik und weisen Führung gelang es, das Erzstift aus den Wirrnissen des Krieges herauszuhalten. Er entfaltete eine rege Bautätigkeit. Der Dom wuchs bis auf den Abschluß der Türme, die Wehranlage auf Hohensalzburg wurde verstärkt und eine umfangreiche Neubefestigung der Stadt durchgeführt. Lodron setzte an die Stelle des mittelalterlichen Mauerringes ein System von Bastionen und bezog auch die Stadtberge großzügiger in den Verteidigungsgürtel ein. Auf dem Gelände des Frongartens brachte er 1621 die schon von seinem Vorgänger begründete Universität in einem Neubau unter Dach. Zur Gestaltung des hier entstandenen Universitätsplatzes wurde die Rückseite der Häuser der Getreidegasse zu einer geschlossenen Häuserfront ausgeformt. Die nötigen Querverbindungen zur Getreidegasse stellten zahlreiche Durchgänge her („Salzburger Durchhäuser"). Repräsentative Bauten für die Verwandtschaft des Erzbischofs, wie der in den siebziger Jahren umgestaltete Primogeniturpalast an der Dreifaltigkeitsgasse (Gebäude des alten Borromäums), füllten das freie Gelände innerhalb des weitgezogenen neuen Befestigungsrings jenseits des Flusses aus.

Das Gesicht der seit dem 17. Jahrhundert so stark veränderten Stadt formten vorerst fremde Hände. Italienische Architekten, Maler, Bildhauer und Stukkateure, sogar viele Maurer waren seit Wolf Dietrich in Salzburg tätig. Sie brachten die Formen der weltfrohen Renaissancekunst mit und schufen hier Frühwerke des Palastbaues im südostdeutschen Raum. Angeregt von der Bauweise ihrer engeren Heimat, führten sie hier wahrscheinlich auch die ausladende Hohlkehle als oberen Abschluß der Hausfassaden ein. Diese Künstler schmückten die Innenräume des Domes und anderer Kirchen, der Residenzbauten und der Palais der Domherren mit Stuckdekorationen, und schufen zahlreiche Statuen für die Gärten der Lustschlösser Mirabell und Hellbrunn.

Neben den Italienern waren in Salzburg auch noch andere ausländische Meister am Werk. Schon unter Erzbischof Wolf Dietrich erforderte dies die jetzt ins Herrschaftlich-Repräsentative gesteigerte Hofhaltung. Neben den Bildhauern Konrad Asper, Hans Waldburger und Michael Pernegger, dem Maler Kaspar Menberger aus Konstanz, arbeiteten hier die hochgeschätzten Goldschmiede Paulus van Vianen, Hans Karl und Paul Hübner. Sie gestalteten für den Schatz des Erzstiftes, zum kirchlichen wie zum profanen Gebrauch, Werke von erlesener künstlerischer Qualität. Ein Beispiel ist das goldene Tafelgeschirr, das Wolf Dietrich durch Meister Hans Karl anfertigen ließ. Der größte Teil des wertvollen Gutes wurde allerdings zu Beginn des 19. Jahrhunderts in die Toskana verbracht.

Nach der Vollendung der Domtürme ließ Kardinal Erzbischof Guidobald Graf Thun die verbindenden Dombögen errichten. In Übereinkunft mit dem Stift Sankt Peter veranlaßte er die Errichtung eines neuen Gebäudetraktes auf dem Domplatz, bei dem die Nordfront des Klosters der gegenüberliegenden Residenzfassade angeglichen wurde. Damit war für den Domplatz ein harmonischer Rahmen geschaffen. Die Aufstellung des Hofbrunnens auf dem Residenzplatz, dieses weithin einzigartigen Beispiels eines Monumentalbrunnens, ermutigte den Bauherrn eine ganze Reihe anderer schöner Brunnen in der Stadt zu errichten.

Auf die Regierungszeit des nächsten Erzbischofs, Kardinal Max Gandolf Graf von Kuenburg, fällt der Schatten eines schweren Unglücks. Am 16. Juli 1669 kam es – infolge einer Kluftbildung in der Mönchsbergwand – zu einem Bergsturz, der auf der Gstätten dreizehn Wohnhäuser, zwei Kirchen und ein Alumnat unter den Felsmassen begrub. An die dreihundert Menschen fanden den Tod. Damals wurde ein großes Stück der seit dem Mittelalter langsam angewachsenen Gstätten in einer geschlossenen, dem Gelände angepaßten Form neu aufgebaut. Gegen Ende des Jahrhunderts entstand als Abschluß des Straßenzuges das Ursulinenkloster mit seiner Kirche, die diesem Stadtgebiet architektonisch das Gesicht gab.

Max Gandolf hatte auf Grund einer Stiftung zum Bau eines Priesterhauses den Orden der Theatiner (Kajetaner) nach Salzburg berufen. Für diesen wurde im Kaiviertel, anstelle eines Sankt-Lorenz- und Magdalena-Spitals, nach Plänen von Caspar Zugalli aus München, ein Kloster mit Kirche errichtet. Der Baukomplex tritt im Stadtbild weithin durch die mächtige quer-ovale Kuppel der Kirche in Erscheinung, deren Fassade nach der Ordensregel ohne Türme gestaltet ist. Der Bau des Kajetanerklosters gab dem Domkapitel Anreiz bei seinem, schon von Erzbischof Wolf Dietrich gegründeten Dienstbotenspital im Nonntal, ab 1685 vom selben Meister die Sankt-Erhard-Kirche errichten zu lassen. Mit dem Bau dieser Kirche entstand für die am Fuße des Nonnbergs liegende kleine Vorstadt eine bestimmende städtebauliche Betonung.

Die siegreichen Kämpfe des Hauses Habsburg haben am Ende des 17. Jahrhunderts dem deutschen Königtum neuen Glanz gegeben und ein allgemein gesteigertes Lebensgefühl bewirkt. In vielen Neubauten und weitgehenden Umbauten der Kirchen und Besitzungen der Geistlichkeit und des Adels entfaltet sich die Blüte des heimischen Barocks. Der baulustige, vom Geist seiner Zeit ganz erfüllte Nachfolger Max Gandolfs, Erzbischof Johann Ernst Graf Thun, brachte die von Wolf Dietrich begonnene Neugestaltung der Stadt auf seine Weise zum Abschluß. Er berief aus Wien Johann Bernhard Fischer von Erlach. Damit erhielt Österreichs größter Barockarchitekt die Möglichkeit, zum erstenmal am Kirchenbau sein Können zu erproben und seinen Stil zu entfalten. Durch die Tätigkeit Fischers von Erlach wurde das Erzstift um eine Fülle künstlerisch hervorragender Bauwerke reicher, die vorbildhafte Anregungen für die Entwicklung der Baukunst seiner Nachbarn boten.

Die neue Ausgestaltung der Stadt leitete ein Umbau des Mirabellgartens und dessen Ausschmückung mit Ballu-

Blick zur Burg   A view of the Fortress   Vue sur la château fort

Hohensalzburg, Goldene Stube   Hohensalzburg, the "Goldene Stube"   Hohen-Salzbourg, la chambre dorée

Hohensalzburg, Goldene Stube Hohensalzburg, the "Goldene Stube" Hohen-Salzbourg, la chambre dorée

Nonnberg, Romanische Wandmalerei   The Nonnberg Convent, Romanesque murals   Nonnberg, peinture murale romane

straden, Vasen und Statuen nach Plänen Fischers ein. Dem folgte die Gestaltung einer monumentalen Portalwand in der Westfassade des Hofmarstalles, die optisch mit der Pferdeschwemme zu einer architektonisch wirkungsvollen Gruppe verbunden wurde. In das Gesamtbild der hier vorgenommenen Platzgestaltung hatte man, in Barockart auch die Umgebung selbst, die Steilwände des Mönchsbergs einbezogen. Im Universitätsviertel verwirklichte Erzbischof Johann Ernst Graf Thun mit der Stiftung der Kollegienkirche seine Lieblingsidee. Das Bauwerk schloß den Universitätsbezirk ostwärts ab und gab dem Gebiet eine monumentale Betonung. Fischers Zentralbau, seine künstlerisch reifste Salzburger Schöpfung, ist in der Vielgestaltigkeit und in der Bewegtheit des Baukörpers, in der Spannung zwischen dem Hochstreben und der Tiefenwirkung des Innenraumes, von unnachahmlicher Wirkung.

Für die von 1699 bis 1705 erbaute Kirche der Ursulinen ist Fischers Urheberschaft nicht dokumentarisch bezeugt. Aber die Sprache der Formen und mehr noch die Mitgestaltung des Platzes in der Enge zwischen Fels und Fluß bekunden die schöpferische Hand dieses Meisters. Der Bauwille des Erzbischofs blieb aber nicht auf das Kerngebiet der Altstadt beschränkt. Er griff auch in den Bezirk jenseits des Flusses und in die Vorstädte bestimmend ein. Nahe der im 17. Jahrhundert für die Lodronische Verwandtschaft erbauten Häusergruppe, entstand von 1694 bis 1702, als nördlicher Abschluß des Hannibal-Platzes, des heutigen Makart-Platzes, der Gebäudekomplex des Priesterhauses und der Pagerie mit der Dreifaltigkeitskirche. Dies war für Fischer der erste Auftrag für einen Kirchenbau. Seine Lösung kennzeichnet die für den Meister auch später typische plastische Bewegtheit des Baukörpers und die auf einem Mindestausmaß an Baufläche verwirklichte zwingende Tiefenwirkung des Innenraumes.

Das von 1699 bis 1704 in der Vorstadt Mülln erbaute Sankt-Johanns-Spital mit seiner Kirche entstand ebenfalls nach einem Plan Fischers. Diese, dem Wohl der Allgemeinheit dienende Stiftung des Landesherrn, stellte dem Architekten eine ähnliche Aufgabe wie die Erbauung des Priesterhauses: Die Einfügung einer Kirche in ein langgestrecktes Gebäude. Der einfache Außenbau des Gotteshauses mit der schlichten Fassade umschließt einen machtvoll aufstrebenden Innenraum, der von lebhafter Bewegung erfüllt ist, und in seiner Gliederung wie in seinem Schmuck die künstlerische Eigenart und Fähigkeit seines Schöpfers ausweist.

Johann Ernst verwendete seine reichlichen Einkünfte hauptsächlich zur Ausgestaltung der Residenzstadt. Aus dem Gewinn, den ihm seine Beteiligung an der holländisch-ostindischen Handelskompanie einbrachte, stiftete er das Glockenspiel, das auf dem Turm des Residenz-Neugebäudes Wahrzeichen der Stadt geworden ist. Als er starb, war der Ausbau seines Lustschlosses Klesheim, nach einem Plan Fischers errichtet, noch nicht vollendet.

Die Nachfolger arbeiteten an der schmuckhaften Ausgestaltung der Stadt. Sie beriefen die besten Vertreter des immer schöner sich entwickelnden österreichischen Barocks aus der Kaiserstadt Wien. Unter Franz Anton Graf von Harrach erhielt die Residenz die heutige Fassade und Innenausstattung. Er betraute auch Lukas von Hildebrandt, Fischers großen Kollegen, mit dem Umbau des Schlosses Mirabell. Hier schuf Hildebrandt in der Prachtstiege ein Kunstwerk ersten Ranges. Sie spricht im Ornament des Marmorgeländes die Einladung zum Aufwärtssteigen aus. Die spielenden Putten wiederholen sie von Stufe zu Stufe. Die Figuren sind das Werk des Wiener Bildhauers Raphael Donner. Neben den angesehenen Malern Martino Altomonte, Paul Troger, Johann Michael Rottmayr und später J. M. Schmidt (genannt Kremser-Schmidt) arbeiteten Gall und Camesina ihre Stuckdecken in der Residenz, in den Schlössern Mirabell und Leopoldskron. Ihre formale Ausprägung wurde für viele heimische Künstler Anregung und Vorbild.

Die Pferdeschwemme auf dem Kapitelplatz bekam unter Erzbischof Leopold Ernst Freiherr von Firmian, dem Erbauer des Schlosses Leopoldskron, ihr heutiges Aussehen. Auf dem Domplatz wurde von Erzbischof Sigismund von Schrattenbach das von den Brüdern Hagenauer geschaffene, dogmatisch bedeutungsreiche Denkmal der Immaculata errichtet. In seiner Regierungszeit entstand auch das Neutor mit dem Tunnel durch den Mönchsberg. Es war das erste Tor, das die Fürstenstadt unmittelbar mit der hinter dem Berg gelegenen Vorstadt Riedenburg verband. Die aus dem gewachsenen Fels gehauene Torarchitektur mit ihrem Statuenschmuck war dem Fürsten als Denkmal gewidmet, und zugleich mit einem westseitig angelegten Vorwerk von Ruinen Erinnerungsmal der vergangenen Stadt Juvavum (Hahnel).

Die Baulust der Landesfürsten und der Geistlichkeit fand ihren Widerhall bei den Geschlechtern und den wohlhabenden Bürgern. Sie schmückten den oft jahrhundertealten Mauerkern ihrer Häuser mit neuen Fassaden und Portalen. Manche Stube übersetzte in ihrer Stuckdecke und den geschnitzten Türen den Reichtum eines fürstlichen Prunkraumes ins behaglich Bürgerliche. Schmiede und Schlosser überboten sich in der Anfertigung schöner Gitter und reizvoller Hausschilder. Die Fülle des Geschaffenen zeigt alle Spielarten und Wandlungen, die die bildende Kunst vom 18. bis ins 19. Jahrhundert hervorgebracht hat.

Aber die politische Entwicklung hatte die Lebenskraft der geistlichen Fürstentümer und Hochstifte bereits untergraben. Auch in Salzburg wurden unter den Nachfolgern des Erzbischofs Johann Ernst durch die kriegerischen Zeiten und eine nicht immer glückliche Wirtschaftsführung Verfallserscheinungen und schlechte soziale Verhältnisse heraufbeschworen. Besonders aus der harten Stellungnahme Erzbischof Firmians gegen den Protestantismus hat das Land viele wertvolle Kräfte eingebüßt und wirtschaftlich schwer gelitten. Wohl gelang es Erzbischof Hieronymus Graf Colloredo, als er 1772 die Regierung übernahm, durch energisches Eingreifen und kluges Handeln die zerrütteten Finanzen des Landes wieder in Ordnung zu bringen; aber die Tage der staatlichen Selbständigkeit des Erzbistums waren gezählt. „Als am 10. Dezember 1800 der Landesfürst vor den siegreichen Truppen Napoleons nach Brünn floh, fiel der Vorhang. Salzburg hatte nach einem Jahrtausend Geschichte aufgehört, eine selbständige Rolle zu spielen" (Martin). Nach der 1803 erfolgten Auflösung des geistlichen Fürstentums und der Überwindung der Napoleonischen Besetzung, wurden 1816 die Hoheitsrechte endgültig Österreich zugesprochen. In dieser Zeitspanne war die ehemalige Fürstenresidenz verarmt und von einer Landeshauptstadt zur unbedeutenden Bezirksstadt des Landes Österreich ob der Enns abgesunken. Sie hatte zahlreiche wertvolle Güter und Kunstgegenstände eingebüßt und war von ihren besten Kräften verlassen worden. Viele Adels- und Bürgergeschlechter waren um ihr Besitztum gekommen. Die Bevölkerung hatte sich um ein Viertel verringert.

Erst allmählich besserten sich die Verhältnisse wieder. Aus den zugewanderten Beamten und Offizieren bildete sich ein Mittelstand, der zusammen mit dem bodenständigen Bürgertum das bescheidene kulturelle Leben bestimmte. In der Gründung des städtischen Museums, eines Kunstvereins und schließlich des Mozarteums bekundete sich das erwachende Interesse an der Heimat, ihrer Entwicklung und Geschichte. Gebaut wurde in der ersten Hälfte des 19. Jahrhunderts wenig. Als die Feuersbrunst von 1818 einen Großteil der Stadt am rechten Ufer vernichtet hatte, ging der Wiederaufbau so langsam vor sich, daß man fast dreißig Jahre nachher in der Berggasse noch Brandruinen sehen konnte. Die neuerstandenen Bürgerhäuser zeigten im allgemeinen hinter einer biedermeierlich einfachen Fassade die althergebrachte Anlage.

In der Fürstenstadt bewirkte die Ablösung der erzbischöflichen Hofhaltung durch die neuen weltlichen Herren einschneidende Veränderungen. Der Palastcharakter der einstigen Domherrenhäuser und die prunkvolle Raumgestaltung der Residenzgebäude wurden bei der Verwendung als Amts- und Kanzleiräume durch unschöne Einbauten oft unbedacht zerstört. Die alte Hofstallung machte man zur Kaserne, desgleichen Hohensalzburg. So wurde vieles historisch Wertvolle verwüstet und bedeutende Kunst- und Geschichtsdenkmäler büßten unwiderbringbar den hohen Rang ein, der ihnen gebührt hätte.

Erst nach der Revolution von 1848 vollzog sich in den Landesrechten ein Wandel zum Besseren. Salzburg wurde 1850 als Herzogtum ein eigenes Kronland der österreichisch-ungarischen Monarchie und erlangte damit wieder eine gewisse Selbständigkeit. Aber erst mehr als ein Jahrzehnt später, nachdem die Stadt das Gelände der Lodronschen Wehranlage zwischen Mirabell- und Sebastiantor geschenkt erhalten hatte, war einer Vergrößerung und Entwicklung Salzburgs in modernem Sinn der Weg freigemacht.

Seit Wolf Dietrich hatte das Stadtbild keine so bedeutende Umwandlung mehr erfahren. Durch die Regulierung der Salzach und der Kaianlagen wurde vor allem das Ufergelände völlig verändert. Der Abbruch der Stadtmauer in der Altstadt von der Staatsbrücke bis zum Klausentor – das flußauf gelegene Michaelertor war schon früher abgebrochen worden – machte auch hier die Anlage von breiten Straßen möglich.

Jenseits der Salzach fiel die Uferfront der alten Häuser „am Stain" früher unmittelbar zum Wasser ab. Nun wurde dem Flußbett Raum für eine Straße abgerungen, und die Mündung des Gersbaches in die Gegend der Nonntaler Brücke verlegt. Über die Salzach spannte man Brücken und Stege in Eisenkonstruktion.

Viel einschneidender als am linken Ufer, wo die Altstadt in ihrem Bestand fast erhalten blieb, wurde das fluß-abwärts gelegene Stadtgebiet rechts der Salzach verändert. Hier gewann man ein großes Baugelände hinzu. Die Bastionen und Wehranlagen wurden mit Ausnahme des Hexenturmes geschliffen. Bestehen blieb nur ein kleiner Rest beim Mirabellgarten und im Kurgarten.

Durch die Westbahn wurde Salzburg dem Weltverkehr angeschlossen. Die Schönheit der Alpenlandschaft hatte seit ihrer Entdeckung durch die Maler der Romantik schon immer Künstler und Reisende angezogen. Nun war die Möglichkeit einer wirtschaftlichen Nutzung gegeben. Der Gedanke des Fremdenverkehrs wurde geboren. Um den Bahnhof, der 1908 neuzeitlich umgestaltet wurde, bildete sich aus dem abgelegenen Vorort Froschheim die Elisabethvorstadt. Nach 1900 füllte sich das Gelände von Schallmoos, das schon unter Paris von Lodron trockengelegt worden war, und wo nur vereinzelte Guts- und Wirtschaftshöfe gestanden hatten, immer dichter mit Baulichkeiten verschiedenster Art. Die Stadt breitete sich nach Nordosten mächtig aus. Aber auch außerhalb des Neutors, in der Riedenburg, wuchs seit etwa 1890 ein Villenviertel heran, das nach Westen bald mit der Ortschaft Maxglan Fühlung bekam. Von 1860 bis zum Jahrhundertende hatte sich die Bevölkerung verdoppelt. Die Stadt wurde in allen Vierteln kanalisiert und mit einer Trinkwasserleitung versehen. Durch die Errichtung von Schulgebäuden, Fürsorgeanstalten und Krankenhäusern entfaltete sich eine lebhafte öffentliche Bautätigkeit, hinter der die private nicht zurückstand. Die Stadtfriedhöfe wurden aufgelassen und durch einen in Stadtnähe angelegten Kommunalfriedhof ersetzt.

Dieser von Wissenschaft, Technik und Wirtschaftsideen erfüllten Zeit war es mit ihrer materialistisch-freisinnigen Denkweise nicht gegeben, in der Baukunst neue Formen zu finden. Man griff auf vergangene Kunstformen zurück und versuchte mit deren Hilfe die neuen Aufgaben zu lösen. Wie der einzelne immer mehr ohne Rücksicht auf die Gemeinschaft zu leben begann, nahmen auch die Baukünstler immer weniger auf Örtlichkeit und Umgebung Bedacht.

Das neue Aussehen Salzburgs bestimmten vor allem Anregungen aus dem kurz zuvor entstandenen Groß-Wien, das weit über den Bereich der Donaumonarchie wertvolle Impulse zu geben vermochte. Aber in Salzburg blieb die Architektur des Ringstraßenstils Fremdkörper neben der Art des Überkommenen. Zu spät erkannte man hier, daß Freiherr Karl von Schwarz, der Erbauer der Westbahn und Kunstmäzen der Stadt, im Überschwang verfehlte Eingriffe in einen geschichtlich gewachsenen Organismus gemacht hatte. Die Vorteile, die die Stadterweiterung gebracht hat, wurden durch die Einbuße schöner alter Stadttore und reizvoller Teile der einstigen Befestigungsanlagen sowie durch Verzicht auf die charakteristischen Grabendächer, gerade vom Gesichtspunkt der Kunst- und Fremdenstadt aus, zu teuer erkauft. Aus der Fülle des Neugeschaffenen überragt nur weniges den Durchschnitt. Als Ersatz für das abgetragene mittelalterliche Gotteshaus am Platzl wurde von 1892 bis 1898 die neue Sankt-Andrä-Kirche gebaut. Der neugotische, landschaftsfremde Rohziegelbau fügte sich, besonders durch seine Lage gegenüber dem Schloß Mirabell, dem Stadtbild unvorteilhaft ein. Das Aussehen dieser Kirche wurde 1970/71 stark verändert. Der Innenraum ist gut proportioniert und übertrifft in der Wirkung ähnliche Schöpfungen dieser Art. Durch die Abtragung des von Erzbischof Jakob Ernst Graf Liechtenstein gegenüber der Dreifaltigkeitskirche erbauten Leihhauses (das schöne Portal ziert heute die Hauptanstalt der Salzburger Sparkasse) wurde der alte Hannibalplatz vergrößert und die Sicht auf die Dreifaltigkeitskirche mit ihren Flügelbauten freigelegt. Auf der Westseite des später nach dem Maler Hans Makart benannten Platzes wurde 1894 anstelle des alten Ballhauses von den Wiener Architekten Helmer und Fellner das Stadttheater erbaut. Es ist ein Bau, der in der intimen Raumwirkung und der reizvollen Innenausstattung im Stile des zweiten Barocks über das übliche Niveau der Landestheater hinausragt. Auch der 1908 als Inselbahnhof fertiggestellte Bahnhofsneubau erwies sich als technisch wohlgelungenes Werk, das in seiner gediegenen Ausstattung und Dekoration den schon abgewandelten Jugendstil von seiner besten Seite zeigte.

Der Weltkrieg von 1914 bis 1918 lähmte jede weitere Entwicklung. Durch das Zerschlagen der Monarchie wurde auch das gesellschaftliche Gefüge aufs schwerste erschüttert. Die Nachkriegsjahre mit ihren traurigen wirtschaftlichen Folgeerscheinungen lasteten bedrückend auf Stadt und Land. Erst der systematisch geförderte Fremdenverkehr und die Gründung der Festspiele brachten wieder eine Aufwärtsbewegung.
Schon vor dem Krieg war durch die Giselabahn und Tauernbahn der Zugang zu den Schönheiten der Gebirgsgaue verbessert worden. Neue Schutzhütten und Fremdenherbergen trugen weiterhin zur Förderung des Verkehrs bei. Nach dem Krieg wurde dank der unermüdlichen Tatkraft des damaligen Landeshauptmanns Doktor Franz Rehrl trotz schwierigster wirtschaftlicher Verhältnisse der Bau der beiden Höhenstraßen, Gaisberg- und Großglockner-Hochalpenstraße, durchgeführt. Sie erwiesen sich als starke Anziehungspunkte von internationaler Bedeutung.
Die Festspiele in der Geburtsstadt Mozarts und das zugleich unter der Leitung des Hofrates Dr. Bernhard Paumgartner aufblühende Konservatorium Mozarteum, das 1914 ein neues Haus in der Schwarzstraße erhalten hatte, schufen mehr und mehr Verbindung zu den Spitzen der internationalen Theater- und Musikwelt. Als der geniale Theaterfachmann Max Reinhardt mit der Inszenierung von Hofmannsthals „Jedermann" vor dem Riesenprospekt der Domfassade die Zuschauer in Bann schlug, war der Weg beschritten, der über ein reiches Festspielprogramm von Opern, Konzerten, Serenaden und anderen Darbietungen schließlich zur „Faust"-Inszenierung in der Felsenreitschule führte. Salzburg hatte den Ruf einer einzigartigen Kunststadt erlangt.

So sehr diese Entwicklung die Wirtschaft des kleinen, armen Alpenlandes verbessert hat, auf die bauliche Umgestaltung seiner Hauptstadt übte sie wenig Einfluß. Die Peripherie der besonders im Osten, Süden und Westen anwachsenden Stadt bietet kein erfreuliches Bild.
Mit dem steten Anwachsen der Festspiele trat die Forderung nach einem neuen Festspielhaus immer drängender auf. Der 1925 hierfür umgewandelte Teil der Hofstallkaserne konnte trotz der sehenswerten Innenausstattung, die er bei der Neugestaltung erhalten hatte, den

bühnentechnischen Ansprüchen nicht gerecht werden. Auf Anregung des Landeshauptmannes Dr. Franz Rehrl entschloß man sich zu einem Erweiterungsbau mit gleichzeitiger Anlage eines Auffahrtsplatzes. Clemens Holzmeister schuf eine malerisch wirkende Baugruppe, die ein neuzeitliches Bühnenhaus, wo auch die Dekorationen der Wiener Staatsoper verwendet werden konnten, mit Büro-, Probe-, Garderobe- und Nebenräumlichkeiten verband. Die alten Bauten in der Umgebung und die durch den Umbau des botanischen Gartens der Universität gewonnene Parkanlage samt dem Auffahrtsplatz mit dem neugestalteten Fischmarktbrunnen bilden nun jenen Rahmen, in den sich das Festspielgebäude organisch einfügt. In das Bühnenhaus gelangt man durch einen intimen kleinen Hof, aus dem eine Stiege zum Mönchsberg emporführt. Die Baugruppe des Festspielhauses schließt sich mit dem von Peter Behrens errichteten Collegium Benedictinum und dem Petersbezirk einheitlich zusammen. Die Vorhalle des Collegs birgt Meister Adlharts monumentales Kruzifix, ein bedeutsames Werk neuzeitlicher expressionistischer religiöser Kunst.
Mit dem „Anschluß" Österreichs an das Deutsche Reich, wodurch Salzburg 1938 zu einem „Reichsgau" wurde, brach die Entwicklung ab. Das Stadtbild erlitt gewaltsame Veränderungen. Manche Pläne, deren Ausführung nicht sogleich zustande kam – wie etwa die umfassende Verbauung des Kapuzinerberges und bestimmter Gebiete des Mönchsberges mit Partei- und Wehrmachtsbauten im neuen Reichskanzleistil – wurden glücklicherweise nicht mehr verwirklicht. Das übrige verhinderte der ausgebrochene Krieg. Am 16. Oktober 1944 zerstörten Bomben die Kuppel des Domes und beträchtliche Teile des Kaiviertels. Darnach erfolgten noch fünfzehn Angriffe, die vor allem den Bahnhof und seine Umgebung trafen, und auch in anderen Stadtgebieten rechts der Salzach schwere Schäden anrichteten. Der Zusammenbruch des „Dritten Reiches" im Mai 1945 führte zur Gründung der Zweiten Republik Österreich. Die wirtschaftliche Notlage des neuen Staates ließ auch in Salzburg den Wiederaufbau nur langsam vor sich gehen. Trotzdem wurden in wenigen Jahren die größten Schäden behoben und die Lücken im Stadtbild weitgehend geschlossen.

Als größte Leistung ist hier die Neuerrichtung der Domkuppel und der zerstörten Gewölbe der Querschiffsarme sowie der Bau der Krypta zu nennen. Die Gesamtrestaurierung des Münsters mit allen noch hiezu einbezogenen Erneuerungen war mit 1. Mai 1959 beendet.
Starke Vorteile zog Salzburg nach dem Krieg aus dem vielfältigen Zustrom neuer Bewohner. Binnen kurzer Zeit entstand eine Großstadt. Es fiel schwer, deren neue Probleme voll zu meistern. Gerade im Bauwesen haben Erfordernisse des Tages die Planung fatal überrundet. Das heutige Stadtbild, wie es sich etwa von der Höhe des Gaisbergs aus betrachtet, läßt in den Neubaugebieten eine gewachsene Ordnung weithin vermissen. Erst in jüngster Zeit versucht man durch Flächenwidmungspläne dem ungelenkten Aufbrechen von Bauflächen Ziele zu setzen. Für bauliche Um- und Neugestaltungen im Altstadtbereich ist bis zu einem gewissen Grade ein Altstadterhaltungsgesetz bestimmend geworden. Das Denkmalamt und andere zuständige Behörden üben beratende Funktionen aus. Die Bemühungen richten sich

auf die Bewahrung kennzeichnenden und erhaltenswürdigen Bestandes und auf das Verständnis der Altstadt als einen lebendigen Organismus.

Als wichtigster Neubau entstand im Stadtkern das große Festspielhaus. Beim Wettbewerb der interessierten Bundesländer um einen vom Staat geförderten Neubau eines Theaters, war es der Initiative des damaligen Landeshauptmannes Dr. Josef Klaus gelungen, für Salzburg den Vorrang zu erreichen. Die Pläne schuf Clemens Holzmeister. Das Werk wurde 1956 begonnen und war 1960 fertiggestellt. Der neue Bau setzt nicht nur den bisherigen Provisorien ein Ende, er bindet auch in sehr günstiger Weise drei wichtige Festspielplätze, das Kleine Festspielhaus, welches 1963/64 etwas verkleinert, aber intimer gestaltet wurde, die Felsenreitschule, deren Zuschauerraum 1969/70 Professor Clemens Holzmeister erneuerte, und das Große Festspielhaus zu einem zentral gelegenen Festspielbezirk von städtebaulicher Ein-

heit. Gleichzeitig mit dem Neubau des Großen Festspielhauses konnte im alten Ursulinenkloster, das vom Orden verkauft und nach Plänen von Architekt E. Horvath adaptiert worden war, das „Haus der Natur" vorteilhaft untergebracht werden. Mit der Bewahrung des einstigen Klosterkomplexes blieb auch die wirkungsvolle städtebauliche Dominante dieses Stadtbereiches gestaltlich erhalten.

Salzburg hat die schwere Nachkriegszeit überwunden. Sein neuer Aufstieg, von wirtschaftlichen und kulturellen Ansprüchen mächtig vorwärts getrieben, hat Gestalt und Antlitz aus einem kostbaren, ungewöhnlich verletzlichen Erbe mehr oder weniger glücklich zu bewahren vermocht. Die entscheidenden Wesenszüge im Kernbereich des Bildes blieben bestehen. Salzburg „hat nur wenig von der Fülle seiner Strahlungskraft eingebüßt" (Fuhrmann).

Residenzplatz   The Residenz Platz   Place de la Résidence

Alte Residenz, Audienzsaal   The Old Residenz, the audience-chamber   Ancienne Résidence, salle des audiences

Residenz-Neugebäude, Deckenstuck   The New Residenz, stucco-work on the ceiling   Nouvelle Résidence,
stucage du plafond

Mirabellgarten   The Mirabell Garden   Jardin Mirabell

Salzburg's topographical development has always been conditioned by its geographical position along a stretch of the river Salzach that enjoys the natural protection of three hills, the Mönchsberg and Festungsberg on the left bank, and the Kapuzinerberg on the right bank.

Apart from this extremely favourable geographical position, another factor that has attracted settlers from time immemorial is the presence of salt, notably at Dürrnberg near Hallein, where excavations have shown that there was a Celtic settlement long before the Romans made the town of Juvavum a capital of the Province of Noricum. Roman Juvavum stretched from what is now the Kajetaner Platz to the Getreidegasse, and on the right bank of the river from the Linzer Gasse to where the Mirabell Palace now stands.

As Roman power declined Juvavum too decayed, and early in the 6th century the area was occupied by settlers from what is now Bavaria and ruled by Dukes, under whom Juvavum regained much of its former prosperity. But before their arrival, and even before the departure of the Romans, Christianity had established a foothold in Juvavum, as is evidenced by the "catacombs" and chapels in what is now S. Peter's Cemetery; and in 696 AD a Franconian bishop and missionary named Hruodpert (Rupert) not only made many more converts to Christianity but was also presented by the Bavarian Duke Theodo with the town of Juvavum and a residence near what is now Reichenhall. It was Rupert who founded S. Peter's Monastery and the Convent on the Nonnberg, its first Abbess being a relative of his named Erentrudis. As a Secular counterpart to these religious foundations the Bavarian Duke built a stronghold slightly to the east of the convent for the defence of the salt convoys, hence its name "Saltzpurch" from which the present Salzburg eventually derived.

In 739 Salzburg was granted the status of a bishopric, one of the first bishops being Virgil, who found his way to Salzburg from Ireland and built Salzburg's first Cathedral in 774. In 798 the Bishops of Salzburg were promoted to Archbishops, the first Archbishop being Arno (785—821); and by the beginning of the 9th century the pattern of the city's subsequent development was already established... the Cathedral, S. Michael's Parish Church and S. Peter's Monastery standing back from the river; and the Burghers' Town along the left bank, with a market approximately on the site of the present Waagplatz. A wooden bridge led to a small settlement on the right bank of the river known as "Am Stain" (the present Steingasse at the foot of the Kapuzinerberg). As the city continued to expand

and prosper two important decisions were taken, one secular and the other exclesiastical. In 1077 Archbishop Gebhard had work started on what was to become the impregnable fortress of Hohensalzburg and the dominating feature of the Salzburg scene, and in 1110 Archbishop Konrad I built himself an archiepiscopal residence close to the Cathedral, roughly on the site of the present Old Residenz.

During the next two centuries the Burghers' Town steadily expanded downstream along the left bank of the river, but lack of space meant that the burghers' houses were precariously huddled between the river and the Mönchsberg, the only appreciable thoroughfare being what is now the Getreidegasse. In 1278 the whole city was surrounded by a defensive stone wall which also enclosed the small "Am Stain" bridgehead on the other side of the river. But very little evidence of what early medieval Salzburg looked like has survived, and much documentary evidence perished in a series of fires which ravaged the city in 1167, 1196, 1200 and 1203, destroying nearly all the burghers' houses, which were made of wood, but sparing the Cathedral. Some idea, however, of the scale on which Salzburg's churches were built in those days can be gleaned, despite the extensive alterations to which they were later subjected, from S. Peter's Church (early 12th century) and the 13th century Church of the Blessed Virgin which in 1585 was handed over to the Franciscans. The wonderful 15th century choir of this church is the work of one of the greatest masters of his time, Hans von Burghausen. Another priceless treasure in this church was a Gothic altar by the same Michael Pacher who was responsible for the celebrated altar at S. Wolfgang. Of the Salzburg altar all that remains in the Franciscan Church is the Madonna: the rest was broken up in 1709, its silver and gold being melted down and sold for 512 gulden!

During the later part of the 15th century most of Central and South-East Europe lived in constant dread of the "terrible Turk", and even Salzburg was constrained to consolidate its bastions, especially on the Mönchsberg, it being assumed that an attack was more likely to come from the west than from across the Salzach; but the defences of the "bridgehead" are also known to have been strengthened, though for one reason or another little trace of them has survived. The Archbishops too hastened to look to their defences, and work on making Hohensalzburg an impregnable fortress was given absolute priority. Hohensalzburg Fortress in its present form is largely the creation of Archbishop Leonhard von Keutschach (1495—1519), a contemporary of the Emperor Maximilian I, the "last of the knights". As well as strengthening its defences the Archbishop ordered a suite of magnificently furnished apartments in the "Hochschloss" in which he could take refuge during the turmoil of the early 16th century. The wisdom of this precaution was amply demonstrated during the Peasants' Revolt of 1525, when for weeks on end Archbishop Keutschach's successor, Archbishop Matthäus Lang, was beleagured in the Fortress by the insurgent peasants. It was not until the end of this turbulent century that Salzburg arrived at a turning-point in its history with the election of Wolf Dietrich von Raitenau to be Archbishop at the age of twenty-eight. Having been brought up in Rome, Wolf Dietrich was an ardent champion of the Renaissance and lost little time in setting about realising his dream of converting medieval Salzburg into the Rome of the North. During his rule as Archbishop (1587—1612) he laid the foundations of the "Fürstenstadt", the city of ecclesiastical mansions and spacious squares with the great Italianate Cathedral at its centre. This ambitious plan was abetted by a highly convenient "accident" in 1598, when the Romanesque Cathedral caught fire and was allowed to burn down. As for the medieval Burghers' Town, no fewer than fifty-five houses were demolished to make room for Wolf Dietrich's "Rome of the North". Extending his activities to the other side of the river, Wolf Dietrich had S. Sebastian's Cemetery expanded on the lines of an Italian Campo Santo as a new cemetery for the whole of Salzburg, the old Cathedral Cemetery having been deconsecrated. Further along the right bank of the river he also built (though for a far from ecclesiastical purpose) the Altenau Palace which his successor Marcus Sitticus renamed "Myerabella" (Mirabell). As a "town-planner" Wolf Dietrich was gifted with undeniable vision and initiative, but in foreign policy he was less judicious, and after involving himself in an unsuccessful war against Bavaria over the salt-trade he was deposed and imprisoned in Hohensalzburg by his successor Marcus Sitticus of Hohenems (1612—1619), who after having work started on the new Cathedral turned his attention to his own comfort: disdaining the medieval Gothic seclusion of Hohensalzburg he enlarged Wolf Dietrich's "Residenz" near the Cathedral as well as building himself a delightful country palace at Hellbrunn as the counterpart of his predecessor's "Altenau".

During the turmoil of the Thirty Years' War (1618—1648) Salzburg was an oasis of peace, thanks to the prudence and foresight of Archbishop Paris Lodron (1619—1653), who as well as virtually completing the works embarked upon by Wolf Dietrich also saw to it that Salzburg's defences were in order, erecting formidable bastions on the Mönchsberg and Kapuzinerberg and consolidating the impregnability of Hohensalzburg. And while most of Central Europe was being ravaged by the Thirty Years' War, Salzburg under the wise guidance of Paris Lodron was being endowed with a University (1621).
In Max Gandolf von Kuenburg's (1668—1687) first year as Archbishop Salzburg was afflicted by one of the worst disasters in its history: on 16 July 1669 thirteen houses, two churches and a school were buried by a massive Mönchsberg landslide in the Gstätten district, some 300 citizens losing their lives. It ist to prevent the

recurrence of such a calamity that the rockface is still polished at regular intervals.
Having been spared the long drawn-out agony of the Thirty Years' War, Salzburg was ripe for the great upsurge of Austrian Baroque that followed the final elimination of the Turkish menace in 1683, and Max Gandolf's successor Archbishop Count Johann Ernst Thun (1687—1709) lost no time in summoning from Vienna the brilliant architect Johann Bernhard Fischer von Erlach (1656—1723), who enriched Salzburg with the Collegiate and Holy Trinity Churches as well as renovating the Court Stables and Mirabell Garden. Not to be outdone by his predecessors, Archbishop Thun also set about building himself a country residence at Klesheim, for which Fischer von Erlach was duly commissioned, but the Archbishop never lived to take possession. Among the many landmarks Salzburg owes to this conscientious and hard-headed Archbishop is the "Glockenspiel" belfry. His successor, Archbishop Count Franz Anton von Harrach, concentrated on the artistic embellishment of his predecessors' monuments, among the artists he summoned to Salzburg being Fischer von Erlach's contemporary Lukas von Hildebrandt, who left his mark on Salzburg in the shape of the lovely staircase in the Mirabell Palace (in collaboration with the Viennese sculptor Raphael Donner). Among other artists who contributed fine murals and frescoes were the Neapolitan Martino Altomonte, Johann Rottmayr of Salzburg, and J. M. Schmidt of Krems on the Danube.
The name of Archbishop Harrach's successor, Archbishop Leopold Anton von Firmian (1727—1744) is associated with the ornamental Horse-trough on the Kapitel Platz, and he too followed the fashion by building himself a country residence, Leopoldskron Palace. His successors Archbishop Sigismund von Schrattenbach (1753—1771) was responsible for the remarkable engineering feat of driving a tunnel (the Neutor) through the Mönchsberg to link the city with the outlying suburb of Riedenburg. The tunnel was completed in the astonishingly short time of two years (1765—1767).
As the 19th century drew nearer it became increasingly apparent that Salzburg's days as an independent territory were numbered, and Count Hieronymus Colloredo (1772—1803) proved to be Salzburg's last Prince-Archbishop (he also has a claim to fame for having ordered the expulsion of Wolfgang Amadeus Mozart from the Archbishops' service in 1781). The end came on 10 December 1800: as Napoleon's troops closed on Salzburg the Archbishop fled to Brünn (now Brno) and Salzburg's thousand years of independence were terminated. Political changes now followed one another with bewildering rapidity: after being secularised in 1803 the territory was incorporated in Austria in 1805, taken over by Napoleon's France in 1809, and presented to Bavaria in 1810 before finally reverting to Austria in 1816, though shorn of its lands beyond the rivers Salzach and Saalach. But the old glory was departed, and as part of Austria the city was not even a Provincial capital but merely a part of Upper Austria. The population declined by over one quarter, art treasures were despoiled, collections were broken up. Visiting Salzburg in 1825, Franz Schubert gave a vivid account of the city's shabby appearance in a letter to

his brother Ferdinand: empty mansions, deserted throughfares, crumbling facades, and grass growing in the streets. The desolation was partly the result of a great fire in 1818 which destroyed a large part of the new town on the right bank of the river. So slow was the work of reconstruction that traces of the fire were still visible thirty years later.

During the first half of the 19th century Salzburg's palaces and mansions were used as offices, while the Riding-stables and even Hohensalzburg Fortress found themselves serving as barracks. The first sign of an improvement in Salzburg's fortunes came in 1850, when it was created a constituent Duchy of the Austrian Emperor's domains. There followed a period of new building and expansion that recalled the days of Wolf Dietrich and Marcus Sitticus. The medieval gates and bastions were pulled down, the river Salzach was regulated, and new suburbs sprang up like mushrooms, especially to the north-east, but most of the new building was of negligible architectural value. The artistic stagnation was halted by the foundation of the International Salzburg Festival shortly after the disintegration of the Austro-Hungarian Monarchy in 1918; and the study and appreciation of Mozart was propagated by the International Mozarteum Foundation in Schwarzstraße. The "Mozart cult" has been of decisive importance to Salzburg's meteoric rise to prosperity since the foundation of the Festival, and by 1925 Salzburg's theatre and concert-hall accomodation was proving woefully inadequate to cope with the crowds that converged on the city at Festival time. Accordingly in 1926 what had once been the Archbishops' Winter Riding-school was converted into a Festival Theatre (now the "Old" Festival Theatre), and in 1933 the Summer Riding-school, the "Felsenreitschule", was converted into a theatre for Max Reinhardt's celebrated production of Goethe's "Faust".

The Second World War and Salzburg's temporary incorporation in the Third Reich put a stop to further improvements, and during the war Salzburg even suffered the indignity of bomb-damage, the dome of the Cathedral being severely damaged in an air-raid on 16 October 1944. Fifteen further air-raids caused substantial damage in the New Town on the right bank of the river before the war came to an end in May 1945. Post-war Salzburg has been mainly concerned with repairing the damage to the Cathedral (not completed until May 1959) and building the "New" Festival Theatre in the same street as the other two, thus forming a continuous line of theatres. Among the many striking features of the "New" Festival Theatre, which opened in 1960, are the interior decoration, and the preservation of Fischer von Erlach's west facade. So the link with the past has not been severed: the past is still very much part of the present and points the way to the future.

Richard Rickett

Le développement topographique de Salzbourg fut depuis toujours déterminé par sa situation géographique sur une bande étroite de terrain, le long de la Salzach, jouissant de la protection naturelle de trois collines, celles du Moenchsberg et du mont de la forteresse sur la rive gauche et celle du Kapuzinerberg sur la rive droite.

A part cette situation géographique particulièrement favorable, c'était la présence du sel dans le sous-sol qui, comme deuxième facteur, attirait des colons depuis des temps immémoriaux. Au Durrnberg, près de Hallein, des excavations dans des grottes nous prouvent que longtemps avant que les Romains n'eussent fait de Juvavum la capitale de la province de Norique, des habitations celtiques se trouvaient déjà là. Le Juvavum romain s'étendait de l'actuelle place de Saint-Gaétan à la Getreidegasse et, sur la rive droite de la Salzach, de la Linzer Gasse jusqu'à l'emplacement actuel du château Mirabell.

Le déclin de la domination romaine eut comme conséquence un certain abandon de Juvavum et, au début du VIe siècle, une occupation par des colons venant de la Bavière actuelle et gouvernés par des ducs, sous lesquels Juvavum put regagner son importance d'autrefois. Cependant, avant l'arrivée de ceux-ci et avant même que le Romains fussent partis, le christianisme prit racine à Juvavum, ce qui est prouvé par les «catacombes» et les chapelles de l'actuel cimetière Saint-Pierre; en 696 après J.-C. un évêque franc, missionaire, du nom de Hruodpert (Rupert) ne convertit pas seulement des païens à la foi chrétienne, mais fit encore représenter celle-ci par Theodo, duc bavarois, avec la ville de Juvavum et une résidence près de là, le Reichenhall de nos jours. Ce fut saint Rupert qui fonda le monastère Saint-Pierre et le couvent sur le Nonnberg, couvent dont la première abbesse, du nom d'Erentrudis, était une de ses parentes.

Comme pendant séculier à ces fondations religieuses le duc bavarois fit construire, à l'est du couvent, un bastion dans le but de protéger le transport du sel et depuis ce temps-là le nom de «Saltzpurch» apparaît dont finalement dérive le «Salzbourg» actuel.

En 739 le statut d'un évêché fut accordé à Salzbourg. Un de ses premiers évêques fut Virgile qui trouva en 744 le chemin vers Salzbourg en venant d'Irlande et qui y fit construire la première cathédrale. En 798 les évêques de Salzbourg furent élevés au rang d'archevêques. Le premier en fut Arno (785—821) et, au début du IXe siècle, les bases du développement futur de la ville étaient déjà établies; la cathédrale, l'église paroissiale Saint-Michel et le couvent de Saint-Pierre avec le dos

vers la rivière, la ville des bourgeois le long de la rive gauche avec un marché situé approximativement sur la place Waag d'aujourd'hui. Un pont en bois conduisait sur la rive droite de la Salzach vers un petit groupe d'habitations, connu sous le nom «Am Stain» (la Steingasse actuelle, au pied du Kapuzinerberg). Etant donné que la ville s'agrandissait et s'élargissait sans cesse, on prit deux décisions importantes, une séculière et une ecclésiastique. En 1077 l'archevêque Gebhard fit commencer les travaux de ce qui devait devenir un jour la forteresse imprenable du Hohen-Salzbourg et le signe dominant de Salzbourg. En 1110 l'archevêque Konrad Ier fit ériger une résidence archiépiscopale près de la cathédrale, presque au même endroit que l'ancienne Résidence actuelle.

Au cours des deux siècles suivants, la ville des bourgeois s'étendant constamment en aval de la rive gauche, le manque de terrain eut comme conséquence que les maisons des bourgeois furent resserrées entre la Salzach et le Moenchsberg; la seule rue de passage acceptable était la Getreidegasse de nos jours. En 1278 toute la ville fut entourée d'un rempart de protection en pierre qui engloba aussi la petite tête de pont «Am Stain» sur l'autre rive. Cependant, il reste peu de témoignages de l'aspect du Salzbourg moyenâgeux; de nombreux documents furent détruits au cours d'une suite d'incendies qui ravagèrent la ville en 1167, 1196, 1200 et 1203 et détruisirent presque toutes les maisons des bourgeois construites en bois, la cathédrale seule en fut exceptée. Cependant, on peut quand même reconstruire jusqu'à certain point les plans d'après lesquels les églises de Salzbourg furent construites à cette époque, malgré les remaniements importants qu'elles subirent plus tard, telle l'église Saint-Pierre (début du XIIe siècle) et l'église de la Sainte-Vierge du XVe siècle qui, en 1585, fut remise aux franciscains. Le magnifique chœur de cette église, datant du XVe siècle, est l'œuvre d'un des plus grands maîtres de son temps, Hans de Burghausen. Un deuxième trésor, particulièrement précieux, de cette église était un autel gothique de Michael Pacher, auquel nous devons aussi le célèbre autel de St. Wolfgang. De l'autel de l'église des franciscains à Salzbourg ce n'est que la Madone qui fut conservée; le reste fut enlevé et démoli en 1709, l'argent et l'or que l'on en retira fut fondu et vendu pour 512 florins.

Au cours de la fin du XVe siècle toute l'Europe centrale et du sud-est vivait sous la terreur constante d'une invasion des «terribles Turcs». De ce fait Salzbourg se vit aussi obligé de renforcer les remparts de la ville;

LEOPOLDVS PRINCEPS ME EXSTRVXIT

Kapitelschwemme	The horse-trough on the Kapitel Platz	Abreuvoir du Chapitre

Arkadenhof   Part of the courtyard   Partie de la cour

Petersfriedhof   S. Peter's Cemetery   Cimetière Saint-Pierre

Salzburg im Herbst   Salzburg in autumn   Salzbourg en automne

cela surtout sur le Moenchsberg, parce que l'on suppo-
sait qu'il fallait plutôt s'attendre à une attaque venant
de l'ouest que du côté de la Salzach; il est établi que
la tête de pont fut également renforcée, bien que, pour
des causes diverses, des traces moindres purent se
maintenir aux cours des siècles. Les archevêques, eux
aussi, se hâtèrent de voir que les travaux de fortification
soient accomplis et qu'une priorité absolue soit
accordée pour faire de Hohen-Salzbourg un château
fort imprenable. La forteresse du Hohen-Salzbourg dans
son état actuel est pour la plus grande partie une création de l'archevêque Leonhard von Keutschach
(1495—1519), un contemporain de l'empereur Maximilian Ier, le «dernier chevalier». De même que
l'archevêque renforça les fortifications, il fit aussi
remanier le «haut château» en y aménageant de façon
somptueuse une suite de pièces qui lui offrirent un
refuge au cours des troubles du début du XVIe siècle.
Les conséquences positives de ces mesures de pré-
caution ressortirent distinctement lors de la révolte des
paysans en 1525, quand le successeur de Leonhard von
Keutschach, l'archevêque Matthaeus Lang, fut assiégé
dans la forteresse pendant des semaines par les paysans
insurgés. On n'attendit pas la fin de ce siècle troublé
pour voir Salzbourg atteindre un tournant de son histoire
et cela grâce a l'élection de Wolf Dietrich von Raitenau
qui fut nommé archevêque à l'âge de 28 ans. Elevé
à Rome il fut un champion ardent de la Renaissance
et ne perdit pas de temps pour réaliser son rêve de
transformer Salzbourg en «Rome du nord». Au cours
de son règne comme archevêque (1587—1612) il posa
la première pierre de la future «Cité des princes», cité
des édifices seigneuriaux ecclésiastiques et des vastes
places avec le grand dôme italien au centre. Ce plan
ambitieux fut d'ailleurs encore favorisé par un «hasard»
bienvenu, lorsque la cathédrale romane prit feu et
qu'on la laissa entièrement brûler. En ce qui concerne
la Cité des bourgeois ce ne furent pas moins de 55
maisons que l'on rasa afin de créer de l'espace pour
la «Rome du nord» de Wolf Dietrich. En étendant ses
activités de l'autre côté de la Salzach, il fit agrandir le
cimetière de Saint-Sébastien, en tant que nouveau
cimetière pour Salzbourg, sur un «Campo santo»
italien qui s'y trouvait déjà; en même temps, sur son
ordre, l'ancien cimetière de la cathédrale fut désaffecté.
Plus loin, en aval, et sur la rive droite de la rivière il fit
construire le palais Altenau, que son successeur,
l'archevêque Marcus Sitticus, rebaptisa en «Myerabella»
(Mirabell). En tant qu' «urbaniste» Wolf Dietrich était
un homme de génie et d'une initiative incontestable;
par contre dans la politique extérieure il se montra moins
entendu et après une guerre sans succès contre la
Bavière à cause du commerce du sel il fut destitué par
son successeur Marcus Sitticus von Hohenems et
emprisonné dans le Hohen-Salzbourg (1612—1619).
Celui-ci, après le commencement des travaux de
construction du nouveau dôme, ne pensa qu'à son
propre avantage, dédaignant le moyenâgeux isolement
gothique du Hohen-Salzbourg, il agrandit la résidence
de Wolf Dietrich près du Dôme et se fit construire une
villa de plaisance à Hellbrunn, comme pendant au
«château Altenau» de son prédécesseur.
Au cours des troubles de la Guerre de trente ans
(1618—1648) Salzbourg fut une oasis de paix, grâce à

la prudence et à la prévoyance de l'archevêque Paris
Lodron (1619—1653) qui, d'un côté, compléta avec
zèle les œuvres commencées par l'archevêque Wolf
Dietrich, et d'autre part prit soin que les fortifications
de Salzbourg furent mises en bon état; il laissa ériger
des bastions importants sur le Moenchsberg et sur le
Kapuzinerberg et fit en sorte que le Hohen-Salzbourg
devint imprenable. Pendant que la plus grande partie
de l'Europe centrale était ravagée par la Guerre de
trente ans, Salzbourg, sous la conduite pleine de
sagesse de Paris Lodron, fut doté d'une université (1621).
Dans la première année du règne de l'archevêque Max
Gandolf von Kuenburg (1668—1687) Salzbourg fut frappé
d'un des pires désastres de son histoire: le 16 juillet 1669
un gigantesque glissement des rochers du Moenchsberg
se produisit dans les environs de la Gstaettengasse,
ensevelissant 13 maisons, deux églises et une école;
300 habitants environy laissèrent leur vie. Afin d'éviter
qu'une pareille catastrophe ne se répète, on contrôle la
paroi du rocher encore aujourd'hui périodiquement.
Dispensé des tourments de longue durée de la Guerre
de trente ans, Salzbourg était mûr pour le grand dévolop-
pement du baroque autrichien qui suivit l'écartement
définitif de la menace ottomane en 1683; le successeur
de Max Gandolf, l'archevêque Johann Ernst, comte de
Thun (1687—1709), se hâta de faire venir de Vienne
l'illustre architecte Johann Bernhard Fischer von Erlach
qui enrichit Salzbourg de l'église collégiale et de celle
de la Trinité et qui rénova aussi les écuries de la cour et
le jardin Mirabell. Afin de ne pas rompre avec la tradition
de ses prédécesseurs, l'archevêque décida de faire construire aussi sa propre résidence à Klesheim, résidence
pour laquelle il engagea Fischer von Erlach; toutefois
l'archevêque n'en fit jamais usage. Parmi ses nombreuses curiosités Salzbourg doit à cet archevêque, résolu
et obstiné, la tour du «Carillon». Son successeur,
l'archevêque Franz Anton, comte de Harrach, s'appliqua
à l'embellissement artistique des monuments de ses
prédécesseurs et dans ce but convoqua dix artistes à
Salzbourg parmi lesquels Lukas von Hildebrandt, un
contemporain de Fischer von Erlach, qui léga à la ville
son empreinte avec l'ornementation exquise des escaliers dans le château Mirabell (en collaboration avec le
sculpteur viennois Raphael Donner). Parmi les autres
artistes qui contribuèrent à l'élaboration des peintures
murales et des fresques nous trouvons le Napolitain Martino Altomonte, Johann Rottmayr de Salzbourg et
J. M. Schmidt de Krems sur le Danube.

Le nom du successeur de Harrach, l'archevêque Leopold
Anton von Firmian (1727—1744) est mentionné en relation avec l'abreuvoir des chevaux, richement décoré,
sur la place du Chapitre. Lui aussi suivit la tradition en se
faisant construire une résidence personelle, le château
Leopoldskron. C'est à son successeur, l'archevêque
Sigismond von Schrattenbach (1753—1771) que l'on
doit l'initiative de percer un tunnel (le Neutor) à travers
le Moenchsberg, exploit technique remarquable qui
devait relier la ville avec le faubourg extérieur de Riedenburg. Le tunnel fut terminé dans le très court délai de
deux ans (1765—1767).
Lorsque le XIXe siècle approcha on put remarquer nettement que les jours de Salzbourg, en tant que territoire
à la puissance souveraine, étaient comptés. L'arche-

vêque Hieronymus Colloredo (1772—1808) en fournit la preuve en ce sens qu'il fut le dernier archevêque-prince de Salzbourg — son titulaire était le premier des princes ecclésiastique et séculiers et, dans les Diètes, avait rang aussitôt après les électeurs — (c'est aussi sur son ordre que Wolfgang Amadeus Mozart fut congédié en 1781 du service de l'archevêché). La fin arriva le 10 décembre 1800. Lorsque les troupes de Napoléon occupèrent Salzbourg, l'archevêque s'enfuit à Brunn (aujourd'hui Brno) et les mille années de l'indépendance de Salzbourg prirent fin. Des changements politiques se succédèrent avec une rapidité déconcertante. Après sa sécularisation, en 1803, le Pays fut incorporé en 1805 à l'Autriche; en 1809 pris par Napoléon et en 1810 offert à la Bavière, jusqu'à ce qu'il soit définitivement rendu à l'Autriche en 1816, toutefois dépouillé de ses territoires entre la Salzach et la Saalach. La gloire du passé fut divisée et en tant que partie de l'Autriche, la ville ne devint pas seulement une capitale provinciale mais fut simplement incorporée à la Haute-Autriche. Un quart de ses habitants la quittèrent, des trésors d'art furent pillés, des collections détruites. Lorsque Franz Schubert visita Salzbourg en 1825, il fit, dans une lettre à son frère, un rapport impressionnant sur le vilain aspect de la ville: des maisons vides, des façades qui se dégradaient et des rues où l'herbe poussait. Ce dépérissement fut aussi en partie la conséquence d'un violent incendie qui, en 1818, détruisit une grande partie de la nouvelle ville sur la rive droite de la Salzach. Les travaux de reconstruction avancèrent si lentement que même 30 ans plus tard des traces de l'incendie étaient encore visibles.

Au cours de la première moitié du XIXe siècle des palais et des maisons seigneuriales de Salzbourg furent adaptés à des fins administratives, tandis que les écuries de la cour et le Hohen-Salzbourg étaient utilisés comme casernes. Le premier signe d'une amélioration de l'avenir de Salzbourg apparut en 1850 lorsque la Pays fut déclaré duché dépendant directement de l'empereur d'Autriche. Une nouvelle époque de reconstruction et d'expansion s'ensuivit, époque rappelant les jours de Wolf Dietrich et de Marcus Sitticus. Des portes moyenâgeuses de la ville et des bastions furent rasés, les rives de la Salzach furent alignées, de nouveaux faubourgs apparurent, surtout au nord-est, et augmentèrent rapidement; cependant la plupart de ce qui se construisait était d'une valeur architectonique peu considérable. La stagnation culturelle prit fin par la création des festivals de Salzbourg peu de temps après l'écroulement de l'empire austrohongrois, en 1918; l'étude et l'appréciation de Mozart furent propagées par la Fondation internationale du Mozarteum dans la Schwarzstraße. Le «culte de Mozart» est d'une importance décisive pour l'accroissement vertigineux du prestige de Salzbourg depuis la création des festivals; en 1925 les organisateurs des concerts et des représentations théâtrales essayèrent d'une manière pitoyable d'avoir raison de la foule qui se ruait sur la ville pendant les festivals. De ce fait on remania en 1926 le «manège d'hiver» des archevêques en théâtre de festivals (actuellement «l'ancien» Palais des festivals) et en 1933 le manège d'été ou le «manège des rochers» devint théâtre pour représenter la célèbre mise en scène du «Faust» de Goethe par Max Reinhardt.

La deuxième guerre mondiale et l'incorporation temporaire de Salzbourg dans le troisième Reich mirent un point final aux autres améliorations. Pendant la deuxième guerre mondiale la ville de Salzbourg subit des dommages par les bombardements, la coupole du Dôme fut gravement touchée le 16 octobre 1944 lors d'une attaque aérienne. 15 autres attaques aériennes avant la fin de la guerre, au mois de mai 1945, causèrent des dégâts sévères dans la ville neuve, sur la rive droite de la Salzach. Le Salzbourg d'après-guerre fut surtout soucieux de ce que le Dôme endommagé soit refait et que le «nouveau» Palais des festivals soit construit dans la même rue que les deux autres, ce qui fait qu'une ligne de théâtres se suit de façon ininterrompue. Parmi les nombreuses particularités du nouveau Palais des festivals, inauguré en 1960, on remarque les décorations à l'intérieur et aussi le fait que la façade vers l'ouest de Fischer von Erlach ait été conservée. Ainsi le trait d'union avec le passé n'est pas effacé; le passé occupe encore une grande part du présent et indique la voie vers l'avenir.

Marthe et Franz Eissler

Blick auf die Stadt
View of the City
Vue sur la ville

Die Altstadt (Luftbild)   The Old City   La Vieille Ville

Ausblick vom Turm der Müllnerkirche   View from the church-tower at Mülln   Vue de la tour de l'église de Mulln

Blick von der Bürgerwehr   View from the "Bürgerwehr" fortifications   Vue du rempart des bourgeois
                                                              on the Mönchsberg

Blick von der Hettwerbastei   View from the Hettwer Bastion   Vue du bastion de Hettwer

Das Domviertel   The Cathedral precincts   La quartier du Dôme

Blick von der Bastei Katze   View from the "Katze" bastion on the Mönchsberg   Vue du bastion du chat

Türme   Towers   Tours

Die Franziskanerkirche   The Franciscan Church   L'église des franciscains

Der Dom vom Mönchsberg   The Cathedral, seen from the Mönchsberg   Le Dôme vu du Moenchsberg

Blick vom Hohen Weg   View from the Hoher Weg   Vue du Hoher Weg

Der Dom vom Hohen Weg   The Cathedral, seen from the Hoher Weg   Le Dôme vu du Hoher Weg

Kuppeln und Türme   Towers and domes   Coupoles et tours

Die Kollegienkirche   The Collegiate Church   L'église collégiale

Kollegienkirche (Rückseite)   The Collegiate Church from the rear   L'église collégiale, dos

Nonntal, St.-Erhard-Kirche   Nonntal, S. Erhard's Church   Nonntal, église Saint-Erhard

Kuppel der Kajetanerkirche   The dome of the Cajetan Church   Coupole de l'église Saint-Gaétan

Blick auf St. Erhard   A view of S. Erhard's Church   Vue sur Saint-Erhard

Mönchsberg, Blick nach Osten   The Mönchsberg, looking east   Moenchsberg, vue vers l'est

Ausblick vom Kapuzinerberg   View from the Kapuzinerberg   Vue du Kapuzinerberg

Auf dem Kapuzinerberg   The Kapuzinerberg   Paysage du Kapuzinerberg

Mönchsberglandschaft   The Mönchsberg   Paysage du Moenchsberg

Blick zu Staatsbrücke und Kapuzinerberg

View of Salzburg Bridge
and the Kapuzinerberg

Vue sur le Pont
d'Etat et le Kapuzinerberg

Dreifaltigkeitskirche vom Mönchsberg   Holy Trinity Church from the Mönchsberg   L'église de la Trinité vue
du Moenchsberg

Die Staatsbrücke   Salzburg Bridge (Staatsbrücke)   Le Pont d'Etat

Das Domviertel vom Basteiweg   The Cathedral precincts from the Basteiweg   Le quartier du Dôme, vu du chemin du bastion

73

Hohensalzburg, Blick zum Dom   View of the Cathedral from Hohensalzburg   Hohen-Salzbourg, vue sur le Dôme

Ausblick von der Kuenburgbastei   View from the Kuenburg Bastion   Vue du bastion de Kuenbourg

Altstadt gegen Westen   The Old City, looking west   La Vieille Ville vers l'ouest

Blick auf Stift Nonnberg   The Nonnberg Convent   Vue sur le couvent de Nonnberg

Kapuzinerberg, Blick nach Süden   The Kapuzinerberg, looking south   Kapuzinerberg, vue vers le sud

Blick von der Humboldt-Terrasse   View from the Humboldt-Terrace   Vue de la terrasse de Humboldt

Die Kirche von Mülln   Mülln Church   L'église de Mulln

Die Bürgerstadt
The Burghers' Town
La Cité des bourgeois

Die Häuser „am Stain"   The former suburb "am Stain"   Les maisons du quartier « am Stain »

Bürgerstadt von der Bürgerwehr   The Burghers' Town from the fortifications on the Mönchsberg   La Cité des Bourgeois

Beim inneren Steintor   By the "Innere Steintor"   Près du Steintor intérieur

Judengasse

Judengasse

Getreidegasse

Getreidegasse

Linzergasse

Müllner Hauptstraße   Hauptstrasse, Mülln   Müllner Hauptstrasse

Alter Markt   The Alter Markt   Vieux Marché

Alter Markt, Florianibrunnen   The Floriani fountain in the Alter Markt   Vieux Marché, fontaine de Saint-Florian

Universitätsplatz, Grünmarkt   The Universitäts Platz and Grünmarkt   Place de l'université, marché

Mittelalterliches Bürgerhaus   A medieval burgher's house   Maison moyenâgeuse de bourgeois

Bürgerhaus, Brodgasse   A burgher's house, Brodgasse   Maison bourgeoise, Brodgasse

Die Hohlkehle, Abschluß der Hauswand   Hollow mouldings on outside walls   Gorge, clôture du mur de maison

Das typische Grabendach   A typical Salzburg concave roof   Le toit à fossés typique

Mittelalterliches Stadthaus   A medieval town mansion   Maison moyenâgeuse de la ville

Aufgang im alten Haus   A stairway in an old house   Escalier dans une ancienne maison

Gewölbestuck, 17. Jahrhundert   17th century vaulting   Stuc de voûte, XVIIᵉ siècle

Zimmerdecke, 15. Jahrhundert   15th century ceiling decoration   Plafond, XVe siècle

Arkadenhof, Schatzdurchhaus   The arcades in the Schatz passage in the Getreidegasse   Cour avec arcades,
le passage Schatz

Arkadenhof, Sigmund-Haffner-Gasse 14   The arcades at Sigmund Haffner Gasse 14   Cour avec arcades, 14,
Sigmund-Haffner-Gasse

Gstättengasse, Bäckerladen   A baker's in the Gstättengasse   Gstaettengasse, boulangerie

Durchhaus Universitätsplatz 6   The passage at Universitäts Platz 6   Maison avec passage, 6, place de l'université

Patrizierhaus, Hofpartie   Part of a courtyard   Partie d'une cour

Schallmoos, Robinighof   The Robinighof at Schallmoos   Schallmoos, Robinighof

Altes Bürgerspital   The old General Hospital (Bürgerspital)   Ancien hôpital des bourgeois

Altes Bürgerspital   The old General Hospital (Bürgerspital)   Ancien hôpital des bourgeois

Franziskanerkirche   The Franciscan Church   Eglise des franciscains

Franziskanerkirche   The Franciscan Church   Eglise des franciscains

Franziskanerkirche Südportal, Tympanon

The Franciscan Church, detail
of the tympanum, south door

Eglise des franciscains,
portail du sud, tympan

112

Bürgerspitalskirche   The Bürgerspital Church   Eglise de l'hôpital des bourgeois

St. Sebastians-Kirche, Hauptportal   S. Sebastian's Church, main door   Eglise Saint-Sébastien, portail principal

St.-Sebastians-Kirche, Abschlußgitter   S. Sebastian's Church, a screen   Eglise Saint-Sébastien, grille de clôture

Gotischer Saal   The ''Gotischer Saal''   Salle gothique

Einfahrt Mozartplatz 4   Entrance to Mozart Platz 4   Porte cochère, 4, place Mozart

Hauseingang Pfeifergasse 4   Entrance to Pfeifergasse 4   Entrée de la maison No. 4, Pfeifergasse

Hausportal Steingasse 46   A doorway at Steingasse 46   Portail de la maison No. 46, Steingasse

Salzburger Sparkasse,
Hauptportal

The main doorway of the Salzburg Sparkasse
(Savings-Bank)

Caisse d'épargne de Salzbourg,
portail principal

Altes Rathaus, Portal   Doorway of the Old Rathaus   Ancien hôtel de ville, portail

Mozarts Geburtshaus,
Portal Getreidegasse

Getreidegasse, entrance to the house
where Mozart was born

Maison natale de Mozart, portail
dans la Getreidegasse

Hausportal Mozartplatz 4   The front door of Mozart Platz 4   Portail, 4, place Mozart

Getreidegasse, Geschäftseingang   Entrance to a shop in Getreidegasse   Getreidegasse, entrée d'un magasin

Getreidegasse, Gasthausschild   An inn-sign in Getreidegasse   Getreidegasse, enseigne de restaurant

Sigmund-Haffner-Gasse, Romanischer Löwe   A Romanesque lion in   Sigmund-Haffner-Gasse, lion roman
                                            Sigmund Haffner Gasse

Bürgerspitalskirche, Gewölbe   The Bürgerspital Church, vaulting   Eglise de l'hôpital des bourgeois, voûte

Rathausportal, Justitia   The door of the Rathaus, Justitia   Portail de l'hôtel de ville, Justitia

Bürgerspitalskirche, Sebastiansrelief

The Bürgerspital Church,
a relief of S. Sebastian

Eglise de l'hôpital des bourgeois, bas-relief
de saint Sébastien

Franziskanerkirche, Bildwerk an der Kanzel

The Franciscan Church,
sculpture on the pulpit

Eglise des franciscains,
sculptures de la chaire

Die Fürstenstadt
The Ecclesiastical City
La Cité des princes

Altstadt vom Turm der evangelischen Kirche

The Old City from the tower
of the Evangelical Church

La vieille ville vue de la tour
de l'église protestante

132

Altstadt von Kuenburgbastei   The Old City from the Kuenburg Bastion   Vieille Ville vue du bastion Kuenbourg

Residenzplatz   The Residenz Platz   Place de la Résidence

Domplatz   The Dom Platz   Place du Dôme

Domplatz   The Dom Platz   Place du Dôme

Mariendenkmal   Statue of the Virgin Mary   Statue de la Vierge

Kapitelplatz   The Kapitel Platz   Place du Chapitre

Blick zur Hofstallgasse   View down the Hofstallgasse   Vue vers la Hofstallgasse

Universitätsplatz   The Universitäts Platz   Place de l'université

Erzabtei St. Peter   S. Peter's Abbey   Abbaye Saint-Pierre

144

St.-Peters-Friedhof, Maximuskapelle   S. Peter's Cemetery, the Maximus Chapel   Cimetière Saint-Pierre,
Chapelle Saint-Maxime

Erzabtei St. Peter, Brunnenhaus   S. Peter's Abbey, Fountain   Abbaye Saint-Pierre, fontaine

St.-Peters-Kirche   S. Peter's Church   Eglise Saint-Pierre

Stiftskirche Nonnberg   The Nonnberg Convent Church   Eglise du couvent de Nonnberg

Stiftskirche Nonnberg, Teil der Westempore

The Nonnberg Convent Church,
part of the west oratory

Eglise du couvent de Nonnberg,
partie occidentale

HÆC EST DOMVS DEI
IN QVA INVOCABITVR
NOMEN EIVS

1628

Dom, Eingang   The Cathedral, west door   Le Dôme, entrée

Dom, Innenraum   The Cathedral, interior   Le Dôme, intérieur

Dom, Innenraum   The Cathedral, interior   Le Dôme, intérieur

Dom, Kanzel   The Cathedral, pulpit   Le Dôme, chaire

Kollegienkirche, Fassade   The Collegiate Church, facade   Eglise collégiale, façade

Kollegienkirche, Chor   The Collegiate Church, choir   Eglise collégiale, choeur

Kajetanerkirche, Portal   The Cajetan Church, door   Eglise Saint-Gaétan, portail

Dreifaltigkeitskirche   Holy Trinity Church   Eglise de la Trinité

Hohensalzburg von Westen Hohensalzburg from the west Le Hohen-Salzbourg vu de l'ouest

Die Festung vom Kapuzinerberg   The Fortress from the Kapuzinerberg   La forteresse vue du Kapuzinerberg

Hohensalzburg, Blick von der Hasenbastei   Hohensalzburg from the "Hasen" Bastion   Hohen-Salzbourg, vue
du bastion du lièvre

Hohensalzburg, Mauern des Hohen Stockes   Hohensalzburg, the walls of the "Hoher Stock"   Hohen-Salzbourg,
murs de l'étage élevé

Hohensalzburg, Roßpforte   Hohensalzburg, the ''Rosspforte''   Hohen-Salzbourg, porte des chevaux

Hohensalzburg, Großer Burghof   Hohensalzburg, the "Grosser Burghof"   Hohen-Salzbourg, la grande cour

Hohensalzburg, Goldener Saal   Hohensalzburg, the ''Goldener Saal''   Hohen-Salzbourg, la salle dorée

Hohensalzburg, Goldene Stube   Hohensalzburg, the "Goldene Stube"   Hohen-Salzbourg, la pièce dorée

Goldene Stube   The ''Goldene Stube''   La pièce dorée

Gotischer Ofen, Einzelheit   The Gothic stove, detail   Poêle en style gothique, détails

Alte Residenz, Hauptportal   The Old Residenz, main entrance   L'ancienne Résidence, portail principal

Hof der alten Residenz   The Old Residenz, courtyard   L'ancienne Résidence, la cour

Alte Residenz, Carabinieri-Saal The Old Residenz, "Carabinieri Saal" L'ancienne Résidence, salle des
carabiniers

Alte Residenz, Konferenzzimmer   The Old Residenz, conference room   L'ancienne Résidence, salle des conférences

Alte Residenz, Antecamera   The Old Residenz, Antecamera   L'ancienne Résidence, antichambre

Alte Residenz, Markus-Sittikus-Saal   The Old Residenz, Marcus Sitticus Room   L'ancienne Résidence,
la salle Marcus Sitticus

Residenz-Neugebäude mit Glockenspiel   The New Residenz, Glockenspiel (carillon)   La nouvelle Résidence
avec le carillon

Residenz-Neugebäude, Portal   The New Residenz, entrance   La nouvelle Résidence, portail

175

Residenz-Neugebäude, Gloriensaal   The New Residenz, "Gloriensaal"   La nouvelle Résidence, la salle de gloire

Residenz-Neugebäude,
Stuck aus dem Ständesaal

The New Residenz,
stucco-work in the "Ständesaal"

La nouvelle Résidence,
stuc de la salle des états

Ehemalige Hofbibliothek, Portal   The former Court Library, doorway   Ancienne bibliothèque de la cour, portail

Kapitelhaus, Portal   The "Kapitelhaus" (Chapter-house), doorway   La maison du chapitre, portail

Garten und Schloß Mirabell   Mirabell Palace and Garden   Jardin et château Mirabell

Schloß Mirabell, Gartenseite   Mirabell Palace, garden facade   Château Mirabell, côté du jardin

Schloß Mirabell von Süden   Mirabell Palace from the south   Château Mirabell vu du sud

Mirabellgarten   The Mirabell Garden   Jardin Mirabell

Schloß Mirabell, Auffahrtshalle   Mirabell Palace, portico   Château Mirabell, porche

Auffahrtshalle, Nischenfigur   Portico and one of the figures in the niches   Porche, statue dans une niche

Schloß Mirabell, Prunkstiege   Mirabell Palace, Ceremonial Stairway   Château Mirabell, escalier d'apparat

Schloß Mirabell, Prunkstiege   Mirabell Palace, Ceremonial Stairway   Château Mirabell, escalier d'apparat

Schloß Leopoldskron   Schloss Leopoldskron   Château de Leopoldskron

Schloß Leopoldskron, Blick nach Süden   Schloss Leopoldskron, looking south   Château de Leopoldskron,
vue vers le sud

Schloß Leopoldskron, Festsaal   Schloss Leopoldskron, ''Festsaal''   Château de Leopoldskron, salle des fêtes

Schloß Leopoldskron, Theaterzimmer   Schloss Leopoldskron, ''Theatre'' room   Château de Leopoldskron,
la chambre de théâtre

Blick zum Residenzplatz   View of the Residenz Platz   Vue sur la place de la Résidence

Residenzbrunnen   The Residenz Fountain   La fontaine de la Résidence

Residenzbrunnen   The Residenz Fountain   La fontaine de la Résidence

Residenzbrunnen   The Residenz Fountain   La fontaine de la Résidence

Hofstallschwemme   Ornamental horse-trough (Hofstallschwemme)   L'abreuvoir aux chevaux

196

Großes Festspielhaus, Westseite   The New Festival Theatre, west facade   Grand Palais des festivals, côté ouest

Alte Residenz, Herkulesbrunnen The Old Residenz, the "Hercules" Fountain Ancienne Residence, fontaine d'Hercule

Erzabtei St. Peter, Säulenbrunnen   S. Peter's Abbey, a pillared fountain   Abbaye Saint-Pierre, fontaine
à colonnes

Hohensalzburg, Keutschachdenkmal   Hohensalzburg, the Keutschach Memorial   Hohen-Salzbourg,
monument de Keutschach

St.-Peters-Kirche, Westportal   S. Peter's Church, west door   Eglise Saint-Pierre, portail vers l'ouest

Keutschachdenkmal, Diakon   The Keutschach Memorial, a deacon   Monument de Keutschach, diacre

St.-Peters-Kirche,
Hochgrab Werners von Raitenau

S. Peter's Church,
tomb of Werner von Raitenau

Eglise Saint-Pierre,
tombeau de Werner von Raitenau

Residenz-Neugebäude,
Deckenstuck im Treppenhaus

The New Residenz, stucco-work
on the ceiling above the stairway

Résidence – Nouveau Bâtiment,
stuc de la cage d'escalier

Dom, Einzelheit der Stuckverzierung   The Cathedral, details of the stucco-work   Le Dôme, détails des stucs

St.-Peters-Kirche, Abschlußgitter   S. Peter's Church, screen   Eglise Saint-Pierre, grille de clôture

St.-Peters-Kirche, Abschlußgitter   S. Peter's Church, screen   Eglise Saint-Pierre, grille de clôture

Stiftskirche Nonnberg, Kapellengitter   Nonnberg Convent Church, chapel-screens   Eglise abbatiale de
Nonnberg, grille de la chapelle

Hofstallgasse, Barockgitter Hofstallgasse, a Baroque wrought-iron gate Hofstallgasse, grille baroque

Alte Residenz, Hauptaufgang   The Old Residenz, main entrance   Ancienne Résidence, montée principale

Mausoleum Wolf Dietrichs, Portalgitter   The Wolf Dietrich Mausoleum, wrought-iron   Mausolée de Wolf
Dietrich, grille du portail

Hohensalzburg,
Fürstenzimmer, Türbeschlag

Hohensalzburg,
a door in the Archbishops' apartments

Hohen-Salzbourg, salle des princes
ferrure de la porte

Pfarrkirche Mülln, Kapellengitter   Mülln Parish Church, a chapel-screen   Eglise paroissiale de Mulln, grille de
la chapelle

213

St.-Peters-Kirche, Bronzekandelaber   S. Peter's Church, bronze candelabra   Eglise Saint-Pierre, candélabres de bronze

Stadttore und Befestigungen
Gates and Fortifications
Portes de la ville et fortifications

Gstättentor   Gstättentor   Porte de Gstaetten

Neutor, Westseite   The Neutor, west side   Neutor, côté ouest

Mülln, Mülleggertor   Mülln, the Müllegger Tor   Mulln, porte Mullegger

Klausentor, Außenseite   The Klausen Tor, the far side   Klausentor, côté extérieur

Mönchsberg, Müllner Schanze   The Mönchsberg, the Mülln Redoubt   Moenchsberg, retranchement de Mulln

Mönchsberg, Bürgerwehr   The Mönchsberg, the "Bürgerwehr"   Moenchsberg, rempart des bourgeois

Inneres Steintor   The Inneres Steintor   Steintor intérieur

222

Aufgang zur Festung   The approach to Hohensalzburg   Montée à la forteresse

Kapuzinerberg, Hettwerbastei   The Kapuzinerberg, the Hettwer Bastion   Kapuzinerberg, bastion de Hettwer

Berühmte Stätten, hervorragendes Kunstgut
Celebrated Monuments and Works of Art
Lieux célèbres, éminents objets d'art

St.-Peters-Friedhof   S. Peter's Cemetery   Cimetière Saint-Pierre

St.-Peters-Friedhof   S. Peter's Cemetery   Cimetière Saint-Pierre

RENOVATUM

MDCCCLXV

St.-Sebastians-Friedhof,
Mausoleum Wolf Dietrichs

S. Sebastian's Cemetery, mausoleum

Cimetière Saint-Sébastien, mausolée

Mausoleum Wolf Dietrichs, Innenraum Mausoleum, inside Mausolée, intérieur

Mozart-Denkmal   The Mozart Memorial   Monument de Mozart

Geburtshaus W. A. Mozarts   The house where W. A. Mozart was born   Maison natale de W. A. Mozart

Mozarts Geburtshaus, Küche   Mozart's birthplace, the kitchen   Maison natale de Mozart, cuisine

Mozarts Geburtshaus, einstiges Schlafzimmer

Mozart's birthplace,
the former bedroom

Maison natale de Mozart,
ancienne chambre à coucher

Jugendbildnis W. A. Mozarts A portrait of W. A. Mozart, aged 6 Portrait du jeune W. A. Mozart

Aus dem Schlafzimmer der Familie Mozart   From the Mozarts' bedroom   La chambre à coucher de la
famille Mozart

Tastatur des Mozart-Klavieres   The keyboard of Mozart's piano   Clavier du piano de Mozart

Joseph Lange, Bildnis W. A. Mozarts   Portrait of W. A. Mozart by Joseph Lange   Joseph Lange, portrait de
W. A. Mozart

Sebastiansfriedhof, Grabstätte der Familie Mozart

S. Sebastian's Cemetery,
the Mozart family grave

Cimetière Saint-Sébastien,
tombeau de la famille Mozart

Sebastiansfriedhof, Grabdenkmal
für Theophrastus Paracelsus

S. Sebastian's Cemetery,
the tomb of Paracelsus

Cimetière Saint-Sébastien, monum
de Théophraste Parace

Stift Nonnberg, Faldistorium   The Nonnberg Convent, Faldistolium   Couvent de Nonnberg, Faldistorium

Salzburger Museum, Keltische Schnabelkanne   The Salzburg Museum, a Celtic beaker   Musée de Salzbourg,
cruche à bec celtique

Salzburger Museum, Romanisches Tympanon   A Romanesque tympanum   Musée de Salzbourg, tympan roman

Dom, Romanisches Taufwasserbecken   The Cathedral, a Romanesque font   Le Dôme, fonts baptismaux romans

Bürgerspitalskirche, Hl. Grab   The Bürgerspital Church, Holy Sepulchre   Eglise de l'hôpital des bourgeois, saint-sépulcre

Franziskanerkloster, Schöne Madonna   The Franciscan Monastery,   Couvent des franciscains, belle Madone
a Salzburg Madonna

Franziskanerkirche, Pacher-Madonna

The Franciscan Church,
the Madonna by Michael Pacher

Eglise des franciscains,
la Madone de Pacher

Stift Nonnberg, Mystikerkreuz   The Nonnberg Convent, a Mystic Cross   Couvent de Nonnberg, croix mystique

Alte Residenz, Herkules   The Old Residenz, Hercules   Ancienne Résidence, Hercule

Ehemaliger Schatz des Erzstiftes,
Prunkkanne

The former Archiepiscopal Treasury,
an ornamental pitcher

Ancien trésor de l'abbaye
Saint-Pierre, cruche d'apparat

Collegium Benedictinum, Abschlußgitter   The Collegium Benedictum, a screen   Collegium Benedictinum, grille de clôture

Collegium Benedictinum, Kruzifix   The Collegium Benedictum, a crucifix   Collegium Benedictinum, crucifix

Dom, Tor des Glaubens   The Cathedral, the "Faith" Door   Le Dôme, porte de la foi

Dom, Tor der Liebe   The Cathedral, the "Charity" Door   Le Dôme, porte de la charité

Dom, Tor der Hoffnung   The Cathedral, the ''Hope'' Door   Le Dôme, porte de l'espérance

Dom, Gruftkapelle   The Cathedral crypt   Le Dôme, chapelle de la crypte

Salzburger Museum, Renaissanceschrank   The Salzburg Museum, a Renaissance cabinet   Musée de Salzbourg, armoire Renaissance

Neueres Salzburg
Modern Salzburg
Le nouveau Salzbourg

Großes Festspielhaus, Westfassade   The New Festival Theatre, west front   Grand Palais des festivals, façade
vers l'ouest

Kleines Festspielhaus   The Old Festival Theatre   Petit Palais des festivals

Kleines Festspielhaus, Stadtsaal   The Old Festival Theatre, the "Stadtsaal"   Petit Palais des festivals, salle de la ville

Großes Festspielhaus, obere Pausenhalle   The New Festival Theatre, upstairs foyer   Grand Palais des festivals,
foyer supérieur

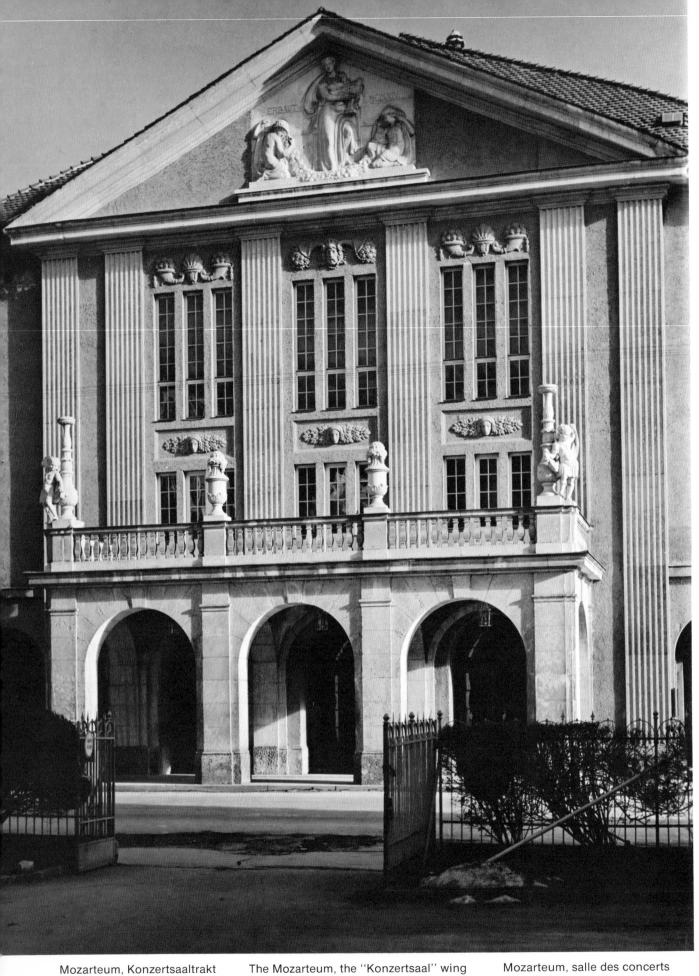

Mozarteum, Konzertsaaltrakt   The Mozarteum, the "Konzertsaal" wing   Mozarteum, salle des concerts

Mozarteum, Großer Saal   The Mozarteum, main hall   Mozarteum, grande salle

Kongreßhaus   The "Kongresshaus"   La maison des congrès

Museumsplatz   The Museums Platz   Place du Musée

Papagenoplatz, Papageno-Brunnen   The Papageno Platz, the Papageno Fountain   Place de Papageno, fontaine

Kaigasse 12, Trakl-Brunnen   Kai Gasse 12, the Trakl Fountain   No. 12, Kaigasse, fontaine de Trakl

Pfarrkirche in Parsch   The Parsch Parish Church   Eglise paroissiale de Parsch

Pfarrkirche in Parsch   The Parsch Parish Church   Eglise paroissiale de Parsch

Pfarrkirche Herrnau   The Herrnau Parish Church   Eglise paroissiale, Herrnau

Pfarrkirche St. Vital   S. Vital Parish Church   Eglise paroissiale Saint-Vital

Salzburg-Lehen, Fußballstadion   Salzburg-Lehen, the football stadium   Salzbourg-Lehen, le stade de football

Sehenswerte Umgebung
In the Immediate Vicinity
Environs dignes d'être vus

Wallfahrtskirche Maria Plain   The Pilgrimage Church of Maria Plain   Eglise de pèlerinage Maria Plain

Maria Plain, Fassadefigur   Maria Plain, the statuary on the facade   Maria Plain, statue de la façade

Schloß Hellbrunn, Festsaal   Hellbrunn Palace, Festsaal   Château de Hellbrunn, salle des fêtes

Schloß Hellbrunn, Ostseite   Hellbrunn Palace, east side   Château de Hellbrunn, côté est

Schloß Hellbrunn, Wasserspiele   Hellbrunn Palace, Wasserspiele   Château de Hellbrunn, jeux d'eau

Schloß Hellbrunn, Gartenseite   Hellbrunn Palace, garden side   Château de Hellbrunn, côté du jardin

Schloß Hellbrunn, Parkmotiv   Hellbrunn Palace, motive from the park   Château de Hellbrunn, parc

Schloß Hellbrunn, Steintheater   Hellbrunn Palace, Steintheater   Château de Hellbrunn, théâtre de pierre

Schloß Klesheim, Große Halle   Schloss Klesheim, main hall   Le château de Klesheim, grande salle

Schloß Klesheim   Schloss Klesheim   Le château de Klesheim

Blick nach Süden   Looking south   Vue vers le sud

Bilderverzeichnis,
kunst- und kulturgeschichtliche Erläuterungen

List of Illustrations with Captions

Tables des illustrations,
explications, indications diverses

Bilderverzeichnis,
Kunst- und kulturgeschichtliche Erläuterungen

Umschlag: Residenzplatz gegen Westen. Im Vordergrund der Residenzbrunnen (siehe Bemerkung zu Bild 136). Dahinter die Ostseite der alten Residenz der Fürsterzbischöfe von Salzburg. Die Dombögen (1656 bis 1660 von Antonio Dario geschaffen) verbinden sie optisch und auch faktisch mit der Domkirche. Im Hintergrund sichtbar Mönchsberg und Franziskanerkirche.

9 Hohensalzburg, Blick nach Süden. Ausblick vom östlichen Feuerturm des Hochschlosses über den Geyerturm und die Dächer des Arbeitshauses südwärts auf die Ebene des Salzburger Beckens. Im Hintergrund das Hochgebirge mit dem Untersberg und dem Massiv des Hohen Göll.

10/11 Ausblick vom Hochgitzen. Auch von den nahe gelegenen Höhen des sich nordwärts der Stadt Salzburg ausbreitenden Hügellandes gibt es zahlreiche reizvolle Ausblicke auf das Salzburger Becken. Im Mittelpunkt links der Plainberg. Dahinter Kapuziner-, Festungs- und Mönchsberg. Sie umfassen das Gebiet der alten Stadt Salzburg. Im Hintergrund rechts Untersberg und Hoher Göll. Anschließend der tiefe Einschnitt des Passes Lueg und das Tennengebirge.

12 Die Stadt vom Gaisberg. Östlich der Stadt erhebt sich der 1286 m hohe Gaisberg. Die Stadtnähe sowie reiche Gelegenheiten zu Wanderungen und Skifahrten machen ihn zum beliebten Ausflugsziel und zum Hausberg der Stadt. Von seinen Hängen genießt man einen weiten Rundblick. Nordwestwärts liegt in der Ebene eine von Kapuziner-, Festungs- und Mönchsberg gebildete Talenge, die von der Salzach durchflossen wird. Sie bot für die römische und die nachfolgende mittelalterliche Stadtentwicklung den natürlich geschützten Raum.

15 Salzburg vom Kapuzinerberg. Blick von der oberen „Stadtaussicht" des Ka-

puzinerberges auf die weitläufig ausgebaute Feste Hohensalzburg. Sie ist durch die „Scharte" vom rechts anschließenden Mönchsberg getrennt. In der Tiefe sichtbar das Gebiet um den Dom. Im Hintergrund die Ebene des Salzburger Beckens, die hier von Untersberg und Lattengebirge begrenzt wird.

16/17 Die Altstadt von der Hettwerbastei. Von den alten Befestigungsanlagen des Kapuzinerberges erhält man viele reizvolle Ausblicke auf die Stadt und auf ihr Umland. Die hoch über der Stadt befindliche Hettwerbastei (siehe Bild 224) liegt der Altstadt gegenüber und bietet gute Einsicht in ihre bauliche Gestalt. Hinter der fast mauerhaft geschlossenen Gebäudefront der Bürgerhäuser am Rudolfskai wachsen die Bauten des Landesfürsten, der Geistlichkeit und der Geschlechter empor, monumental überragt von der Feste Hohensalzburg.

18 Stadtblick vom Mönchsberg. Im Vordergrund die glattbehauenen Felswände über dem Neutor. In der Tiefe links das um 1630 errichtete Gebäude der alten Universität mit der Kollegienkirche. Dahinter der Südhang des Kapuzinerberges mit der Gegend um Steingasse und Bürglstein. Im Hintergrund der Gaisberg. Zwischen den Bäumen rechts sichtbar Franziskanerkirche und Dom.

23 Blick zur Burg. Die von der Bevölkerung „Festung" benannte Burg Hohensalzburg wurde im Kern 1077 unter Erzbischof Gebhard errichtet, später vielfach ausgebaut und den veränderten Angriffs- und Verteidigungsverhältnissen angepaßt. Sie erhebt sich auf einer langgestreckten Dolomitklippe, die durch eine Senke, die „Scharte", vom anschließenden Mönchsberg getrennt ist. An seinem Fuß liegt der Klosterbezirk der Erzabtei Sankt Peter.

24/25 Hohensalzburg, Goldene Stube. Der wegen seiner prächtigen Ausstattung

so genannte Raum gehört mit dem Schlafsaal und dem Goldenen Saal zu einer auf Veranlassung Erzbischofs Leonhard von Keutschach 1501/02 fertiggestellten Gruppe neuer erzbischöflicher Wohnräume im vierten Geschoß des Inneren Schlosses. Die in der Farbe, Vergoldung und reicher Schnitzerei kostbar gestaltete Ausstattung ist größtenteils im alten Bestand erhalten. Ihre repräsentative Pracht aber wird durch eine Vielzahl dargestellter Einzelheiten der Schnitzerei hintergründig und ins Geheimnisvolle und Wunderbare versetzt. Das von Tieren und Fabelwesen bevölkerte reichverschlungene Rankenwerk an Decke und Wänden könnte mit wiedergegebenen Gestalten und Sinnbildern der christlichen Welt gedanklich in Verbindung stehen. Damit schiene die Gesamtheit, einschließlich des Ofens, einem beziehungsreichen, bisher ungedeutetem Programm zugeordnet, in dem Mythisch-Phantastisches und Christlich-Heilsames verwoben und zu Herrentum und Herrschaft in Verbindung gebracht wäre.
Das Portal in der Nordwand der Goldenen Stube führt in den Schlafraum des Erzbischofs. Dieser Zugang ist besonders schmuckreich gestaltet und wirkt von allen Türen am prunkvollsten. (Siehe auch Bemerkung zu Bild 166.)

26 Nonnberg, Romanische Wandmalerei. In der gotischen Stiftskirche des um 700 durch den heiligen Rupertus gegründeten Frauenklosters auf dem Nonnberg hat sich unter dem Nonnenchor ein Stück der romanischen Kirche des 11. Jahrhunderts mit Resten einer bedeutsamen, hochwertigen Wandmalerei aus der Mitte des 12. Jahrhunderts erhalten. Die in frontaler Haltung dargestellten Halbfiguren von Heiligen tragen den Ausdruck tiefen Ernstes und feierlicher Würde.

31 Residenzplatz. Siehe Bemerkungen zu Bild 136/137 sowie Bilder 193 bis 195.

32 Alte Residenz, Audienzsaal. Der Raum liegt im zweiten Stock des Hauptgebäudes, anschließend an die Ante-camera. Den Fußboden bilden dreifach schattierte alte Parkette. Die Stuckierung stammt von Antonio Camesina, Wien, die Deckenbilder mit Szenen aus dem Leben Alexanders des Großen schuf 1710 Johann Michael Rottmayr. An den Wänden hängen kostbare Tapisserien mit Darstellungen aus der sagenhaften Geschichte der Römer (Brüßler Arbeit um 1593). Der Ofen ist ein Werk von Meister Peter Pflauder (um 1783). Die Möbel mit echten Gobelinbezügen kamen um 1775 von H. Jakobs aus Paris.

33 Residenz-Neugebäude, Deckenstuck. Siehe Bemerkungen zu Bildern 176 / 177 und 204.

34 Mirabellgarten. (Siehe auch Bild 182/183.) Die Steinbalustraden im Garten zieren verschiedentlich Marmorvasen nach Entwürfen J. B. Fischers von Erlach. Sie sind teilweise in seinem „Entwurf einer historischen Architektur" abgebildet.

39 Kapitelschwemme. Diese Pferdeschwemme auf dem Kapitelplatz wurde 1732 unter Erzbischof Leopold Anton Freiherrn von Firmian errichtet. Vorher stand an der Stelle der Roßbrunnen mit dem Pegasus, der heute im Mirabellgarten aufgestellt ist. Die Gruppe des Neptuns schuf Bildhauer J. A. Pfaffinger aus Salzburg nach einem Entwurf von G. R. Donner (Modell im Salzburger Museum). Die Krone des Meergottes ist eine spätere Zugabe um 1950.

40 Bürgerhaus, Hofpartie. Siehe Bemerkungen zu Bild 102 / 103.

41 Petersfriedhof. Die Aufnahme kennzeichnet die einzigartige landschaftliche Lage dieses alten Gottesackers. Aus der ersten Arkade rechts führt der Aufgang zu den in der Steilwand des Mönchsbergs befindlichen alten Gebetshöhlen, der Gertraudenkapelle und darüber der Maximuskapelle. (Siehe auch Bemerkungen zu Bildern 145 und 226 / 227.)

42 Salzburg im Herbst. An durchsonnten warmen Spätherbsttagen entstehen in Salzburg aus einem silbrigen Licht im Zusammenspiel mit zarten duftigen Farben höchst reizvolle, malerische Stimmungen.

46/47 Die Altstadt. Ausblick auf die von Festungs-, Mönchsberg und Salzach natürlich geschützte Flußbucht, in der sich die Altstadt ausbreitet. Deutlich

unterscheiden sich in Anlage und Aussehen als Kerngebiet die sogenannte Fürstenstadt und die flußseitig sich hinziehende Bürgerstadt.

48/49 Ausblick vom Turm der Müllnerkirche. Im Bogen durchzieht die Salzach die Enge zwischen Kapuzinerberg und Festungsberg mit dem anschließenden Mönchsberg. In der Bucht die Altstadt, dahinter Hohensalzburg, auf dem Kapuzinerberg das Kapuzinerkloster. Am Fuße des Berges der alte Brückenkopf und Teile der nach 1850 entstandenen Neustadt. Im Vordergrund die von 1863 bis 1867 erbaute evangelische Kirche. Die Salzachufer wurden nach 1850 reguliert und mit den Anlagen versehen. Im Hintergrund Rauchenbichl und Erentrudisalpe, dahinter der Schwarzenberg.

50/51 Blick von der Bürgerwehr. Deutlich kennzeichnen sich als Mitte die Bauten des Landesherrn und der Geistlichkeit (Fürstenstadt) sowie entlang des Flusses die gedrängte Masse der Bürgerhäuser (Bürgerstadt). Unterhalb der Hohensalzburg der Klosterbezirk Sankt Peter. Links davon Franziskanerkirche und Dom. Dahinter das um 700 gegründete Frauenkloster auf dem Nonnberg. Im Vordergrund rechts der Komplex der Festspielhäuser, gegenüber das Gebäude der Alten Universität mit der Kollegienkirche. Dazwischen der unter Erzbischof Wolf Dietrich neu angelegte Straßenzug Hofstallgasse - Dom. Am unteren Bildrand Siegmundsplatz und Pferdeschwemme. Links die Bürgerstadt mit Getreidegasse und Rathaus. Im Hintergrund Kapuzinerberg, Gaisberg mit Rauchenbichl, Erentrudisalpe und Schwarzenberg.

52 Blick von der Hettwerbastei. Hinter der Front der Bürgerhäuser links das Residenz-Neugebäude mit dem Glockenspiel. Rechts der Dom, dazwischen der Turm von Sankt Michael, der ältesten Pfarrkirche der Stadt. Im Hintergrund die Feste Hohensalzburg mit den mächtigen Mauern und Vorwerken.

53 Das Domviertel. Im Vordergrund rechts Franziskanerkloster, Hofstallgasse, gegenüber Gräflich Lodronsches Collegium Rupertinum (Schülerheim) und Erzbischöfliches Kapellhaus, dahinter die Westfront der Franziskanerkirche, Domplatz und Dom, links der Glockenspielturm.

54 Blick von der Bastei, Katze. Im Vordergrund der Turm der Peterskirche

(romanisch), 1756 verändert und mit dem barocken Helm versehen. Daneben die Franziskanerkirche mit dem romanischen Langhaus und dem anschließenden gotischen Chor, dahinter die Kollegienkirche. Am rechten Flußufer das Schloß Mirabell.

55 Türme. Im Vordergrund Hochchor und Turm der Franziskanerkirche. Dieser nach „Visierung aus Nürnberg" erbaut, 1670 mit Barockhaube versehen, 1866/67 regotisiert. (Aufnahme vor der 1969 erfolgten Restaurierung des Helmes.) Rechts der Nordturm des Domes, erst 1655 mit dem Aufsatzgeschoß fertiggestellt. Dazwischen Turm des Residenz-Neugebäudes, auf dem 1702 das Glockenspiel eingerichtet wurde. Links der Franziskanerkirche der Dachreiter von Sankt Michael.

56 Die Franziskanerkirche. Das niedrige Langhaus romanisch, von 1208 bis 1223 erbaut. Hochchor 1408 begonnen (Meister Hans von Burghausen), in der zweiten Hälfte des 15. Jahrhunderts fertiggestellt. Turm zwischen 1486 und 1498 errichtet.

57 Der Dom vom Mönchsberg. Im Vordergrund der atriumartige Domplatz, östlich begrenzt von der Marmorfassade der Domkirche, erbaut 1614 bis 1628. Entwurf von Santino Solari, Vollendung der Türme 1652 bis 1655. Links Sicht auf Residenz- und Mozartplatz; im Hintergrund Kapuzinerberg – Südhang. Davor das Unfallkrankenhaus.

58 Blick vom Hohen Weg. Er führt über den Nordhang des Festungsberges zum Kloster Nonnberg. Hinter der derzeitigen Erzbischöflichen Residenz Dom und Franziskanerkirche, dazwischen Kuppel der Kollegienkirche, im Hintergrund Mönchsberg und ehemaliger Leuchtturm.

59 Der Dom vom Hohen Weg. Machtvoll hebt sich der Dom über die Gebäude der Umgebung. Links Franziskanerturm, im Hintergrund Mönchsberg mit „Café Winkler".

60 Kuppeln und Türme. Vorne Alte Universität mit Kollegienkirche, dahinter Dom und Kirche des Klosters Nonnberg.

61 Die Kollegienkirche. Im Vordergrund das Rathaus, 1407 an heutiger Stelle errichtet. Hinter der Kollegienkirche, auf dem Mönchsberg, die Edmundsburg, 1696 unter Abt Edmund Sinnhuber von Sankt Peter erbaut (heute internationales Forschungszentrum).

62 Kollegienkirche, Rückseite. Die Kollegienkirche ist das reifste Werk der Salzburger Bauten J. B. Fischers von Erlach. Ihre Gestalt bezeugt die Meisterschaft des Architekten und zugleich den Formwillen des Plastikers.

63 Nonntal, Sankt Erhardkirche. Das Domkapitel ließ bei seinem Dienstbotenspital, nach Plänen Caspar Zugallis von 1685 bis 1689 die Sankt-Erhard-Kirche neu erbauten. An die Kirche beidseitig anschließend die ab 1676 entstandenen Spitaltrakte für Männer und Frauen.

64 Kuppel der Kajetanerkirche. Erzbischof Max Gandolf berief 1684 die Theatiner. 1685 bis 1700, nach den Plänen Caspar Zugallis, Bau des Klosters mit der nach der Ordensregel turmlosen Kirche. Kirche und Flügelgebäude des einstigen Klosters bilden eine einheitliche Anlage. Im Stadtbild besonders auffällig die 35 m hohe, querovale Kuppel. Das Kloster wurde später Garnisonslazarett; heute Spital der Barmherzigen Brüder.

65 Blick auf Sankt Erhard. Kirche südseitig am Fuße des Nonnberges. Kleiner Zentralbau, mit runder Kuppel auf hohem Tambour.

66 Mönchsberg, Blick nach Osten. Hinter den nach der Mitte des 19. Jahrhunderts entstandenen Anlagen und Objekten beherrscht den Mittelgrund das „Alte Borromäum", ein inzwischen umgebauter Palast des einst in diesem Stadtgebiet durch Erzbischof Paris Graf Lodron für seine Verwandtschaft geschaffenen Familienbesitzes. Rechts die Dreifaltigkeitskirche. Den Kapuzinerberg entlang die Linzer Gasse mit der Sankt-Sebastians-Kirche. Links vom Kapuzinerberg der Fürberg, dahinter der Gaisberg mit dem spitzen Nockstein.

67 Ausblick vom Kapuzinerberg. Im Vordergrund das östliche Kaiviertel mit dem ehemaligen Kajetanerkloster. Über den Bürgerhäusern des Kajetanerplatzes und der Kaigasse das Benediktiner-Frauenstift Nonnberg. Darüber die Feste Hohensalzburg mit den mächtigen Vorwerken vor dem Hochschloß. Im Hintergrund Leopoldskroner Moor und Untersberg.

68 Auf dem Kapuzinerberg. Der Kapuzinerberg besteht in der Hauptmasse aus Dolomitfels, an dem sich Plattenkalk und am Fuße der flacheren Südseite auch Mergelschichten angelagert haben (See-

feldner). Er ist ca. 230 m hoch und kuppenförmig, doch fällt die Nordseite in Steilwänden ab. Seine zum Gipfel stärker ansteigenden Hänge durchziehen gut angelegte Wege. Sie führen zu Rastplätzen und Aussichtspunkten mit Blick auf die Stadt und ihr Umland. Der Anstieg ist von zwei Stellen in der Stadt (Linzer Gasse und Steingasse) nicht schwierig. Ein dritter, aber schmaler und steiler Weg führt auf der Nordseite von Schallmoos-Gnigl zum Gipfel. Zur Hettwerbastei unterhalb des Klosters der Kapuziner, die unvergleichliche und umfassende Ausblicke auf die Altstadt bietet, brandet noch laut der Lärm des regen Lebens aus der Stadt. Durchschreitet man die ostwärts vom Kloster gelegene Torsperre, so eröffnet sich im Aufstieg zum Gipfel immer stärker das Erlebnis einer noch fast unberührten Natur. Hier versinkt der Lärm der Stadt.

69 Mönchberg-Landschaft. Der Mönchsberg ist aus Konglomeratgestein (Nagelfluh) gebildet. Dieses entstand aus zwischeneiszeitlichen Schotterablagerungen der Salzach und ihrer Nebenflüsse, die sich im kalkhaltigen Wasser mit Sand und Schlammteilchen verkittet haben. Als neuerliches Vordringen der Gletscher aus dem Gebirge die Ablagerungen wieder abtrug, blieben sie nur an wenigen Stellen des Beckenbodens, besonders hinter der Dolomitklippe des Festungsberges, erhalten. Dort bilden sie heute die Höhen des Mönchs- und des Rainberges (Seefeldner). Der Mönchsberg erhebt sich in den höchsten Punkten etwa 100 m über den Salzachspiegel. Der Berg, in den vier Großbehälter für die städtische Wasserversorgung eingebaut sind, ist nur spärlich bebaut und für Motorfahrzeuge allgemein gesperrt. Zugänge über die alten Befestigungen, zwei Stiegen sowie ein Lift, lassen die Hochfläche bequem erreichen. Sie ist reich bewaldet und ermöglicht auf gepflegten Wegen erholsame Wanderungen zu malerischen Tiefblicken auf die Stadt und zu weitem Umblick in ihre Umgebung.

70 Blick zu Staatsbrücke und Kapuzinerberg. Gegenüber der Staatsbrücke Häuser der einstigen Vorstadt „enthalb ach". Dahinter der Kapuzinerberg mit Teilen der im Auftrag von Erzbischof Paris von Lodron errichteten Befestigung der Stadtberge. Über der Hettwerbastei das Kloster der Kapuziner. Im Hintergrund der Gaisberg.

71 Dreifaltigkeitskirche vom Mönchsberg. Im Mittelpunkt Einblick in den

Makartplatz, dessen wirkungsvollen architektonischen Abschluß die Dreifaltigkeitskirche mit den anschließenden Gebäuden der Pagerie und des Priesterhauses bildet. Davor unten links das Landestheater. Am Fuße des Kapuzinerberges Linzer Gasse und Sankt-Sebastians-Kirche (siehe Bemerkung zu Bild 157).

72 Die Staatsbrücke. Die von 1941 bis 1947 neu erbaute Staatsbrücke ist, wie ihre Vorgänger, Träger des Hauptverkehrs zur Altstadt. Im Vordergrund Häuser der alten Vorstadt „Am Stain". Am gegenüberliegenden Ufer der Salzach eine mauerartig geschlossene Front von Bürgerbauten. Links das alte Rathaus. Rechts dahinter die Kollegienkirche, an der Mönchsbergwand der Bühnentrakt des Großen Festspielhauses.

73 Das Domviertel vom Basteiweg. Im Vordergrund Häuser der Imbergstraße und Mozartsteg. Am linken Flußufer Reste der abgetragenen alten Stadtmauer mit dem sogenannten Imhofstöckl. Dahinter Mozart- und Residenzplatz, Residenz-Neugebäude mit Glockenspiel, Dom und alte Residenz. Davor die Sankt-Michaels-Kirche.

74 Hohensalzburg, der Blick zum Dom. Ausblick vom Wehrgang der Ringmauer gegen Kapitelplatz und Dom. Im Vordergrund Wachtturm und Kuenburgbastei. Rechts darunter Erzbischöfliches Ordinariat und Domherrenhäuser. Hinter dem Dom der Residenzplatz mit Häusern der Bürgerstadt. Links südseitiger Dombogen als Verbindungsstück von Dom und Erzabtei Sankt Peter, dahinter Domplatz und alte Fürsterzbischöfliche Residenz; weiterhin Häuser der Bürgerstadt und Rathausturm.

75 Blick von der Kuenburgbastei. In der Tiefe der Burggraben mit Brücke zum Eingang in den Burgbereich. Die Pforte liegt im wuchtigen „Bürgermeisterturm", von Erzbischof Kardinal Matthäus Lang 1523 errichtet und mit Geschützen ausgestattet. Im Tal ehemaliges Kajetanerkloster. Jenseits des Flusses das Unfallkrankenhaus.

76 Altstadt gegen Westen. Im Vordergrund Bereich der Erzabtei Sankt Peter, mit Friedhof, Stiftskirche, Margaretenkapelle, Kloster und Nebengebäuden. Dahinter links Kleines und Großes Festspielhaus und Felsenreitschule, durch Hofstallgasse getrennt von Franziskanerkirche, Kollegienkirche und Alter Universität. Vor dem abschließenden Gelände des Mönchsberges Bürgerspitals- und Ursulinenkirche. Im Hintergrund rechts Pfarrkirche von Mülln.

77 Blick auf Stift Nonnberg. Ausblick von der Kuenburgbastei gegen Osten über die Dächer des „Schlangenganges" auf das Benediktiner-Frauenstift Sankt Erentrudis auf dem Nonnberg. Kirche im Westteil noch aus dem 12. Jahrhundert. Nach Brand im 15. Jahrhundert neu erbaut. Der schmucklose Klosterkomplex setzt sich aus Gebäuden vom 13. bis zum 19. Jahrhundert zusammen. Die Häuser im „Nonntal" stammen aus dem 19. und 20. Jahrhundert.

78 Kapuzinerberg, Blick nach Süden. Im Vordergrund Wehrmauer und Wachtturm der von Erzbischof Paris von Lodron hier um 1630 errichteten Stadtbefestigung. Im Mittelgrund führt der Mozartsteg über die Salzach ins Gebiet des ehemaligen Michaeltores. Gegen Süden einstige Domherrenhäuser, die Kuppel der Kajetanerkirche, und auf einer Terrasse des Festungsberges das Benediktiner-Frauenstift Nonnberg. Im Hintergrund Rauchenbichl, Erentrudisalpe und Tennengebirge.

79 Blick von der Humboldt-Terrasse. Kanzelartig vorspringende Felspartie des Mönchsberges über dem Klausentor. Guter Rundblick. Im Vordergrund Ursulinenkloster mit Kirche. Diese 1699 bis 1705 wahrscheinlich nach Plänen J. B. Fischers von Erlach erbaut. Dahinter die Altstadt mit dominierend heraustretender Fürstenstadt.

80 Die Kirche von Mülln. Mülln war eine Vorstadt mit eigener Kirche und dem Charakter eines selbständigen Stadtgebietes. (Name von den in der Gegend bestehenden Mühlen.) Die Kirche, durch ihre Lage für das Stadtbild bedeutungsvoll, stammt aus dem 15. Jahrhundert und wurde im 17. und 18. Jahrhundert umgestaltet. An der Hauptstraße gelegen das Leprosenhaus (seit dem 15. Jahrhundert nachweisbar) mit der derzeitigen Kirche von 1714.

82 Die Häuser „Am Stain". Im Vordergrund Häuser der Griesgasse. Jenseits der Salzach der älteste Teil des hier entstandenen Brückenkopfes, 1408 urkundlich „Am Stain" genannt (Name von den Felsen des Kapuzinerberges). Den westseitigen Felsen entlang führte einst die Hauptstraße nach Süden. Die an der Steingasse errichteten Häuser standen

bis Mitte des 19. Jahrhunderts mit den Hinterfronten direkt am Wasser. Dies begünstigte die Ansiedlung von Handwerkern, die für ihren Betrieb viel Wasser benötigten (Gerber, Färber, Hafner). Die heutige Kaianlage stammt aus der 2. Hälfte des 19. Jahrhunderts. Über den bergseitigen Häusern Mauerzüge der alten Befestigung des Kapuzinerberges. Links Turm der kleinen Kirche Sankt Johann am Imberg. Urkundlich 1319 erwähnt, 1681 neu erbaut. Einrichtung 2. Hälfte des 18. Jahrhunderts. Darüber das Kapuzinerkloster.

83 Bürgerstadt von der Bürgerwehr. Die Kennzeichen der Bürgerstadt sind kleine Plätze, enge winkelige Gassen, schmale, hohe aneinandergeschobene Häuser. Sie umfaßt vornehmlich als schmaler Gürtel den fürstlichen Bezirk. Die kennzeichnenden alten Grabendächer leider zumeist von anderen Formen schon verdrängt. Im Vordergrund Kirche des alten Bürgerspitals. Einzige Straße hier die Getreidegasse.

84 Beim inneren Steintor. Steingasse, rechts Haus Nr. 18 mit Renaissance-Portal, darüber Wappen des Bürgermeisters Wolf Dietrich Füller (1568); Devise: „mein Leben und End stet in Gottes Hent." Im Hintergrund das mittelalterliche Johannes- oder Steintor, dem 1634 Paris Lodron südseitig den heutigen Vorbau anfügen ließ (siehe Bild 222).

85 Judengasse. Name wahrscheinlich nach der im heutigen Höllbräugasthof (Haus links, mit der Figur des heiligen Michael an der Wand) einst befindlichen Judenschule. Im Hintergrund Waagplatz, ältester Marktplatz der Stadt.

86 Judengasse. 1395 urkundlich genannt (Zillner). Häuser in der Anlage aus dem 15. und 17. Jahrhundert, Fassaden zumeist um 1800. Rathaus 1407 erbaut, jetzige Gestalt 1616, Fassade jedoch 1772. Die Judengasse war mit Pfeifer- und Kaigasse über die Getreidegasse — vor der Stadtumgestaltung durch Wolf Dietrich — die einzige Verkehrslinie durch die Altstadt von Nonntal nach Mülln.

87 Getreidegasse. Die Getreidegasse war die Hauptstraße der alten Bürgerstadt. Name im 12. Jahrhundert Tra- und Trabgasse (trabig = schnell, rührig). Häuser größtenteils im Charakter alter Salzburger Patrizierhäuser. Reiche Fassaden, repräsentative Höfe. Zahlreiche schmiedeeiserne Hausschilder aus dem 16. bis 19. Jahrhundert.

88 Getreidegasse. Im Hintergrund links altes Rathaus.

89 Linzer Gasse. Wichtige Ausfallstraße des Stadtteiles am rechten Flußufer nach Nordosten. Die Häuserzeile rechts nach Stadtbrand von 1818 neu erbaut. Sankt-Sebastians-Kirche 1505 bis 1512 erbaut, 1749 bis 1753 erweitert, 1818 abgebrannt und 1822 wiederhergestellt. Im Friedhof Mausoleum Wolf Dietrichs sowie zahlreiche Grabstätten bedeutender Salzburger Bürger und Patrizier, auch die des Paracelsus und der Familie Mozart.

90 Müllner Hauptstraße. Häuser mit schmucklosen Fassaden vom 16. bis Anfang des 19. Jahrhunderts. Der Brunnen (1727 von Steinmetz Sebastian Stumpfegger) 1879 und 1950 renoviert.

91 Alter Markt. Im Zuge der Stadterweiterung (11. bis 14. Jahrhundert) Verlegung des bürgerlichen Marktes vom Waagplatz zum heutigen „Alten Markt". Hier entstanden zumeist repräsentative Wohnstätten.

92 Alter Markt, Floriani-Brunnen. Becken und Säule des hier schon im 16. Jahrhundert bestehenden Stadtbrunnens 1685 bis 1687 erneuert. Abschlußgitter von Meister Wolf Gumpenberger um 1583. Statue des heiligen Florian von Bildhauer J. A. Pfaffinger (1734).

93 Universitätsplatz, Grünmarkt. Der Bau des Universitätskomplexes bewirkte den Ausbau der Hintergebäude der Getreidegassehäuser. Der so entstandene kleine Platz, nach Westen zu straßenartig verengt, dient an Werktagen vormittags dem Verkauf von Gemüse, Früchten und Blumen (Grünmarkt). Haus 14 Geburtshaus Mozarts, Rückseite. Fassade 18. Jahrhundert.

94 Mittelalterliches Bürgerhaus. Rückseite des einst direkt am Flußufer befindlichen Hauses Steingasse 18 (siehe Bild 84). Es bestand schon zu Beginn des 15. Jahrhunderts, wurde im 16. Jahrhundert umgebaut und 1969 vorzüglich restauriert.

95 Bürgerhaus, Brodgasse. Das Haus wird schon 1374 (Danklein) und 1399 urkundlich erwähnt (Helyas des Chramers Haus). Es hat bis heute die alte bauliche Struktur noch gut bewahrt. Der beschränkte Raum in der Bürgerstadt zwang zur Entwicklung hoher Häuser. Aus den ursprünglich meist dreiachsigen Anlagen entstanden im Laufe der Zeit

Häuser mit vier und mehr Fensterachsen. Die Fassaden sind zumeist schmucklos, Lauben und Erker fehlen fast gänzlich. Verzierungen und Stukkaturen bleiben auf die Rahmung der Fenster beschränkt.

96 Die Hohlkehle, Abschluß der Hauswand. Seit dem 17. Jahrhundert wird die Hauswand meistens mit einer Hohlkehle oben abgeschlossen. Diese ist mit einer Inschrift oder einem Hausspruch verziert. Haus Gstättengasse 29, erbaut 1676 nach dem großen Bergsturz von 1669, wurde 1944 bei einem Bombenangriff stark beschädigt.

97 Das typische Grabendach. Hinter den das Dach überragenden Hausmauern liegen, senkrecht zur Hauptfront, niedrige Satteldächer nebeneinander. So entstehen Gräben, die das Regenwasser in Dachrinnen leiten, die unterhalb der Hohlkehle ansetzen (siehe Bild 96). Nicht italienisch, weil vor der Renaissance und dem Auftreten der welschen Baumeister nachweisbar.

98 Mittelalterliches Stadthaus. Bestand schon 1404. Später im Besitz verschiedener Adeliger. Im 17. Jahrhundert Eigentum des Domkapitels, nach 1800 säkularisiert und Staatseigentum.

99 Aufgang im alten Haus. Haus Judengasse 10, 1. Stock. Aus dem 15. Jahrhundert. Das alte Treppenhaus ist raumsparend angelegt, zumeist winkelig und finster. Die steilen Stiegen mit Stufen aus Marmor oder Nagelfluh sind eng und gewendet. An ihrem Fuß, meistens im Erdgeschoß, oft aber auch in den Stockwerken, stützen freistehende oder eingebaute Marmor- und Nagelfluhpfeiler oder -säulen die Decke.

100 Gewölbestuck aus dem 17. Jahrhundert. Haus Sigmund-Haffner-Gasse 5, Erdgeschoß. In den Häusern der Geschlechter wie auch der angesehenen Kaufmannschaft spiegeln sich in bürgerlicher Form Kulturwille und Kunstsinn.

101 Zimmerdecke aus dem 15. Jahrhundert. Kaigasse 5. In den letzten Jahrzehnten wurden bei Renovierungen von Bürgerhäusern auch einige Decken aus dem Spätmittelalter aufgefunden. Sie zeigen eine Balkenschichtung wie in Bauernhäusern, aber häufig reich geschnitzt und profiliert, ähnlich dem Deckengebälk in Sälen der Feste Hohensalzburg.

102/103 Arkadenhof, Schatzdurchhaus. Arkadenhof, Sigmund-Haffner-Gasse 14.

Die Häuser der Bürgerstadt, in der Anlage meistens sehr tief, benötigen Höfe für die Belichtung der hinteren Räume. In den Geschossen führen Gänge rund um den Hof und stellen vereinzelt auch die Verbindung mit angebauten Nachbarhäusern her. Mit dem Vordringen des Steinbaues entstanden auch hier an Stelle früherer Holzkonstruktionen Arkadengänge (die meisten stammen aus dem 16. Jahrhundert), die im Material der Stützen stockwerkweise einen Wechsel von Rotmarmor und Nagelfluh aufweisen. Im obersten Stock sind durchwegs Holzstützen.

104 Gstättengasse, Bäckerladen. Das Haus Gstättengasse 4 bestand vermutlich schon im 17. Jahrhundert. Es wurde zu Beginn des 18. Jahrhunderts nach dem damaligen Besitzer Jakob Thaler, das „Thalerbäckerhaus" genannt. Das Bäckergewerbe verblieb auf dem Haus bis in unsere Zeit, ebenso die alte Form des kleinen „Gassenladens".

105 Durchhaus Universitätsplatz 6. Als im 17. Jahrhundert auf dem Gebiet des ehemaligen Frauengartens die Universität entstand, wurden die Hinterhäuser der Objekte der Getreidegasse ausgebaut. Die Verbindung des Universitätsviertels mit der Getreidegasse wurde durch die Haustore und über die Höfe der Häuser hergestellt. Heute sind die so entstandenen „Durchhäuser" zumeist als Passagen mit Geschäftsläden ausgebaut.

106 Patrizierhaus, Hofpartie. Mozartplatz 4 ist ein Patrizierhaus aus dem 16. Jahrhundert, umgestaltet um 1760 bis 1770. Im Nordtrakt des zweiten Hofes Kapellenbau aus der Mitte des 18. Jahrhunderts.

107 Schallmoos, Robinighof. Ein nach der Trockenlegung des Schallmooses vom Domkapitel erbauter Hof, 1744 von dem aus Villach stammenden Eisenhändler J. G. Robinig, Reichsedler von Rothenfels, erworben und um 1770 erneuert. Beispiel eines Salzburger Rokokohauses mit Wirtschaftsräumen unter einem Dach wie bei Bauernhöfen. Vater und Sohn Mozart waren mit der Familie Robinig befreundet.

108/109 Altes Bürgerspital. Bürgerspital 1327 gestiftet. Spitalsgebäude 1556 bis 1570 neu errichtet. Korridore zu den Pfründnerzellen in den beiden Stockwerken des bergseitigen Traktes 1944 durch Bombentreffer zerstört, 1954 bis 1955 in alter Form wieder errichtet.

110/111 Franziskanerkirche. Langhaus um 1220, Chor 1408 bis um 1450, von Meister Hans von Burghausen. (Hauptaltar nach Plänen J. B. Fischers von Erlach 1709 an Stelle des 1486 bis 1498 von Michael Pacher aus Bruneck geschaffenen spätgotischen Flügelaltars errichtet.) Auf dem Hochaltar sitzende Muttergottes, Jesuskind modern erneuert, der einzige plastische Rest des Pacher-Altares. Die Seitenfiguren Sankt Florian und Sankt Georg von Bildhauer Simeon Fries, 1709.

112 Franziskanerkirche, Südportal, Tympanon. Mehrfach gestuftes Portalgewände im Wechsel von Rot und Weiß. Im Bogenfeld über dem Fries mit Weinrebenspiralen Christus und zwei Heilige mit Kirchenmodellen. Anfang des 13. Jahrhunderts.

113 Bürgerspitalskirche. Dreischiffige gotische Hallenkirche des 1327 gestifteten Bürgerspitals, 1350 geweiht. Im Innenraum ostwärts gerade abgeschlossener hochaufstrebender quadratischer Chor. Langhaus in ganzer Breite mit Empore für die Pfründner unterteilt. Ausstattung hauptsächlich 18. Jahrhundert.

114 Sankt-Sebastians-Kirche, Hauptportal. Entwurf Hofgarteninspektor F. A. Danreiter, Plastiken 1754 J. A. Pfaffinger, Eingangstor 1822, Schmiedeeisengitter der Oberlichte 1752 von Philipp Hinterseer.

115 Sankt-Sebastians-Kirche, Abschlußgitter. Kirche des um 1496 errichteten „Bruderhauses" (Krankenhaus und Herberge hauptsächlich für nicht ortszuständige Arme, Wandernde und Bresthafte. Später Dienstbotenversorgungsanstalt). Erbaut von 1505 bis 1512, barock umgestaltet 1749 bis 1755 (Baumeister Kassian Singer aus Kitzbühel). Beim Stadtbrand 1818 schwer beschädigt. Das künstlerisch bedeutsame Abschlußgitter schuf 1752 Hofschlosser Philipp Hinterseer.

116 Bürgerspitalskirche, Gotischer Saal. Der heute „gotischer Saal" genannte Raum ist der hintere Teil der Empore, die im ersten Viertel des 15. Jahrhunderts in die Bürgerspitalskirche eingebaut wurde. Um 1570 stürzten sie und ein Teil des Kirchengewölbes ein. Bei der Wiederherstellung erhielt die Wölbung durch aufgelegte bandartige Mörtelstreifen das Aussehen eines Fächergewölbes. Der vor allem für die Pfründner bestimmte Emporenraum wurde 1865 durch Errichten von Zwischenwänden verschiedenen Zwecken dienlich gemacht. Erst nach 1950 hat man ihn sich hinziehenden Restaurierungen zugeführt, die 1972 bis auf die Errichtung eines gesonderten Aufganges und der für die Benützung zu öffentlichen Veranstaltungen erforderlichen Nebenräume beendet werden konnten.

117 Einfahrt Mozartplatz 4. Haus im 18. Jahrhundert Besitz der Herren von Rehlingen (siehe auch Bild 106 und 123).

118 Hauseingang Pfeifergasse 4. Ebenso selten wie Portale aus dem späten Mittelalter finden sich solche aus dem frühen 17. Jahrhundert. Über dem gesprengten Giebel Rotmarmorrelief, das vielleicht vom alten Domfriedhof stammt.

119 Hausportal Steingasse 46. Rotmarmorportal aus dem Jahre 1568, Bogenfeld mit Wappen und Namen des damaligen Hausbesitzers, Bürger Hanns Stainhauser, und Devise „Betrachts auf ewig" verziert. Türstock schmücken fünf kreisrunde Medaillons; den Balken drei (links: Wappenschild mit Panther und Umschrift „Warbara Widmerin", rechts: aufsteigender Steinbock und Name „Warbara Praunin", Mitte: Haus- oder Handelszeichen); Pfosten mit je einem Medaillon (links: Wappen mit zwei gekreuzten Greifenfüßen, rechts: Hauszeichen mit S).

120 Salzburger Sparkasse, Hauptportal. Portal des 1747 gegenüber der Dreifaltigkeitskirche errichteten Leihhauses, 1906 demoliert, 1951 beim Umbau der Sparkassenhauptanstalt auf dem Alten Markt dem Gebäude eingefügt.

121 Altes Rathaus, Portal. Portal 1675, Marmorfigur der Justitia von Hans Waldburger, 1616, Türflügel und Oberlichtegitter 1772.

122 Mozarts Geburtshaus, Portal Getreidegasse. Getreidegasse 9. Ehemals Hofapothekerhaus. Marmorportal um 1730. Vgl. auch Bemerkung zu Bild 231.

123 Hausportal Mozartplatz 4. Prächtiges Marmorportal, Torflügel Holz mit Eisenblech beschlagen. Ornamentik geschmiedet und aufgenietet.

124 Getreidegasse, Geschäftseingang. Getreidegasse 5, Zezihaus. Beispiel für das besonders in der Barockzeit blühende Kunstschmiedehandwerk der Stadt. Um 1760.

125 Getreidegasse, Gasthausschild. Hauszeichen des Sternbräues. Reiche Schmiedearbeit in der Art des Philipp Hinterseer; um 1760.

126 Sigmund-Haffner-Gasse, Romanischer Löwe. Kuenburgischer Stadtpalast „Langenhof", erbaut 1670. In der Durchfahrt zum Hof rechts romanischer Löwe, um 1150. Die Inschrift auf der Tafel, die das Tier hält, preist einen Bruder Bertram als Meister. Herkunft der qualitätvollen Plastik wahrscheinlich vom romanischen Dom. Über die Örtlichkeit der dortigen Verwendung als Stütze bestehen verschiedene Meinungen.

127 Bürgerspitalskirche, Gewölbe. Siehe Bemerkung zu Bild 113.

128 Rathausportal, Justitia. Siehe Bild 121.

129 Bürgerspitalskirche, Sebastiansrelief. Werk Konrad Aspers aus Konstanz. Um 1615 für das im Auftrag von Erzbischof Markus Sittikus in der Linzer Gasse neuerrichtete Linzer- oder Sebastiani-Tor geschaffen. Tor 1894 abgetragen. Relief 1956 an Kirchenwand angebracht.

130 Franziskanerkirche, Bildwerk an der Kanzel. Löwe, unter dem ein geharnischter Mann liegt, der dem Tier ein Schwert in den Leib stößt. Marmor, 12. Jahrhundert.

132/133 Altstadt vom Turm der evangelischen Kirche. Hinter fast wandartiger Geschlossenheit der Bürgerhäuser die prächtigen Bauwerke der Fürstenstadt vor der monumentalen Feste Hohensalzburg. In der noch deutlich wahrnehmbaren Unterschiedlichkeit der Bauhöhen scheint eine Herausstellung des sozialen Gefüges — Bürger, Herren, Gott — anzuklingen. Innerhalb der vielen alten Kirchen Salzburgs überragt der Dom, die Kirche des Bischofs, machtvoll alle anderen.

134/135 Altstadt von der Kuenburg-Bastei. Deutlich hebt sich auch von hier aus die „Fürstenstadt" mit großen, prächtigen Bauten und ausgedehnten Plätzen, von der sie umfassenden geschlossenen Häusermasse der „Bürgerstadt" ab. Idee und Gestalt machen den Dom baulich und geistig zum Zentrum der Fürstenstadt. Anstelle der mittelalterlichen Münster und des im 12. Jahrhundert erbauten romanischen Gotteshauses, das 1598 ein

Brand zerstörte und das nach mißglückter Wiederherstellung abgetragen wurde, plante Erzbischof Wolf Dietrich von Raitenau einen Neubau. Ein 1606 von dem Palladio-Schüler Vincenzo Scamozzi ausgearbeitetes Projekt wurde nicht ausgeführt. Die Grundsteinlegung nach einem abgeänderten, von Scamozzi oder seinem Adoptivsohn Franzesco de Gregorii geschaffenen neuen Plan erfolgte 1610. 1614 wurde durch Wolf Dietrichs Nachfolger, Markus Sittikus von Hohenems, der Grundstein zum heutigen Bau gelegt. Der Plan stammte von Santino Solari, einem Komasken aus Verna. Der Bau wurde 1628 geweiht. Die Türme wurden erst von 1652 bis 1655 fertiggestellt. Nordwestlich, gleich einem Atrium vorgelagert, entstand das regelmäßige Viereck des Domplatzes. Die beidseits an die Kirchenfassade greifenden Dombögen (1658 bis 1663, Architekt Giovanni Antonio Dario) schaffen die Verbindung zu den umgebenden Plätzen. Sie vereinigen auch f. e. Residenz und Kloster Sankt Peter direkt mit dem Dom und weisen damit auf die geschichtliche Wurzel und die „ehemalige Einheit geistlicher und weltlicher Macht" (Fuhrmann) hin.

Das Bild zeigt im Vordergrund den Kapitelplatz, links Dompfarramt und Konventbau der Erzabtei Sankt Peter, dahinter die Franziskaner- und die Kollegienkirche; rechts liegt das Residenz-Neugebäude, davor sind ehemalige Kapitel- und Kanonikalhäuser sichtbar. Gegenüber dem Glockenspielturm erscheint die Sankt-Michaels-Kirche, im Hintergrund rechts der Kapuzinerberg mit Häusern der alten Vorstadt „Am Stain"; links davon sichtbar die „Neustadt" mit dem Schloß Mirabell, der neugotischen Sankt-Andrä-Kirche (Fassade 1970/71 verändert), Dreifaltigkeitskirche, und der von 1863 bis 1867 erbauten evangelischen Kirche am Salzachufer.

136/137 Residenzplatz. Erzbischof Wolf Dietrich beseitigte im Zuge seiner Stadterneuerung das Domkloster, den Domfriedhof und über fünfzig um den alten Dom gelegene Gebäude. Er schuf damit Raum für die vier großen Plätze rings um den Dom. Der Residenzplatz mit dem vermutlich von Tommaso di Garona geschaffenen Residenzbrunnen ist gestaltlich einer der wirkungsvollsten Stadtplätze. Links die Michaelskirche, zu Sankt Peter gehörig, rechts das Residenz-Neugebäude. Daneben Einblick in den Mozartplatz mit dem Mozartdenkmal (1842 errichtet).

138 Domplatz. Als ein großartiges Atrium stellt sich das allseits durch Gebäude abgegrenzte regelmäßige Viereck des Domplatzes dar. Den Vordergrund beherrscht das Mariendenkmal nach dem Entwurf des Hofarchitekten Wolfgang Hagenauer (Figuren von dessen Bruder Johann B. Hagenauer) von 1766 bis 1771 errichtet. Die von 1614 bis 1628 ausgeführte Marmorfassade des Domes entwarf Santino Solari. Die ebenerdig zugehörigen Monumentalstatuen stellen links und rechts außen die Heiligen Rupertus und Virgil dar (geschaffen von Bartlmä Obstall 1660). Die inneren Figuren (Sankt Petrus und Sankt Paulus) schuf 1697/98 Bernhard Michael Mandl. Die vier Evangelisten über der Balustrade und die Statuen des Erlösers, Moses und Elias auf dem Giebel, werden dem Meister des Residenzbrunnens zugeschrieben (Pretzell).

139 Domplatz. Hinter dem Mariendenkmal der Wallistrakt der alten Residenz als westlicher Abschluß des Domplatzes. Dieser Gebäudeteil wurde noch unter Erzbischof Wolf Dietrich errichtet. Im Hintergrund die Franziskanerkirche.

140 Domplatz. Im Vordergrund Mariendenkmal. Rechts die nach dem Vorbild 1660 gestaltete Nordfassade des Sankt-Peter-Klosters. Im Hintergrund Schlangenrondell, Feuerbastei und Trompeterturm von Hohensalzburg.

141 Kapitelplatz. Blick über die 1732 errichtete Kapitelschwemme auf Dom, Dombögen und Süd-Nord-Trakt des Klosters Sankt Peter; dahinter Turm der Franziskanerkirche.

142 Blick zur Hofstallgasse. Die Hofstallgasse wurde im Zuge der Umgestaltung der Fürstenstadt durch Wolf Dietrich auf dem Gebiet des Frauengartens neu geschaffen. Dadurch entstand über Dom, Kapitelplatz und Kapitelgasse eine neue Verbindung zwischen Gstätten- und Schanzltor. Sie bildete zugleich die Möglichkeit für den Aufmarsch prächtiger Prozessionen zum Dom. Im Vordergrund links das Collegium Rupertinum, heute Erzbischöfliches Schülerheim.

143 Universitätsplatz. Er entstand durch den Bau des Universitätsgebäudes. Den Zugang zur Getreidegasse vermitteln sogenannte Durchhäuser (siehe Bemerkung zu Bild 105). Um auch mit dem Alten Markt Verbindung zu erlangen, wurde um 1626 der Ritzerbogen durchgebrochen (Name nach dem damaligen Besitzer des Hauses, Freiherrn Ritz von Grueb). Das Universitätsgebäude (rechts) wurde 1618 begonnen und 1621 bezogen. Die Ausgestaltung erfolgte allmählich: 1631 Bau der großen Aula, 1694 bis 1707 Abschluß der Baugruppe durch die Errichtung der Kollegienkirche. Links die später ausgebauten ehemaligen Hintergebäude der Getreidegassehäuser. Im Hintergrund Ritzerbogen mit Hinterfronten der Häuser der Sigmund-Haffner-Gasse.

144 Erzabteil Sankt Peter. Das Benediktinerkloster wurde um 690 von dem Frankenbischof Rupertus gegründet. Es lag ursprünglich südlich der Kirche an der Bergwand. Im ersten Viertel des 12. Jahrhunderts wurde es nordwärts verlegt. Östlich des großen Hofes der Konventbau mit Kreuzgang, Brunnenhaus und Klostergarten. Im Hintergrund, gegen das Festspielhaus zu, das 1926 von Peter Behrens geschaffene neue Collegium Benedictinum. Die Stiftskirche ist eine romanische Basilika. Sie wurde beim Stadtbrand 1127 zerstört und 1130 bis 1143 nach sächsischen Vorbildern (Hildesheim) neu erbaut. Der romanische Kern, in der Anlage und in Einzelheiten noch sichtbar, wurde 1757 bis 1780 spätbarock verkleidet und teilweise baulich verändert. Die Ost- und Südseite der Kirche umschließt der Petersfriedhof mit Grabstätten bekannter Persönlichkeiten und den sogenannten Katakomben in der Felswand des Mönchsberges. Im Friedhof die Margaretenkapelle. Sie ist ein einheitlicher, von 1485 bis 1491 errichteter spätgotischer Bau, dessen Außenseite interessante Grabplatten aus Rotmarmor zieren. An die Felswand geschmiegt (wahrscheinlich der Stelle der ursprünglichen Stiftskirche) die Kreuzkapelle.

145 Sankt-Peters-Friedhof, Maximuskapelle. Die als Salzburger Katakomben bezeichneten Felshöhlen in den Steilwänden des Mönchsbergs werden von der Überlieferung als christliche Kultstätten aus spätrömischer Zeit betrachtet (wissenschaftlich nicht bestätigt). Die über der Sankt-Gertrauden-Kapelle befindliche Maximuskapelle ist nach einem Priester benannt, der, nach der Legende, bei der Zerstörung der Stadt in der Völkerwanderungszeit mit seinen Gefährten hier getötet worden sein soll. Bei der herangezogenen Quelle scheint man aber Juvavum (Salzburg) mit Joviacum (Schlögen an der Donau) verwechselt zu haben (Noll).

146 Erzabtei Sankt Peter, Brunnenhaus. Nördlich der Stiftskirche umzieht der Kreuzgang das ganze Erdgeschoß im Osttrakt des Klosterkomplexes. Der südliche Teil und das Brunnenhaus stammen noch aus dem 12. bis 13. Jahrhundert.

147 Sankt-Peters-Kriche. Die im Kern dreischiffige romanische Pfeilerbasilika wurde 1605 bis 1625 im Chor verändert und erhielt ihr heutiges barockes Gepräge in der Zeit von 1753 bis 1785. Der aus sächsischen Kirchen übernommene Stützenwechsel ist deutlich erkennbar. Der Raum wurde 1957 gründlich restauriert. Der marmorne Hochaltar entstand von 1777 bis 1778 nach einem Modell des Bildhauers Lorenz Hörmbler, die Steinmetzarbeiten leistete Johann Högler, die Statuen schuf Franz Hitzl. Das Altarbild ist ein Werk des Kremserschmidt (Johann Martin Schmidt aus Stein an der Donau).

148 Stiftskirche Nonnberg. Die 1423 durch einen Brand zerstörte romanische Kirche aus dem 11. Jahrhundert wurde nach provisorischer Wiederherstellung ab 1463 über dem romanischen Grundriß als gotische Kirche neu erbaut und 1506/07 fertiggestellt. Der Chor, um neun Stufen höher als das Langhausniveau, liegt über dem Grab der heiligen Erentraud (1. Äbtissin). Die Heilige ist links in einer Statue vom Ende des 15. Jahrhunderts dargestellt. Der gotische Flügelaltar stammt aus Scheffau. Er wurde 1853 gegen den Renaissancealtar von Hans Waldburger (1629) eingetauscht.

149 Stiftskirche Nonnberg, Teil der Westempore. Der Nonnenchor ist vom Laienraum durch eine reichgeschmückte Emporenwand im Westteil des Langhauses abgegrenzt. Die Formen des Schmuckwerkes sind in ihrem phantasievollen Reichtum, dem Schwung und der Zierlichkeit in den Einzelheiten kennzeichnend für die Zeit der Wende vom 15. zum 16. Jahrhundert.

150 Dom, Eingang. Die mittlere der drei Bogenöffnungen, die vom Domplatz aus in die Vorhalle führen, wird von den Standbildern der Apostelfürsten Petrus und Paulus flankiert. Die auf wappengeschmückte hohe Sockel gestellten Kolossalfiguren schuf 1697/98 der aus Böhmen eingewanderte Bildhauer Bernhard Michael Mandl. Auf dem Abschlußgitter die Jahreszahl der Domweihe.

151 Dom. Die Verbindung von Längs- und Zentralraum erinnert an römische und venezianische Vorbilder. Das Maßsystem läßt auch den Einfluß heimischer mittelalterlicher Tradition vermuten (Fuhrmann). Der Raum mißt in der Gesamtlänge 86 m, die Querschiffachse 62,3 m. Die Kirche faßt 10.500 Personen. Die Anlage ist dreischiffig und in der Raumwirkung wesentlich durch das aus der Kuppel und den vorderen Partien des Baues einströmende Licht bestimmt. Die Stuckierung ist prächtig, jedoch maßvoll verteilt. Die Deckenfresken stammen von Donato Mascagni, Ignazio Solari und Francesco da Siena. Sie wurden 1954/55 bei der Wiederherstellung des bombenbeschädigten Domes gereinigt und restauriert. Den marmornen Hochaltar schmückt ein Bild der Auferstehung Christi von Donato Mascagni. Die geschnitzten Vorder- und Rückwände des Gestühles entstanden um 1690 nach Entwurf J. B. Fischers von Erlach (Fuhrmann).

152 Dom. Das großräumige tonnengewölbte Mittelschiff wird beidseitig von je vier Kapellenräumen begleitet. Über diesen liegen Oratorien, die durch Balkone mit dem Mittelschiff Verbindung erhalten. Die 1702 bis 1703 vom Hoforgelmacher Christoph Egedacher geschaffene Orgel wurde mehrmals umgearbeitet und vergrößert, zuletzt 1958/59. Sie besitzt jetzt 126 klingende Register und etwa 10.000 Pfeifen. Das schon den Maßverhältnissen zugrunde liegende Hochstreben des Raumes wird durch eine streng eingehaltene Unterschiedlichkeit in der formalen Ausprägung des Struktiven (schmucklose Doppelpilaster und Gurtbögen) zur Dekoration wesentlich verstärkt. Diese verleiht mit kraftvoller Körperlichkeit im Detail dem Gesamtbild maßvolle Pracht.

153 Dom, Kanzel. Bei der Wiederherstellung des Doms wurde auch die aus dem 19. Jahrhundert stammende Kanzel neu gestaltet. Gesamtentwurf Architektengruppe Dr. Wiser - Dipl.-Ing. Pfaffenbichler - Dr. Bamer. Theologische Beratung Univ.-Prof. Dr. P. Thomas Michels OSB, bildnerische Gestaltung von Toni Schneider-Manzell, Marmorarbeiten der Mayr-Melnhofsche Marmorwerke, Salzburg-Parsch, Bronzeguß Firma Priesmann, Bauer & Co., München. Die ambonenartige, achteckige Grundform ruht auf einer glatten runden Marmorsäule. Auf dieser liegt ein Träger in Form eines Andreas-Kreuzes, dessen Enden mit den Köpfen der Sinnbilder für die vier Evangelisten geziert sind. Die Brüstung der Kanzel bilden sieben Bronzeplatten mit figuralen Darstellungen und biblischen Merksätzen, die sich sinnreich

auf das Wort Gottes und sein Wirken bei den Menschen beziehen. Die bronzene Zugangstür trägt eine Darstellung des Hl. Geistes.

154 Kollegienkirche, Fassade. Die Kirche wurde im Auftrag des Erzbischofs Johann Ernst Graf Thun 1696 bis 1707 für die Universität erbaut. Die Pläne schuf Johann Bernhard Fischer von Erlach. Ihnen liegt ein kreuzförmiger Zentralbau mit verkürzten Querarmen und großer runder Kuppel über der Vierung zugrunde. Die Achse der Kirche ist wegen der Größe des zur Verfügung stehenden Bauplatzes, aber auch wegen des baulichen Einklanges mit den schon bestehenden Universitätsbauten nordsüdwärts orientiert. Die den Gesamtbau beherrschende Verbindung von mächtigen, in den Formen kontrastierenden Grundkörpern zum plastisch bewegten Gebilde, kennzeichnet auch die Fassade. Ihr bis zum Giebel kräftig vorgewölbter Mittelteil wird vornehmlich mit den seitlich gleichsam freistehenden prismatischen Türmen durch das den Bau umziehende Hauptgesims zur Einheit verbunden. Portale und große Fenster lockern das Blockhafte der Baumasse. Sie gewinnt den Ausdruck monumentalen Emporragens, dem die zartgehaltene architektonische Struktur der Außenflächen festlichen Charakter gibt. Das phantasievoll gestaltete Werk ist J. B. Fischers reifster Salzburger Kirchenbau und ein Hauptwerk des österreichischen Barocks von europäischem Rang (siehe auch Bild 60, 61 und 62).

155 Kollegienkirche, Chor. Das von Raumspannungen erfüllte Kircheninnere erhält aus dem Einklang der zur Gliederung der Wände verwendeten Elemente mit der sparsamen Dekoration den Ausdruck vornehmer Pracht. Ihre irdische Wirklichkeit verliert sich im Dunkel der Apsis. Hier verschleiern Wolkengebilde die architektonische Begrenzung des Raumes. Jenseitiges erscheint und senkt sich in himmlischer Glorie hernieder. Den Apsisstuck schufen 1706 bis 1707 Carlo Diego Carlone und Paolo de Allio. Der Hochaltar wurde erst um 1738 bis 1740 fertiggestellt. Seine Gestaltung ist auf ein philosophisch-theologisches Programm bezogen, das Religion, Wissenschaft und Kunst dem Dasein Gottes und seiner Obhut unterbreitet. Die Statuen schuf J. A. Pfaffinger. Die farbige Ausgestaltung des Raumes unterblieb. Die Skulpturen der Nischen des Langhauses gestaltete Bildhauer Hans Piger von 1904 bis 1910.

156 Kajetanerkirche, Portal. Die von den einstigen Klostergebäuden flankierte Kirche wurde für die Theatiner (Kajetaner) gestiftet und nach Plänen Joh. Caspar Zugallis von 1685 bis 1700 erbaut (siehe Bemerkung zu Bild 64). Das Portal spiegelt in Aufbau und Details gestaltlich die aus der Ebene der ursprünglich als Kloster dienenden Flügelbauten heraustretende schmale Kirchenfassade.

157 Die Dreifaltigkeitskirche. Sie war Fischers erster Auftrag für einen Kirchenbau. Er gestaltete ihn als Zentralbau mit in die Tiefe führenden ovalem Mittelraum, den eine den Gesamtbau beherrschende Kuppel überwölbt. Die ursprünglich niedrigen Türme wurden 1759 erhöht und nach dem Stadtbrand von 1818 neuerlich verändert. Dadurch verlor die Kuppel ihre einst beherrschende Wirkung. Die einschwingend gestaltete Fassade gab die Möglichkeit, einen kleinen querovalen Vorplatz mit einer Treppenanlage zu schaffen. Die Kirche wurde von 1694 bis 1702 errichtet und 1699 geweiht.

An sie schließen seitlich links das Priesterhaus, rechts die Pagerie an. Diese diente der Unterbringung zweier Stiftungen, des Collegiums Virgilianum und des Siebenstätter Kollegiums, zur Unterstützung des Studiums bedürftiger adeliger und bürgerlicher Knaben. Die architektonische Geschlossenheit des Gesamtkomplexes ist im Bilde des Makartplatzes von beherrschender Wirkung.

158 Hohensalzburg von Westen. Ansicht von der Richterhöhe auf dem Mönchsberg. Die Festung zeigt von hier eine Schmalseite. Von den Vorwerken sieht man rechts die untere und obere Bernhard-von-Rohr-Bastei, die Kasematten, in denen sich heute Gastwirtschaftsräume befinden, sowie den unteren und oberen Hasengraben. Hinter diesen Anlagen ist die gewaltige Ringmauer mit Geier-, Hasen-, Gerichts- und Glockenturm sichtbar. Zwischen Hasen- und Gerichtsturm lugen die Feuertürme und ein Teil des Inneren Schlosses, des ältesten Teiles der Burg, hervor. Im Hintergrund die Kuppe des Gaisberges.

159 Festung vom Kapuzinerberg. Ausblick von der oberen Stadtaussicht auf Hohensalzburg. Deutlich hebt sich im westlichen Teil der Felsklippe, gegen Süden und Westen von einer Ringmauer mit gewaltigen Türmen geschützt (siehe Bild gegenüber), der massige Block des Hochschlosses über alle Vorwerke heraus. Davor der große Burghof mit der Sankt-Georgs-Kirche. Gegen Osten eine Gruppe von Verteidigungsanlagen, in die der Eingang zur Burg und der Aufgang in den großen Burghof eingebettet sind. Sie beginnen unten mit den dicht am Burggraben liegenden, weit den Berg herabgreifenden Nonnbergbasteien, setzen sich fort im wuchtigen Schlangenrondell (Bürgermeisterturm) und Schlangengang (Name von den Feldschlangen — langrohrigen Geschützen). Sie enden mit dem Reißzuggebäude und der Sperre der Roßpforte (siehe Bild 162). Im Hintergrund die Ebene des Salzburger Beckens am Fuße des Untersberges.

160 Hohensalzburg, Blick von der Hasenbastei. Im Vordergrund der zweite Sperrbogen des Burgweges, dahinter das Schlangenrondell (Bürgermeisterturm) mit unterem Trompeterturm und Eingang zur Burg. Rechts davon die Feuerbastei. Darüber der Trompeterturm mit Ringmauer. Am Bildrand rechts ein Teil des Hohen Stockes. Der Baumbestand des Burgberges stammt erst aus neuerer Zeit. Bis 1861 galt die Burg als Festung, weshalb der Baumwuchs nicht aufkommen durfte.

161 Hohensalzburg, die Mauern des Hohen Stockes. Blick vom oberen Hasengraben auf die nordseitig hoch aufragenden, gewaltigen Mauern des Inneren Schlosses mit der vorspringenden Erkerreihe beim Goldenen Saal. Unten die Kuenburgbastei, darüber Ringmauer und Trompeterturm.

162 Hohensalzburg, Roßpforte. Ein um 1500 errichteter Torbau, der später zu einer langen, mehrfach durch Balkensperren unterbrechbaren Auffahrt ausgebaut wurde. Der Erker spätgotisch. Die gestuften Geschützscharten entstanden um 1570 (Schlegel).

163 Hohensalzburg, Großer Burghof. Die Zisterne wurde 1539 unter Erzbischof Matthäus Lang von Wellenburg angelegt. Dahinter die Burglinde und der Hohe Stock des Inneren Schlosses. Rechts die 1501 erbaute Sankt-Georg-Schloßkirche mit dem Marmordenkmal des sein Land segnenden Erzbischofs Leonhard von Keutschach (Hans Valkenauer, 1515).

164 Hohensalzburg, Goldener Saal. Der Goldene Saal gehört, ebenso wie die ostwärts anschließende Goldene Stube und die Schlafkammer, zur Gruppe der sogenannten Fürstenzimmer. Erzbischof Leonhard von Keutschach

ließ 1501/02 diese prächtigen Wohnräume im vierten Geschoß des Hochschlosses errichten. Der rechteckige Raum hat eine blaugestrichene Decke mit goldenen Knöpfen als Verzierung. Der Unterzug ist bemalt mit Wappen des Reiches, Erzbischofs, österreichischer Länder, der Kurfürsten, Salzburger Suffragane und österreichischer Adelsgeschlechter sowie mit Wappen von Salzburger Geschlechtern und Stiften. In der Nähe der Nordwand stehen vier die Decke stützende monolithische Rotmarmorsäulen mit gedrehten Schäften. Die vordere soll 1525, bei der Belagerung von Hohensalzburg durch die aufständischen Bauern, von einer Kanonenkugel beschädigt worden sein.

165 Hohensalzburg, Goldene Stube. In der Nordwestecke der Goldenen Stube steht ein buntglasierter Kachelofen aus dem Jahre 1501. Das in seiner Art einmalige Meisterwerk österreichischer Hafnerarbeit der Spätgotik ist salzburgisch.
Während die Kacheln des Unterbaues phantastische Pflanzenformen zeigen, sind auf denen des Obergeschosses Wappen und figurale Szenen dargestellt. Die Kacheln selbst sind, mit ganz wenigen Ausnahmen, ungewöhnlich dünnwandig. Sie wurden wahrscheinlich in der Grundform über eine vorbereitete und nur einmal verwendete Modelform gearbeitet. Erst dann wurden die plastischen Einzelheiten aufgesetzt. An der Südseite des Ofens befindet sich eine die ganze Höhe des Unterbaues ausfüllende männliche Figur in spätmittelalterlicher Tracht, vom Volksmund als das Bildnis des Meisters bezeichnet, der den Ofen verfertigte. Diese Kachel besteht aus zwei Stücken und ist anscheinend handmodelliert. Vermutlich Wappenfigur (Hallein? — Walcher von Moltheim). Siehe auch Farbbild 24.

166 Goldene Stube. Die Aufnahme zeigt einen Ausschnitt aus dem im Farbbild 25 dargestellten Portal in der Nordwand der Goldenen Stube. Das dichte Rankenwerk über dem Kielbogen ist im unteren Bezirk durch bunte Vögel belebt. Im schmalen oberen Feld wilde Männer mit Hunden auf Jagd.

167 Gotischer Ofen, Einzelheit. Siehe Bemerkung zu Bild 165.

168 Alte Residenz, Hauptportal. Ehemaliger Wohnsitz der Erzbischöfe und reichsunmittelbaren Landesfürsten, erbaut von 1595 bis 1619. Das Portal

stammt vom Anfang des 17. Jahrhunderts. Die figuralen Teile schuf Wolf Weißenkirchner. Der Aufsatz mit dem Wappen Erzbischofs Harrach entstand 1710.

169 Alte Residenz, Hofseite des Westtraktes. Der Westtrakt der alten Residenz wurde unter Erzbischof Markus Sittikus 1614 errichtet. Die Fassade der Ostseite ist durch eine Riesenordnung toskanischer Pilaster gegliedert. In der Halle befindet sich in einer Tuffnische ein Herkulesbrunnen (siehe Bild 198). Das Wappen über dem Mittelfenster weist auf den Erbauer. Das untere Wappen und die Inschriften auf den Tafeln unter den seitlichen Fenstern beziehen sich auf die Erzbischöfe Max Gandolf Graf Kuenburg und Johann Ernst Graf Thun.

170 Alte Residenz, Carabinieri-Saal. Hauptgebäude, zweiter Stock, Saal der Leibwache. Er wurde um 1600 erbaut und besitzt ein Ausmaß von 50 x 12 m. Um 1665 wurde der Saal, um 1690 die Portale erhöht. Die schweren Stuckformen stammen von den Gebrüdern F. und C. A. Brenno, die Deckenfresken malte J. M. Rottmayr 1689 (1953 restauriert).

171 Alte Residenz, Konferenzzimmer. Entwurf der Türrahmung wahrscheinlich von Lukas von Hildebrandt. Ausführung um 1710 von B. M. Mandl, Johann Schwäble, Andreas Götzinger. Schöne Arbeit aus heimischem Marmor.

172 Alte Residenz, Antecamera. Im Hauptgebäude der Residenz, zweiter Stock, zwischen Konferenzzimmer und Audienzsaal gelegen. Deckengemälde um 1710 von Martin Altomonte (Darstellung aus der Geschichte der Römer und dem Leben Alexanders des Großen). Der Ofen um 1776.

173 Alte Residenz, Markus-Sittikus-Saal. Der Markus-Sittikus-Saal, auch „Weißer Saal" genannt, befindet sich über der Halle mit dem Herkulesbrunnen (siehe Bild 169). Weiße klassizistische Stuckierung der Decke und Wände von Peter Pflauder aus dem Jahre 1776. Ofen aus gleicher Zeit.

174/175 Residenz-Neugebäude mit dem Glockenspiel. Residenz-Neugebäude, Portal. Erzbischof Wolf Dietrich ließ das Gebäude von 1592 bis 1602 als Absteigequartier für fürstliche Gäste wie auch als seine Wohnung während des Residenzbaues errichten. Um 1670 wurde es nach Süden verlängert. Unter Erzbischof Johann Ernst Graf Thun wurde 1701 die Vorhalle und die Hauptwache vorgebaut, der Turm erhöht und 1702 mit dem Glockenspiel ausgestattet. Für die von Melchior de Haze in Antwerpen gegossenen Glocken schuf der Salzburger Uhrmacher Jeremias Sauter den Spielmechanismus.

176/177 Residenz-Neugebäude, Gloriensaal. Residenz-Neugebäude, Stuck aus dem Ständesaal. Im nordwestlichen Trakt des Neugebäudes (Front Residenz-Mozartplatz) liegt im zweiten Stock eine Flucht von fünf Zimmern. Sie sind mit farbigen Stuckdecken prächtig geschmückt. Elia Castello, der Schöpfer der Grabkapelle Wolf Dietrichs (Gabrielskapelle) im Sebastiansfriedhof, hatte sie 1602 geschaffen. Er entstammt einer Bauhandwerkerfamilie aus Melide am Comosee, starb mit dreißig Jahren und liegt im Sebastiansfriedhof, Arkade 10, begraben. Seine Brüder Antonio und Pietro haben ihm ein vornehmes Grabmal gewidmet.

178 Ehemalige Hofbibliothek, Portal. Das Bild zeigt das Portal des nordseitigen Ausganges im Hauptraum der ehemaligen Hofbibliothek. Es ist mit dem Wappen Kardinal Erzbischofs Max Gandolf von Kuenburg geschmückt und stammt aus dem Jahre 1672. Kardinal Kuenburg ließ den Westflügel des Residenz-Neugebäudes nach Süden hin erweitern. Der Hofbibliothek wurde der ganze erste Stock des Neubaues zugewiesen. Die Räume wurden mit vier prunkvollen Marmorportalen ausgestattet, die sich noch an Ort und Stelle befinden. Sie tragen mit Chronogrammen versehene Inschriften, die auf Buch und Wissen bezogen sind. Zwei Portale sind wappengeschmückt. Derzeit sind im einstigen Hauptsaal der Hofbibliothek technische Anlagen der Hauptpost und Amtsräume untergebracht.

179 Kapitelhaus, Portal. Die Häuser zwischen Kapitelplatz und Kaigasse gehörten vornehmlich dem Domkapitel und einzelnen Domherren. Das Haus Kapitelgasse 4 war das „Kapitelhaus", in dem die Amtsgeschäfte und Beratungen des Domkapitels, auch die Neuwahl der Erzbischöfe stattfanden. Es wurde 1603 unter Erzbischof Wolf Dietrich erbaut, der finanziell zum Bau beitrug, aber auch auf die Gestalt des Gebäudes Einfluß nahm. Aus der schlicht gehaltenen Fassade tritt kraftvoll das mit Doppelfenster und Giebel in allen Einzelheiten wirkungsvoll und harmonisch gestaltete Portal. Es wird noch bereichert durch die

von Michael Pernegger beidseits der Fenster angefügten Wappenreliefs der damaligen 24 Mitglieder des Domkapitels.

180 Garten und Schloß Mirabell. Es wurde von Wolf Dietrich 1606 als Schloß Altenau erbaut, hernach von Markus Sittikus Mirabell benannt. Der heutige Bau wurde 1721 bis 1727 durch Johann Lukas von Hildebrandt errichtet. Er wurde beim Stadtbrand 1818 schwer beschädigt. Bei der Wiederherstellung durch Peter von Nobile erfolgten bauliche Veränderungen. Der Garten, um 1690 durch J. B. Fischer von Erlach umgestaltet, wurde um 1730 hinsichtlich der Beete, Blumen und Bäume von Franz Anton Danreiter verändert.

181 Schloß Mirabell, Gartenseite. In der Gartenseitefassade klingt die einst durch Lukas von Hildebrandt bewirkte Neugestaltung des Schlosses noch etwas an. Vor dem Schloß seit 1913 der 1661 von Caspar Gras aus Innsbruck verfertigte Pegasus. Ursprünglich auf dem Kapitelplatz postiert, wurde er nach 1732 mit den beiden Löwen im Vordergrund des Bildes, und den zwei Einhörnern an der Treppe zum Kurgarten, zu einem Pegasusbrunnen vereinigt. Dieser wurde auf dem Platz östlich des Mirabellschlosses errichtet, wo er bis 1818 verblieb.

182/183 Schloß Mirabell von Süden. Mirabellgarten (siehe auch Bemerkung zu Bild 180). Der Lustgarten südlich und westlich des Schlosses wurde schon unter Wolf Dietrich angelegt und unter seinen Nachfolgern ausgebaut. Eine Neugestaltung erfolgte unter Erzbischof Johann Ernst ab 1689/90 unter der Leitung J. B. Fischers von Erlach. Das Mittelfeld des Gartens beherrschen vier große Figurengruppen, die die vier Elemente versinnbildlichen. Sie wurden 1690 von Ottavio Mosto gearbeitet, der aus Padua stammte und sich in Salzburg ansässig machte. Die übrigen Figuren im Garten schufen verschiedene heimische Künstler. Sie haben vereinzelt geringere Qualität.
Auf einer noch erhaltenen Bastion der Stadtbefestigung, die unter Erzbischof Paris Lodron (1619 bis 1653) neu angelegt und auch um den Mirabellgarten geführt wurde, stehen Marmorfiguren von Zwergen. (Im Volksmund heißt daher der Bastiongarten „Zwergelgarten"). Sie stammen, gleich anderen an verschiedene Orte verbrachten Figuren, aus einem von Erzbischof Franz Anton Graf Harrach auf dem heutigen Ausstellungsgelände in

der Schwarzstraße errichteten, 1811 aufgelassenen „Zwergentheater".

184/185 Schloß Mirabell, Auffahrtshalle. Auffahrtshalle, Nischenfigur. Den reizvollen Stuck der im Mittelteil des Westflügels befindlichen Auffahrtshalle schuf 1722 J. Gall aus Wien. Die in den seitlichen Nischen stehenden zwei klassizistischen Sandsteinfiguren sind künstlerisch beachtenswert. Sie haben typische Züge des österreichisch-wienerischen Barocks und werden wahrscheinlich erst nach 1818 aufgestellt worden sein.

186/187 Schloß Mirabell, Prunkstiege. Die Hauptstiege im Westflügel des Schlosses ist ein Meisterwerk des österreichischen Hochbarocks. Auf der reichverschlungenen Balustrade spielen Putten, in deren Bewegungen sich das im Ornament der Stiegenbrüstung ausgedrückte Aufwärtsführen wiederholt. Die Putten und die Statuen in den Wandnischen schuf Georg Raphael Donner mit seiner Werkstatt 1726/27. Die Decke mit dem Fresko wurde durch den Brand von 1818 zerstört. 1944 verursachten Bombentreffer unwesentliche Schäden, die 1945/46 behoben wurden. Die Beleuchtungskörper sind neu.

188 Schloß Leopoldskron. Es wurde 1736 von Erzbischof Leopold Anton Freiherrn von Firmian für seine Verwandten nach dem Plan Pater Bernhard Stuarts, Mathematikprofessor an der Salzburger Universität, erbaut. Bis 1828 Firmiansches Eigentum, später oftmaliger Besitzerwechsel. 1918 erwarb Max Reinhardt das Schloß und stattete es prächtig aus. Die alte Einrichtung war zumeist verlorengegangen, darunter eine bedeutende Gemäldegalerie und eine berühmte Sammlung von Malerbildnissen. Seit 1958 ist das Schloß im Besitz des Salzburg Seminars in American Studies.

189 Schloß Leopoldskron, Blick nach Süden. Blick von der Schloßterrasse über den südlich gelegenen Teich zum 1855 m hohen Untersberg, dem Salzburger Sagenberg.

190 Schloß Leopoldskron, Festsaal. Den über zwei Stockwerke reichenden Festsaal schmückt eine zartfarbene Stuckierung, an der Johann Georg Braun aus Wessobrunn, Johann Kleber aus dem Bregenzerwald und Johann Lindenthaler aus Salzburg gearbeitet haben. Die Bilder von Andreas Rensi, 1740.

191 Schloß Leopoldskron, Theaterzimmer. Der Ofen stammt noch von der alten Einrichtung. Wandverkleidung und Mobiliar wurden von Max Reinhardt im Kunsthandel erworben und für den Raum umgearbeitet.

192 Blick zum Residenzplatz. Im Bild rechts der Nordtrakt der alten Residenz, links Bürgerhäuser aus dem 15. Jahrhundert (siehe auch Bemerkungen zu Bild 136/137).

193/194/195 Residenzbrunnen. Unter Erzbischof Guidobald Graf Thun von 1656 bis 1661 errichtet, in Entwurf und Ausführung aber nicht Giovanni Antonio Dario zuzuschreiben. Das vollständig aus Untersberger Marmor gearbeitete Werk ist der großartigste Monumental-Barockbrunnen im deutschen Sprachgebiet. Der hervorragend befähigte Meister des Werkes ist unbekannt. Ein Bildhauer Tommaso di Garona ist von F. Martin vorgeschlagen.

196 Hofstallschwemme. Die einstige Pferdeschwemme beim Hofstall wurde um 1695 erbaut. 1732 wurde die zur Verkleidung eines Steinbruches und als Platzabschluß errichtete Schauwand erhöht, das Standbild des Rossebändigers dem Platz zugedreht und die Balustrade um das Becken gelegt. Die Mittelgruppe schuf 1695 B. M. Mandl, die sonstigen Skulpturen stammen von J. A. Pfaffinger, 1732. Die Pferdebilder malte Franz Anton Ebner. Sie wurden später übertüncht, 1855 aufgedeckt, und 1915/16 und 1955/56 erneuert.

197 Großes Festspielhaus, Westseite. 1693 bis 1694 ließ Erzbischof Johann Graf Thun die Gebäudegruppe des Hofmarstalles neu fassadieren und die westliche Schmalseite mit einem Marmorportal, nach einem Entwurf von J. B. Fischer von Erlach, ausstatten. Das Figurale führte Bildhauer Wolf Weißenkirchner aus. Die Türflügel sowie das Fenster in der Vasennische wurden 1959/60 eingefügt. Im Vordergrund die Rossebändigergruppe der einstigen Hofstallschwemme von B. M. Mandl.

198 Alte Residenz, Herkulesbrunnen. In der offenen Halle im Erdgeschoß des Westflügels der alten Residenz (siehe Bild 169) befindet sich ein großer Nischenbrunnen mit dem Standbild eines kämpfenden Herkules. Die Gruppe wurde um 1614 von einem namentlich nicht bekannten italienischen Bildhauer geschaffen. Form und Dekoration der

Nische erinnern an die Grotten im Schloß Hellbrunn. Die Steinbockskulpturen spielen auf den Auftraggeber Erzbischof Markus Sittikus an (Steinbock: Wappentier der Hohenemser).

199 Erzabtei Sankt Peter, Säulenbrunnen. Bildhauer Christoph Lusime fertigte im Auftrag von Kardinal Erzbischof Guidobald Graf Thun 1660 bis 1664 einen originellen Säulenbrunnen an. Der Landesfürst schenkte diesen dem Stift Sankt Peter zur Aufstellung im Konventgarten.

200 Hohensalzburg, Keutschachdenkmal. Das aus dem spröden roten Adneter Marmor gehauene bedeutsame Bildwerk stammt aus dem Jahre 1515. Es wird (von Ph. Halm) dem Salzburger Meister Hans Valkenauer zugeschrieben, dem Schöpfer eines für Speyer bestellten, jedoch unvollendet gebliebenen Kaisergrabens (Bruchstücke im Salzburger Museum). Der Erzbischof steht in vollem Ornat, in der Linken das Pastorale, die Rechte segnend erhoben unter einem Baldachin. Dieser ist mit Figuren von Propheten und Schutzheiligen reich geschmückt. Zu Seiten des Baldachins je ein Levit mit Missale oder Legatenkreuz (siehe auch Bemerkung zu Bild 202).

201 Sankt-Peters-Kirche, Westportal. Das um 1240 in die Westseite des Turmes der Abteikirche gebaute romanische Stufenportal zeigt im Tympanon eine Darstellung Christi, thronend auf dem Regenbogen und flankiert von den Aposteln Petrus und Paulus. In die Zwickel ist jeweils ein stilisierter Baum gestellt, auf dem ein Vogel (Taube) sitzt. Den Halbkreis der Platte schließt die Inschrift ab „Janua sum vite, salvande quique venite, per me transite, via non est altera vite". (Ich bin die Pforte des Lebens, kommt alle um euch zu retten, geht durch mich ein. Es gibt keinen anderen Weg zum Leben. — Martin). Unter dem Bildwerk ist ein Weinrankenfries wiedergegeben (Hinweis auf das Christuswort „Ich bin der Weinstock und ihr seid die Reben").

202 Keutschachdenkmal, Diakon. Kopf der rechten Freifigur zu seiten des segnenden Erzbischofs (siehe Bild 200). Roter Adneter Marmor. Trotz Bindung von Details an das mittelalterlich Gotische in Auffassung und Formung des Gesamten, Werk eines neuen Geistes, der den Menschen zum Maß der Dinge macht, die Persönlichkeit entdeckt und ein aus Natur und Geist geformtes Ant-

litz in den Mittelpunkt der künstlerischen Wiedergabe stellt.

203 Sankt-Peters-Kirche, das Hochgrab Werners von Raitenau. Südwestliche Seitenkapelle. Grabdenkmal für den 1593 als Landsknechtobrist in Kroatien verstorbenen Vater des Erzbischofs Wolf Dietrich. Ein ausdrucksvolles und handwerklich gediegenes Werk eines unbekannten Meisters.

204 Residenz-Neugebäude, Deckenstuck im Treppenhaus (siehe auch Bild 176 bis 178). Der Hauptaufgang zu den im zweiten Stock des Neugebäudes befindlichen Prunkgemächern führte ursprünglich vom Innenhof aus über den heutigen Zugang zum Glockenspiel. Das etwas düstere Stiegenhaus ist an der Decke mit Stuck verziert. Bei diesem sind außer Ornamenten und kuriosen Grotesken als Motive auch Embleme Wolf Dietrichs und seines Geschlechtes verwendet. Die Ausführung besorgten italienische Fachleute.

205 Dom, Einzelheit der Stuckverzierung. Die gehaltvolle Stuckverzierung im Dom schufen um 1628 bis 1635 italienische Meister (Giuseppe Bassarino, Andrea Orsolini u. a.), die sich in diesem Fach die Vorherrschaft über die heimischen Kräfte bis in das erste Viertel des 18. Jahrhunderts zu erhalten wußten.

206/207 Sankt-Peters-Kirche, Abschlußgitter. Eine meisterhafte Kunstschmiedearbeit des heimischen Spätbarocks, 1768 von Hofschlossermeister Philipp Hinterseer aus Lofer im Pinzgau geschaffen.

208 Stiftskirche Nonnberg, Kapellengitter. Nach 1620 wurden an das südliche Seitenschiff der Nonnberger Stiftskirche drei Kapellen angebaut. Für diese fertigte Schlossermeister Hans Georg Klein um 1625 gediegene Abschlußgitter an. Sie haben als kennzeichnendes Grundmotiv der Ornamentik Spiralen mit Grotesken als Endung.

209 Hofstallgasse, Barockgitter. Der linke Teil des Gitters stammt aus dem Anfang des 17. Jahrhunderts und befand sich ursprünglich im Stiegenhaus des Westtraktes der Residenz. Der rechte Teil ist eine neue Ergänzung.

210 Alte Residenz, Hauptaufgang. Abschluß des Aufganges vom Vorplatz beim Carabinierisaal zum dritten Stock. Sehr reich gegliederte Arbeit aus der zweiten Hälfte des 17. Jahrhunderts mit dem Wappen Kardinal Erzbischofs Max Gandolf von Kuenburg (1668 bis 1687).

211 Mausoleum Wolf Dietrichs, Portalgitter. Die renaissancehaft ruhige Gesamtwirkung dieses Gitters ist im Grundmotiv den Gittern des Carabinierisaales verwandt. Anfang 17. Jahrhundert.

212 Hohensalzburg, Fürstenzimmer, Türbeschlag. Rückseite der Tür, die von der Goldenen Stube in die Schlafkammer führt (vgl. Farbbild). Prächtige heimische Waffenschmiedearbeit von 1501.

213 Pfarrkirche Mülln, Kapellengitter. Abschlußgitter der nordseitigen vorderen Kapelle. Diese wurde von Hans Ulrich von Raitenau, dem Bruder Wolf Dietrichs, 1607 gestiftet. Der Erzbischof hatte 1605 die Augustinereremiten aus Bayern berufen und ihnen die Müllner Kirche zugewiesen.

214 Sankt-Peters-Kirche, Bronzekandelaber. Die zwei großen Bronzeleuchter (Sanktusleuchter), die am Übergang vom Querschiff zum Chor der Kirche aufgestellt sind, spendete Erzbischof Wolf Dietrich 1609 der Abtei. Er selbst bezifferte ihren Wert auf 1500 Gulden. Die Herkunft, ob deutsche oder französische Arbeit, ist derzeit noch nicht geklärt.

216 Gstättentor. Das Spital- oder Gstättentor wurde 1618 im Auftrag von Erzbischof Markus Sittikus umgebaut und erweitert, 1805 und 1895 wurde es renoviert und erneuert. Früher dort ansässige Schleifergewerbe bewirkten auch die Bezeichnung „Schleiferbogen".

217 Neutor, Westseite. Das Neutor ist ein 122,84 m (415 Salzburger Schuh) langer Stollen durch den Mönchsberg, der eine Verbindung zum außerhalb der Altstadt gelegenen Gebiet Riedenburg herstellt. Der Durchbruch wurde im Auftrag des Erzbischofs Sigismund Graf Schrattenbach 1764 begonnen. 1767 konnte das Werk eingeweiht werden, 1769 war es, bis auf die Ruinenbastei an der Westseite, vollendet. Die technisch hervorragende Leistung des Stollendurchbruches vollführte Hofbaudirektor Elias von Geyer. Die künstlerische Ausgestaltung der Stollenportale übernahmen Hofbauverwalter Wolfgang Hagenauer und sein Bruder Johann Bapt. Hagenauer, der Hofbildhauer war. Sie schufen in den beiden Fassaden ein Werk von monumentaler Wirkung, das auch in der direkt

aus dem Felsen des Berges herausgearbeiteten architektonischen Gliederung weitum einmalig besteht. Inschriften und figurale Einzelheiten sind programmatisch auf die dauernde Erinnerung an den Erzbischof Sigismund und die Vergangenheit der Stadt bezogen, und in ihrer Gestalt schon von Gedanken des Frühklassizismus ausgeprägt. Der Tod Sigismunds 1771 verhinderte die Vollendung des monumentalen Werkes als Denkmal, dem an der Westseite noch eine Anlage von Ruinen, als Hinweis auf das vergangene Juvavum angefügt werden sollte. Die schon errichteten Bauteile wurden 1874 entfernt (Adolf Hahnl „Studien zu Wolfgang Hagenauer", Diss. Universität Salzburg, 1969).

218 Mülln, Mülleggertor. Prächtiges Marmorportal mit dem Wappen Wolf Dietrichs. Um 1605 erbaut. Name nach dem Schloß Müllegg der Herren von Grimming, das Erzbischof Johann Ernst Graf Thun kaufte und demolieren ließ, um an seiner Stelle das Sankt-Johannes-Spital (heute Landeskrankenhaus) zu errichten. Durch den Torbogen Blick auf die Müllner Kirche.

219 Klausentor, Außenseite. An der Enge zwischen Fluß und Berg (Klause), als Sperre des Zugangs von Mülln her, 1612 von Erzbischof Markus Sittikus auf Kosten der Stadt erbaut. Das alte Tor war 1605 durch Brand zerstört worden. Die ursprüngliche landschaftliche Geschlossenheit von Fels und Torbau wurde im Verlauf der Zeit den Anforderungen des wachsenden Verkehrs geopfert.

220 Mönchsberg, Müllner Schanze. Bei der Neubefestigung Salzburgs 1638 an der Nordseite des Mönchsberges als Doppelsperre errichtet, vorne die Monika-Pforte, dahinter die Augustinus-Pforte. Auf dem Mönchsberg haben sich, ebenso wie auf dem Kapuzinerberg, bedeutende Reste der von 1620 bis 1646 durchgeführten dritten Befestigung der Stadt erhalten.

221 Mönchsberg, Bürgerwehr. Die in der zweiten Hälfte des 13. Jahrhunderts durchgeführte Befestigung der Stadt wurde um 1480, großteils durch die Bürgerschaft, erweitert und ausgebaut. Die Bürgerwehr sperrte die schmalste Stelle des Mönchsbergrückens zwischen Müllner Schanze und Festungsberg.

222 Inneres Steintor. Das innere Stein- oder Judentor, unter Paris Lodron Johannistor benannt, ist mittelalterlich. Der

1634 von Paris Lodron südlich errichtete Vorbau stößt unmittelbar an den Fels des Kapuzinerberges. Eine Mauer aus Konglomeratquadern sicherte den Absturz zum Fluß hin (siehe auch Bild 84).

223 Aufgang zur Festung. Der Aufgang zur „Festung", wie die Hohensalzburg schlechthin genannt wird, ist durch Sperrtore geschützt. Nach dem Lodronbogen (1642 unter Erzbischof Paris von Lodron erbaut), wendet sich der Weg steil aufwärts zur nächsten Torsperre, dem 1513 errichteten Keutschachbogen.

224 Kapuzinerberg, Hettwerbastei. Die Befestigungen auf dem Kapuzinerberg erhielten in dem Teil unterhalb des Klosters 1924 den Namen „Hettwerbastei". Oberst Emil Hettwer hatte sich über den „Stadtverein" besondere Verdienste um die Verschönerung der Stadt und die Erhaltung wertvollen Altbestandes erworben.

226/227 Petersfriedhof. Der alte Friedhof, der die Peterskirche süd- und ostseitig umgibt, besitzt denkwürdige und beachtenswerte Grabstätten aus dem 15. Jahrhundert bis zur Gegenwart. Die 1626 errichteten Arkaden zieren geschmiedete Abschlußgitter (16. bis 18. Jahrhundert). Die Margaretenkapelle, erbaut 1485 bis 1491, steht inmitten des Gräberfeldes. Den proportioniert gegliederten Innenraum schmücken zahlreiche Bodengräber und interessante Wandsteine, wie sie auch an der Außenseite des Bauwerkes angebracht sind. Die im Vordergrund rechts noch sichtbaren Kreuze stammen von Gräbern der Steinmetzfamilie Stumpfegger.

228/229 Sankt-Sebastians-Friedhof, Mausoleum. Die Gabrielskapelle wurde von 1597 bis 1603 als Mausoleum für Erzbischof Wolf Dietrich erbaut. Sie ist ein kuppelüberwölbter Rundbau, an den westwärts ein quadratischer Altarraum mit Tonnengewölbe gefügt ist. Das Innere ist mit farbigem Stuck und bunten Fliesen ausgekleidet. Architekt und Stukkateur war Elia Castello, die Fliesen verfertigte Hofhafner Hanns Kapp. Die Innenwand zieren vier reichdekorierte Nischen mit überlebensgroßen Statuen der Evangelisten, sowie zwei Bronzetafeln von 1605 und 1607 (Guß Herold Nürnberg). Die Inschriften beziehen sich auf die Stiftung der Kapelle und das Begräbnis des Erzbischofs.

230 Mozart-Denkmal. Es wurde 1842 nach einem Entwurf von Ludwig von

Schwanthaler aus München errichtet. Den Guß führte der Münchner Joh. Bapt. Stiglmeier durch. Bei der Grundaushebung für das Denkmal wurden römische Mosaikfußböden aufgefunden.

231 Geburtshaus W. A. Mozarts. Getreidegasse 9. Zu Beginn des 15. Jahrhunderts Besitz des angesehenen Bürgergeschlechtes der Keutzl, 1585 Hofapotheker Chunrad Fröschlmoser, ab 1713 Besitz der Kaufmannsfamilie Hagenauer. Seit 1917 ist das Haus Eigentum der Internationalen Stiftung Mozarteum, die es als Mozart-Museum eingerichtet hat. Leopold Mozart und seine Frau Anna Maria, geb. Pertl, wohnten hier von November 1747 bis 1773.

232 Mozarts Geburtshaus, Küche. Die Einrichtungsgegenstände in der Küche der Familie Mozart stammen von verschiedenen Besitzern und wurden teilweise aus dem Kunsthandel erworben.

233 Mozarts Geburtshaus, einstiges Schlafzimmer. Die Wohnung der Familie Mozart lag im dritten Stock des Hagenauerischen Hauses. Sie umfaßte drei große Zimmer und eine Küche. Das mittlere der drei Zimmer, das mit seinem Fenster auf den Flur führt und nur durch einen schmalen Lichtschacht vom Hof her beleuchtet wird, war das Schlafzimmer des Ehepaares Mozart, in dem Wolfgang Amadeus am 27. Jänner 1756 als siebentes Kind seiner Eltern zur Welt kam. In dem Raum sind heute verschiedene Bildnisse Mozarts und seiner Eltern untergebracht, sowie sein Reiseklavier, das um 1780 von Anton Walter in Wien verfertigt wurde.

234 Jugendbildnis W. A. Mozarts. Wolfgang Amadeus Mozart im Galakleid, das er anläßlich des Musizierens mit seiner Schwester Nannerl vor der Kaiserin Maria Theresia, am 13. und 21. Oktober 1762 in Wien, von dieser zum Geschenk erhalten hatte. Ölbild auf Leinwand, 81×62 cm, 1763 vermutlich von A. P. Lorenzoni aus Salzburg gemalt (O. Deutsch).

235 Aus dem Schlafzimmer der Familie Mozart. Über dem um 1760 verfertigten Clavichord, das nach einer von Mozarts Gattin eigenhändig geschriebenen und in das Instrument geklebten Erklärung, von W. A. Mozart bis zu seinem Tode benützt worden war, hängt derzeit das Bildnis seines Vaters Leopold Mozart (1717 bis 1787). Dieser, ein allseits geschätzter Musiker und Komponist leitete seit 1744 den Violineunterricht der f. e. Kapell-

knaben und erhielt 1763 sogar den Posten eines Vizekapellmeisters der Hofkapelle. Seine erstmalig 1756 gedruckte „Violinschule", weist Leopold Mozart als kenntnisreichen Fachmann und verständigen Pädagogen aus.

236 Tastatur des Mozart-Klavieres. Ein Hammerklavier von Anton Walter aus Wien, aus poliertem Nußholz, mit fünf Oktaven Umfang und Kniepedal, das von Mozart bei Konzerten gespielt wurde. Auf dem Notenpult Mozarts erste Kompositionsversuche (11. Mai und 16. Juli 1762), eingeschrieben in das Clavecin-Übungsbuch seiner Schwester Nannerl. An der Wand Bildnis des jungen Mozarts am Klavier.

237 Joseph Lange, Bildnis W. A. Mozarts. Mozarts Geburtshaus, Schlafzimmer. Unvollendetes Ölbild, 38×28 cm groß, von Mozarts Schwager Joseph Lange 1782/83 in Wien gemalt.

238 Sebastiansfriedhof, Grabstätte der Familie Mozart. Die Familie Mozart besaß im Sebastiansfriedhof eine Grabstätte. 1787 wurde hier Leopold Mozart bestattet. 1805 werden noch eine Tochter von Mozarts Schwester Nannerl, 1826 der zweite Gatte von Wolfgang Mozarts Frau, der dänische Etatsrat Georg Nikolaus von Nissen und schließlich 1842 Konstanze Mozart-Nissen selbst begraben. Mozarts Schwester Nannerl starb 1829 und wurde im Friedhof von Sankt Peter beerdigt.

239 Sebastiansfriedhof, Grabdenkmal für Theophrastus Paracelsus. Blick aus der Philippus-Neri-Kapelle in die Vorhalle beim Nordeingang in die Kirche. Sie wurde 1941 restauriert und zum Gedächtnisraum gestaltet. In dem barocken Grabmal aus der Mitte des 18. Jahrhunderts ist unten eingelassen der Originalgrabstein des berühmten Arztes (gest. 1541). Der aufgesetzte Obelisk birgt die erhaltenen Knochenreste. Das früher dort angebrachte Bildnis von Paracelsus' Vater befindet sich im Salzburger Museum und wurde 1941 durch ein Marmorrelief mit einem Porträt des Theophrastus Paracelsus, von Bildhauer Leo von Moos, ersetzt.

240 Stift Nonnberg, Faldistorium. 1242 erhielten die Äbtissinnen des Stiftes Nonnberg vom Papst das Recht verliehen, bei Pontifikalhandlungen Faltstuhl und Hirtenstab zu verwenden. Das von Erzbischof Eberhard II. gewidmete Geschenk ist einzigartig, in den Einzelheiten schwer und noch nicht völlig deutbares Stück, vermutlich aus dem 12. Jahrhun-

dert. Es war vielleicht in weltlichem Besitz und fand erst später für kultische Zwecke Verwendung. Der Faltstuhl ist aus Hartholz (vielleicht Ahorn), rot lackiert, mit elfenbeinernen Löwenköpfen und Bronzepranken an den Enden sowie reichen figuralen und ornamentalen Elfenbeineinlagen, von denen einige im 15. Jahrhundert durch Malerei ersetzt wurden.

241 Salzburger Museum, keltische Schnabelkanne. Das qualitätvolle Werk wurde 1932 in einem Garbhügel des Gräberfeldes auf dem Dürrnberg bei Hallein gefunden. Der Körper des Gefäßes ist nahtlos aus einem Stück Bronzeblech getrieben. Schnabel, Rand und Griff sind gegossen. Das Fundstück ist wegen der Ornamentik des Kannenkörpers einmalig und außerordentlich. Es entstand um 350 v. Chr. und ist wahrscheinlich eine heimische Arbeit, bei der etruskische, keltische und skytische Elemente zu einem künstlerisch wie handwerklich gleich vollendeten Ganzen verschmolzen wurden.

242 Salzburger Museum, romanisches Tympanon. Das aus hellem Marmor gemeißelte Tympanon gehörte wahrscheinlich zu einem Portal des alten romanischen Salzburger Doms, der zu Beginn des 17. Jahrhunderts abgetragen wurde. (Vgl. Bemerkung zu Bild 134/135.) Es dürfte um 1180 entstanden sein. Auf dem Spruchband des linken Engels steht „Ave Maria gracia ple(na)", auf dem des rechten „Beata es Domini genetrix".

243 Dom, romanisches Taufwasserbecken. Aus dem alten Dom. Die Löwen gehören noch dem 12. Jahrhundert an, das Becken selbst wurde 1321 von einem Meister Heinrich gegossen. Der Deckel aus dem 19. Jahrhundert wurde anläßlich der Wiederherstellung des Doms entfernt und 1958 neu gestaltet (T. Schneider-Manzell).

244 Bürgerspitalskirche, Heiliges Grab. Holzgeschnitzter, reichgefaßter Schrein in Kapellenform, der vermutlich zur Verwahrung von Reliquien und als Aufbewahrungsort des Allerheiligsten in der Osterzeit diente (um 1480).

245 Franziskanerkloster, Schöne Madonna. Steinguß, 108 cm hoch, alte Fassung freigelegt. Unter dem linken Arm fehlt ein Stück der Faltentraube. Vorzügliche Salzburger Arbeit des „weichen" Stils um 1400 bis 1420.

246 Franziskanerkirche, Pacher-Madonna. Sitzende Muttergottes aus Lindenholz. Das Jesuskind schnitzte 1890 J. Piger aus Salzburg. Einziger plastischer Rest des vom Rate der Stadt 1484 bei Michael Pacher in Auftrag gegebenen großen Flügelaltares, den der Künstler von 1486 bis 1498 ausführte. Dieser kostete 3500 rheinische Gulden und brachte nach seiner Abtragung 1709 aus dem abgelösten Gold und Silber in der Schmelze noch einen Ertrag von 512 Gulden. An Gesicht und Kopf der Madonnenfigur wurde 1938 die ursprüngliche Fassung freigelegt.

247 Stift Nonnberg, Mystikerkreuz. Das eindrucksvolle Bildwerk wurde um 1300 in einer Salzburger Werkstatt für den mittelalterlichen Dom geschaffen. Bei der Abtragung des Doms schenkte Erzbischof Wolf Dietrich 1601 das monumentale Kruzifix an das Stift Nonnberg. Das Gottesbild offenbart die menschliche Qual eines Hinscheidens, das sich unabänderlich erfüllen muß, aber dem man sich ergeben unterwirft. Mit seiner das „Mitleiden" erregenden Ausgestaltung, löst sich dieses bedeutende Werk von der Wiedergabe des Mysterienbildes und kündigt als neue Entwicklung die Darstellung des Andachtsbildes an.

248 Alte Residenz, Herkules. Kolossalfigur aus Marmor, um 1600 von einem unbekannten, vermutlich italienischen Meister im Auftrag des Erzbischofs Wolf Dietrich als Zier für seinen Lustgarten Dietrichsruh geschaffen. Dieser befand sich an der Stelle des zweiten Hofes im Toskanatrakt der alten Residenz. Die Skulptur ist jetzt dort in einer alten portalumrahmten Nische aufgestellt.

249 Ehemaliger Schatz des Erzstiftes, Prunkkanne. Die abgebildete Schenkkanne, zu der ein ebenso prunkvolles Becken gehört, wurde beim Festmahl zum Händewaschen verwendet. Sie ist aus vergoldetem Silber. Die Darstellungen in den Medaillons beziehen sich auf „Orpheus und die Tiere" (Christus-Symbol, in der Mode der Zeit als heidnischantikes Thema dargeboten). Das meisterliche Kleinod schuf Goldschmied Paul Hübner aus Augsburg um 1690.
Der Schatz des Erzstiftes Salzburg, dessen altüberkommene wertvolle und ehrwürdige Kleinodien, besonders durch Erzbischof Wolf Dietrich von Raitenau, mit prunkvollem Gerät für die fürstliche Hofhaltung bereichert worden waren, wurde im Ausgang der staatlichen Selbständigkeit des Erzstiftes zerstreut. Ein

Großteil des wertvollen Gutes wanderte durch Großherzog Ferdinand III. von Toskana nach Florenz und gelangte schließlich in die Sammlung der Könige von Italien. Dort wurde die Gruppe von dem Salzburger Historiker Dr. Franz Martin schon bald nach dem Ersten Weltkrieg erkannt, konnte jedoch erst 1966 von Dr. Kurt Rossacher publiziert werden. Besonders prunkvoll gestaltet sind die Geschirre für die Hoftafel. Sie wurden von bedeutenden Goldschmiedekünstlern wie Paul von Vianen, Hans Karl, Kornelius Herb, Paul Hübner u. a. angefertigt, die der Erzbischof zeitweilig an den Salzburger Hof berufen hatte.

250 Collegium Benedictinum, Abschlußgitter. Das mit Hilfe von den österreichischen und deutschen Benediktinerklöstern unter Erzabt Petrus Klotz nach Plänen des Stadtbaumeisters F. Wagner erbaute Studienhaus für Theologen wurde 1926 fertiggestellt. Die künstlerische Gestaltung der Vorhalle und ihre Einrichtung, wie auch der Entwurf des schmiedeeisernen Gitters stammen von Peter Behrens, Wien. (Ausführung des Gitters Kunstschlosserei Anton Schwarz, Wien.)

251 Collegium Benedictinum, Kruzifix. Die Vorhalle des Collegiums Benedictinum ist bewußt dunkel gehalten. Für sie schuf Jakob Adlhart aus Hallein ein überlebensgroßes Kruzifix. Das bedeutsame Werk expressionistischer religiöser Kunst bringt eindringlich das Leiden und qualvolle Sterben des Gottmenschen zum Ausdruck.

252 Dom, Tor des Glaubens. An Stelle der früheren schlichten Eichentüren wurden anläßlich der Wiederherstellung des bombenbeschädigten Doms 1958 den Hauptportalen drei Bronzetore eingefügt. Mit ihrer künstlerischen Gestaltung betraute man je einen Bildhauer aus Salzburg, Deutschland und Italien, als Vertreter mit der Salzburger Geschichte eng verbundener Länder. Als Thema wurde die Darstellung der drei göttlichen Tugenden gestellt. Die theologische Beratung erfolgte durch das erzbischöfliche Ordinariat.
Das Tor des Glaubens links gestaltete Toni Schneider-Manzell, Salzburg. Er stellt die Bekehrung Sauls in den Mittelpunkt. Mit entsprechenden biblischen Gestalten weist er auf die Gefährdung, Erprobung und Kraft des Glaubens hin (Simmerstätter). Symbole für Gott, Gnade und Glaube ergänzen die gehaltvolle, tiefsinnige Darstellung. Die Kosten für

dieses Tor übernahm der Verband österreichischer Banken und Bankiers. Den Guß führte die Fa. Priesmann, Bauer & Co. aus München durch.

253 Dom, Tor der Liebe. Die Gestaltung dieses Tores wurde Giacomo Manzù, Mailand, übergeben. Er stellt die Eucharistie (Ähren und Weinlaub als Sinnbilder für Brot und Wein) – Hinweis auf die opferbereite Liebe Christi – als Handgriffe in die Mitte des Türfeldes. Vier Vögel am unteren Rand des Tores (Bruthenne, Rabe des Elias, Taube und Pelikan) geben weiteren symbolischen Bezug zum Thema. Auf vier Felder verteilt ergänzt die Darstellung von Vorbildern vollkommener Gottes- und Nächstenliebe die gestellte Aufgabe. Hierfür wurden Personen gewählt, die in Beziehung zur Geschichte der Diözese stehen. (Oben: rechts Sankt Severin, der Apostel Norikums; links: Sankt Martin, der alte Patron Salzburgs. Unten rechts: Sankt Franziskus und Sankt Konrad von Altötting; links: Sankt Notburga und Bruder Engelbert Kolland.) Die Kosten dieses Tores übernahmen das erzbischöfliche Ordinariat, Diözesanfamilie und Kirchenbauverein. Die Ausführung des Gusses oblag den Gebrüdern Ciceri in Mailand.

254 Dom, Tor der Hoffnung. Die Darstellung der Hoffnung wurde Edward Mataré, Köln, übertragen. Der Künstler füllt den unteren Teil der Torfläche mit einem aufrankenden Knospenfeld aus. In dieses bettet er die Darstellungen der Geburt Christi und ihrer Verkündung an die Hirten ein. Unter dem einfachen Türgriff ist die Vertreibung aus dem Paradies wiedergegeben. Damit wird auf das Irdische, Schuld und Hoffnung auf Erlösung durch Christus, hingewiesen. Im oberen Bezirk des Tores deutet eine Hand, auf der eine Flammensonne kreist, die dargebotene Barmherzigkeit Gottes an. Sie umbrandet eine Schar jubilierender Engel, von denen einer nach unten auf Maria zeigt. Sie ist von einer Mandorla umgeben, die durch die Perlenkette eines Rosenkranzes abgegrenzt wird. Damit erscheint die Gottesmutter als Unterpfand der Verheißung Gottes und als Fürsprecherin der Menschen gekennzeichnet. Das sinnreiche, eindrucksvolle Werk Matarés ist eine Spende von Frau Berta Krupp von Bohlen-Halbach. Gegossen wurde es von Fa. Schmäke in Düsseldorf.

255 Dom, Kryptakapelle. Im Zuge der Wiederherstellung des von Bomben schwerbeschädigten Gotteshauses kam es zu dem Plan, anstelle der bisher gesonderten Grufträume für die Erzbischöfe eine gemeinsame Begräbnisstätte zu schaffen. Die planenden Architekten Dr. Bamer, Dipl.-Ing. Pfaffenbichler und Dr. Wiser griffen hierfür die Idee der mittelalterlichen Krypta (Unterkirche) wieder auf. Es gelang eine mehrgliedrige Anlage zu gestalten, in der auf Anregung von Max Kaindl-Hönig („Der Dom zu Salzburg, Symbol und Wirklichkeit", Salzburg 1959, S. 71) die Gebeine der mit dem derzeitigen Dom in Verbindung stehenden Erzbischöfe vereinigt werden konnten, Raum für die Bestattung zukünftiger Erzbischöfe vorhanden ist und zugleich die hier aufgefundenen Baureste von früheren Domen in das Gesamtbild sinnvoll einbezogen und anschaulich vorgestellt werden konnten.

Das Mauerwerk der Gruftkapelle umschließt Elemente aus fast allen Bauepochen der Salzburger Dome. Der Korpus des romanischen Christus aus dem Anfang des 13. Jahrhunderts ist auf einem Kreuz aus Glasfluß befestigt. Er kam vom Kollegiatstift Seekirchen, dessen Gründung mit dem Auftreten des heiligen Rupertus in Salzburg in Zusammenhang gebracht wird. Der Altartisch steht auf Grundmauern des Virgildomes. Die Hängeampeln aus Goldglas wurden in Murano hergestellt.

256 Salzburger Museum, Renaissanceschrank. Das reichintarsierte Prunkmöbel wurde knapp um 1600 angefertigt. Es zeigt das Tischlerhandwerk der Epoche auf höchster Stufe des Könnens. Der Aufbau des zweigeschossigen Schrankes hat die Truhe zum Vorbild. Für die reiche dekorative Gestaltung der Stirnseite werden Elemente und Motive der zeitgenössischen Architektur verwendet. Die Nischen der Türfelder schmükken Personifikationen von vier Haupttugenden: Weisheit, Gerechtigkeit, Mäßigung, Nächstenliebe. Die anderen Einlegemuster sind durchwegs naturalistisch orientiert und erinnern vereinzelt an das Vorbild eines botanischen Atlasses. Das kostbare Möbel wurde vermutlich noch unter Erzbischof Wolf Dietrich für die Ausstattung des Residenz-Neugebäudes in Auftrag gegeben (Nora Watteck).
Bei Umgestaltungen des Palastes scheint es in den Besitz der Universität gekommen und von dieser zur Ausstattung des 1673 übernommenen Stiftsgebäudes von Maria Plain verwendet worden zu sein. Von dort gelangte der Schrank in den Besitz des Salzburger Museums. Nähere Umstände wie auch der Zeitpunkt der letzten Besitznahme liegen noch im dunkeln.

258/261 Großes Festspielhaus, Westfassade. Großes Festspielhaus, obere Pausenhalle. Landeshauptmann Dr. Josef Klaus entschloß sich 1953 Bund, Land und Stadt für den Neubau eines Festspielhauses zu interessieren, das zeitgemäßen Anforderungen entsprechen konnte. Der Bau sollte an der Stätte der einstigen Hofstallungen errichtet werden, weil sich dort auch die Felsenreitschule befindet. Der von Dr. Clemens Holzmeister geplante Bau wurde 1960 fertiggestellt. Die äußere Gestalt ordnet sich weitgehend dem Stadtbild ein und nimmt auf früheres Aussehen des Gebäudes Bezug, wobei allerdings nur die 1693/94 durch Fischer von Erlach neugestaltete Westfassade des Marstalls erhalten blieb (vgl. Bemerkung zu Bild 197). Die Innenausstattung des Festspielhauses erhielt ein modernes Gesicht. Der obere Pausenraum wird durch Marmorpfeiler mit Reliefmasken von Bildhauer Heinz Leinfellner zweigeteilt. Die nordseitige Wand schmücken vier Gobelins mit den Themen: Feuer, Wasser, Luft, Erde von Kurt Fischer, die Südwand ziert ein Bildteppich „Gut und Böse" von Giselbert Hoke, Webarbeit von den Wiener Malern Schulz und Riedl.

259 Kleines Festspielhaus. Der aus dem Anfang des 17. Jahrhunderts stammende Hofmarstall, später Kaserne, wurde 1925 zum Festspielhaus umgebaut (Architekt Eduard Hütter) und 1926 nach den Plänen von Clemens Holzmeister erneuert. Vollständiger Umbau des Hauses und Neugestaltung des Platzes 1937/38 nach Plänen Holzmeisters. 1939/40 Veränderung der Innenräume durch Reichsbühnenbildner Benno von Arendt. Neuerliche Umgestaltung 1962/63 durch die Architekten Dr. Hans Hofmann und Dr. Erich Engels.

260 Kleines Festspielhaus, Stadtsaal. Die Winterreitschule des f. e. Hofmarstalls wird heute als Pausenraum und für Empfänge und Ausstellungen verwendet. Die Rückwand bildet der Fels des Mönchsberges. Das Deckenfresko von J. M. Rottmayr und Christoph Lederwasch, 1690, wurde 1926 von Florian Scheel aus Feldkirch (Vorarlberg) restauriert. Einrichtung und Beleuchtungskörper 1926 nach Entwürfen von Clemens Holzmeister.

262/263 Mozarteum, Konzertsaaltrakt und großer Saal. Aus dem schon 1841 gegründeten „Dommusikverein und Mozarteum" entstand ab 1880 die „Internationale Stiftung Mozarteum". Sie hat sich neben der Pflege und Verbreitung der Musik Mozarts, besonders die Aufgabe der Mozart-Forschung gestellt. Von 1910 bis 1914 erbaute die Stiftung nach Plänen des Münchner Architekten Richard Berndl in der Schwarzstraße das „Mozarteum". Das im Münchner Spätjugendstil gestaltete Gebäude gliedert sich in den Schul- und Festsaaltrakt.
Der repräsentative Festsaaltrakt ist mit einem Giebelrelief – Veherrlichung der Musik von Bruno Diamant – geschmückt. Die Putten der Kandelaber auf dem Vorbau vor dem Haupteingang schuf Georg Römer. Der Bau birgt den vornehm-festlichen großen Konzertsaal mit allen erforderlichen Nebenräumen. Fassungsraum etwa 800 Zuhörer. Die Orgel an der Stirnwand (57 klingende Register, vier Manuale, Pedal, 4472 Pfeifen) wurde, nachdem das alte Werk unbrauchbar geworden war, durch eine moderne ersetzt. Sie erhielt bei der Weihe am 10. Jänner 1970 nach Gertrud Gräfin Arco-Valley, die durch eine Spende mehr als die Hälfte der Anschaffungskosten getragen hatte, den Namen „Arcoorgel". Die Einrichtung des Werkes besorgte die Fa. Walker-Mayer und Cie., Guntramsdorf, Niederösterreich, in Gemeinschaft mit dem Salzburger Orgelbauer Hermann Öttl.
Im Schultrakt des Gebäudes fand vor allem die Musikschule „Mozarteum" ein Heim. Diese wurde 1914 zum Konservatorium erhoben und ist seit 1953 Staatliche Hochschule für Musik und darstellende Kunst. Die Bibliothek verwahrt insbesondere eine umfangreiche Mozart-Literatur. Im Archiv findet man neben anderem Autographe (Briefe und Kompositionen) von Mozart, Sohn und Vater.

264 Kongreßhaus. An Stelle des im Zweiten Weltkrieg durch Bomben zerstörten Kurhauses entstand an der Ost- und Nordseite des alten Kurparkgeländes 1953 bis 1957 die Gebäudegruppe Kongreßhaus, Parkhotel und Paracelsus-Kurheim. An der Südseite des großen Kongreßsaales Bronzegruppe von Bildhauer Max Rieder, Salzburg, Bronzeguß Kiss, Salzburg.

265 Museumsplatz. Im Zusammenhang mit dem Bau des Großen Festspielhauses mußten die im Gebäudekomplex der einstigen Hofstallungen und späteren Hofstallkaserne untergebrachten Sammlungen des „Hauses der Natur" ausgesiedelt werden. Sie fanden gute Unterkunft in entsprechend umgebauten Räumlichkeiten des alten Ursulinenklosters, das der Orden verkaufte, um an den Stadtrand übersiedeln zu können. Zusammen mit der Wiedererrichtung des bombenzerstörten Salzburger Museums wurde nach Beseitigung kleiner Nebengebäude des Klosters und des älteren Stieglgäßchens eine wichtige Verkehrslinie für dieses Gebiet ausgebaut und der kleine Platz vor dem „Haus der Natur" geschaffen. Im einstigen Schultrakt des Klosters sind das Gesundheitsamt und eine Mutterberatungsstelle untergebracht.

266 Papageno-Platz, Papageno-Brunnen. Während des Zweiten Weltkrieges hatten Bombenangriffe die alten Häuser und die Reste der mittelalterlichen Stadtmauer an dieser Stätte zerstört. Beim Wiederaufbau der Örtlichkeit entstand ein kleiner Platz, für den im Auftrag der Stadtverwaltung ein Brunnen entworfen wurde, der mit einer Darstellung Papagenos – eine als „heiteres Sinnbild der Allmutter Natur" (Paumgartner) gestaltete Figur aus der „Zauberflöte" – geschmückt ist. Entwurf und Ausführung der Plastiken: Bildhauerin Hilde Heger, Steinmetzarbeit Heinrich Mayer, Bronzeguß Kiss, alle Salzburg.

267 Kaigasse 12, Trakl-Brunnen. Das Erinnerungsmal für den 1887 in Salzburg geborenen Dichter Georg Trakl (gestorben 1914 in Krakau) wurde 1954 aufgestellt. Entwurf und Ausführung stammen von Toni Schneider-Manzell. Bronzeguß Pöll, Wien.

268/269 Pfarrkirche in Parsch. In den Jahren 1955/56 wurde aus dem Stallgebäude des letzten noch bestehenden Bauernhofes in der Weichselbaumsiedlung die erste moderne Salzburger Kirche geschaffen. Plangestalter war die „Gruppe 4" (Architekten Dipl.-Ing. Wilhelm Holzbauer, Friedrich Kurrent, Johann Spalt). Am sachlich einfachen Außenbau – drei Kreuze kennzeichnen ihn als Gotteshaus – fällt die eigenartige Gestaltung des Glockenträgers auf. die für die Lichtführung im Innenraum wesentlich ist. Der Innenraum wird vom niedrigen ehemaligen Stallgewölbe und einem daranschließenden hohen Presbyterium gebildet. Er erhält durch die auf den Altar ausgerichtete Lichtführung und die stark unterschiedliche Höhe der Räume seine besondere Wirkung. An der Ausstattung beteiligten sich namhafte Künstler wie Oskar Kokoschka (Türschmuck), Fritz Wotruba (Kruzifix über dem Nordportal), Jakob Adlhart (Altarkreuz), Josef Mikl (Betonglasfenster).

270 Pfarrkirche Herrnau. Mittelpunkt eines aus Kirche, Pfarrhaus, Kindergarten und Mutterkloster für Schwestern (Eucha-ristinerinnen) bestehenden Seelsorgezentrums für den außerhalb der Vorstadt Nonntal neu angewachsenen Stadtbereich. Grundsteinlegung 1958, Weihe 1962. Kirchenpatron: Sankt Erentrudis, erste Äbtissin des Klosters Nonnberg. Planung: Architekt Robert Kramreiter, Wien. Die den Altarbereich nach außen wandartig abschließende monumentale Glasmalerei gestaltete Margaret Bilger aus Taufkirchen, Oberösterreich.

271 Pfarrkirche Sankt Vital. Das erzbischöfliche Ordinariat ließ ab 1970 im Gebiete der Kendlerstraße ein neues Pfarrzentrum errichten, das als bauliche Einheit von Kirche, Pfarrhaus, Kindergarten und Klubhaus gestaltet wurde. Im quadratischen Hauptraum des Kircheninnern leitet eine in der Dachkonstruktion vorbereitete Hauptachse zwingend diagonal durch den Saal zum Altarbereich, der von der Sängertribüne und den Kirchenbänken auf drei Seiten umsäumt ist. Er wird aus einer in die Ecke gerückten Oberlichte beleuchtet. Die Einrichtung ist spartanisch einfach, bildnerischer Schmuck wird bewußt vermieden. Trotzdem ist eine ansprechende räumliche Stimmung stark wirksam. Plangestalter ist Dipl.-Ing. Wilhelm Holzbauer, Baubeginn war 25. Oktober 1970, die Weihe erfolgte am 22. Oktober 1972.

272 Salzburg-Lehen, Fußballstadion. Erbaut von der Stadt Salzburg. Plan: Architekten Dipl.-Ing. Dr. Hanns Wiser, Salzburg, und Dipl.-Ing. Jakob Adlhart, Hallein. Baubeginn 1. Oktober 1969. Eröffnung: 18. September 1971. Fassung 17.700 Zuschauer. Unter dem Spielfeld Tiefgarage für 360 Autos. Eindrucksvolle neuzeitliche Architektur, jedoch städtebaulich ungünstig placiert.

274/275 Wallfahrtskirche Maria Plain. Maria Plain, Fassadefigur. Weithin sichtbare große Wallfahrtskirche auf dem Plainberg, Stiftung Erzbischofs Max Gandolph Graf Kuenburg. Errichtet von 1671 bis 1674, um ein durch die Familie Grimming aus Niederbayern erworbenes Marienbild unterzubringen, das schon seit 1652 in Plain verehrt worden war. Bauleiter war Hofbaumeister Giovanni Antonio Dario. 1673 wurde die Stiftung der Salzburger Universität übertragen. Nach deren Aufhebung 1810 ging Maria Plain 1824/25 widmungsgemäß in den Besitz der Erzabtei Sankt Peter über. Die Statuen der vier Evangelisten in den Nischen der Fassade waren 1673 fertiggestellt. Der noch stark an den Manierismus gebundene Meister ist derzeit namentlich nicht faßbar. Die Zuweisung der Skulpturen an G. A. Dario, der auch Bildhauer war, scheint wegen dessen Überbeschäftigung als Hofbaumeister zweifelhaft (Pretzell).

276 bis **281** Schloß Hellbrunn. Erzbischof Markus Sittikus Graf von Hohenems ließ beim Waldemsberg (Hellbrunnerberg), wo schon im 15. Jahrhundert ein Tiergarten bestand, von 1613 bis 1615 durch Dombaumeister Santino Solari ein Lustschloß erbauen. Für die Anlage waren hauptsächlich zeitgenössische barocke Villen Italiens, besonders aus der Umgebung Roms und Venedigs, Vorbilder. In der ersten Hälfte des 18. Jahrhunderts wurde der südlich des Schlosses befindliche, in italienischer Art gestaltete Ziergarten nach französchem Muster verändert und gegen Ende des Jahrhunderts ostwärts die Anlage eines kleinen englischen Gartens angeschlossen. Das baulich schlicht gehaltene Schloß umfaßt mit zwei vorgezogenen Flügeln einen annähernd quadratischen Ehrenhof, in den die von niedrigen Wirtschaftsgebäuden flankierte langgestreckte Zufahrt mündet. Der Lustgarten mit den Wasserspielen liegt an den West- und Nordseiten des Schlosses. Er ist achsial auf dieses ausgerichtet und durch die im Erdgeschoß der Westseite eingebauten Grotten (Neptungrotte, Vogelsang-, Spiegel- und Ruinengrotte) auch direkt mit dem Bau verbunden. Nordseitig leiten kleine Weiher zu einer exedraförmigen, figurengeschmückten Abschlußwand der Anlage. An ihrem Fuß steht ein großer steinerner Tisch mit Hockern, die, so wie an anderen Stellen des Gartens mit versteckten Wasseranschlüssen verbunden, unvermutete Überraschungen auslösen können. Die bei den Weihern, im Park und den einzelnen Grotten untergebrachten Marmorskulpturen stammen von verschiedenen Künstlern. Wie Franz Wagner, Salzburg, ausführt, dürften neben Santino Solari, der auch Bildhauer war, und einigen Italienern, die besten heimischen Kräfte (Hans Waldburger, Konrad Asper und andere) an der Herstellung der Bildwerke tätig gewesen sein. Der nordseitig im Obergeschoß des Schlosses befindliche Festsaal und das anschließende Oktogon wurden von dem Florentiner Servitenmönch Fra Arsenio (Donato Mascagni), den Markus Sittikus zur Schaffung der Gemälde für den neuerbauten Dom berufen hatte, mit sehr qualitätvoller Wandmalerei geschmückt. Der Festsaal ist als Halle gestaltet, die nach oben geöffnet ist. Auf den Galerien wandeln allegorische Gestalten (Sinnbilder für Tugenden und Eigenschaften), seitlich sind als perspektivische Kunststückchen Ausblicke auf Straßen und Gebäude, mit den Uffizien von Florenz und der Markuskirche in Venedig im Hintergrund, wiedergegeben. Das sogenannte „Monatsschlößchen" auf dem Hellbrunnerberg (Name von der überraschend kurzen Bauzeit, mit der der Erzbischof seinen Gast, den Statthalter von Tirol, Erzherzog Maximilian, überraschte) birgt das sehenswerte Salzburger Volkskundemuseum. Weiter nach Süden liegt auf dem Berg das „Steintheater". Aus einer natürlichen Aushöhlung des Gesteins ließ es der musik- und theaterfreudige Erzbischof zur Freilichtbühne gestalten. Diese diente mehrfach auch der Aufführung von Musikdramen, wie sie in Italien, vornehmlich in Mantua, seit Ende des 16. Jahrhunderts aufgekommen sind. Das Hellbrunner Steintheater ist mit der 1618 erfolgten Wiedergabe eines solchen Musikdramas nachweislich der Ort der ersten Opernaufführung diesseits der Alpen.

282/283 Das Schloß Klesheim. Im Auftrag von Erzbischof Johann Ernst Graf Thun nach den Plänen J. B. Fischers von Erlach von 1700 bis 1709 erbaut. Das Gebäude wurde erst unter Erzbischof Leopold Anton Freiherrn von Firmian, nach kleinen baulichen Abänderungen und Vorlage der Durchfahrt mit der Terrasse, 1732 fertiggestellt und beziehbar gemacht. Die Festräume sind auf den Mittelbau konzentriert und symmetrisch zur Hauptachse angelegt. Ihre vornehm sparsame Stuckierung schufen 1707 Paolo d'Allio und Diego Francesco Carlone. Die liegenden Hirsche an der Auffahrtsrampe (Wappentiere Firmians) gestaltete J. A. Pfaffinger. Vor dem Ersten Weltkrieg war das Schloß Wohnsitz eines Bruders Kaiser Franz Josephs I., des Erzherzog Ludwig Viktor, 1921 gelangte es in den Besitz des Landes Salzburg, von 1938 bis 1945 war es Staatsbesitz. 1940/41 wurde das Schloß durch die Architekten Strohmayr und Reiter baulich überholt und neu eingerichtet. Damals wurde das Gartenparterre neu gestaltet und an der Rückseite des Schlosses eine Terrasse angebaut. Nach dem Zweiten Weltkrieg wurde Klesheim wieder Landesbesitz. Es dient heute als Gästehaus der Landesregierung und für repräsentative Veranstaltungen.

284 Blick nach Süden. Ausblick beim Kloster Nonnberg südwärts über die Sankt-Erhard-Kirche im Nonntal und die Ebene des Salzburger Beckens, Hellbrunn und auf das Gebirge (Massiv des Hohen Göll, Paß Lueg und Tennengebirge).

Franz Schubert spricht in einem Brief an seinen Bruder Ferdinand über die „unaussprechliche Schönheit" dieses Landschaftsbildes, das er mit einem weiträumigen, von Schlössern und Siedlungen erfüllten Garten vergleicht, der durch Hügel, Wälder und lange Alleen reizvoll gegliedert ist und den eine „unabsehbare Reihe höchster Berge" umschließt, als wären sie Wächter „dieses himmlischen Tales".

List of Illustrations with Captions

Cover The Residenz Platz, looking west. In the foreground is the Residenz Fountain (see 136). Behind it is the east front of the Old Residenz, which is linked with the Cathedral by Antonio Dario's arches (1656—1660). In the background are the Mönchsberg and the spire of the Franciscan Church.

9 View from Hohensalzburg, looking south. The view from the eastern Fire Tower of the "Hochschloss" ranges over the "Geyer" Tower and the roofs of the servants' quarters to the Salzburg Plain stretching away to the south. In the background are the Untersberg (right) and the Hoher Göll massif.

10/11 View from Hochgitzen. The high ground immediately north of the city affords any number of fine views of the Salzburg Plain. Centre, left, is the Plainberg, and behind it are the Kapuzinerberg, the Festungsberg, and the Mönchsberg which between them enclose the Old City. In the background, right, are the Untersberg and Hoher Göll, and in the distance are the Tennengebirge massif and the narrow Pass Lueg.

12 Salzburg from the Gaisberg. The Gaisberg (4245 feet) to the east of the city is a favourite spot for a day's outing because as well as being relatively close to the city it is ideal for skiing or country walks. It also offers superb views. To the north-west the Salzach winds its way between the Kapuzinerberg, the Festungsberg and the Mönchsberg, and its valley offered the Romans and the medieval settlers who came after them all the natural shelter they needed.

15 Salzburg from the Kapuzinerberg. From one of the viewpoints on the Kapuzinerberg there is a fine view of the sprawling mass of Hohensalzburg Fortress. The hill on which it stands is separated from the adjacent Mönchsberg by a narrow cleft known as the "Scharte". Below the fortress are the

Cathedral precincts, and in the background is the Salzburg Plain stretching away to the Untersberg (right) and the Lattengebirge.

16/17 The Old City from the Hettwer Bastion. There are also some fine views of the city and its surroundings from lower down the Kapuzinerberg. The Hettwer Bastion (see 224) high above the Salzach is directly opposite the Old City and from it one can make out the topography of medieval Salzburg: behind the wall of burghers' houses huddled along the Rudolfs Kai are the great ecclesiastical buildings and patrician mansions, all dominated by the massive Hohensalzburg Fortress.

18 Salzburg from the Mönchsberg. In the foreground is the smooth rockface above the Neutor. Below (left) are the Old University (1630) and the Collegiate Church, and behind them are the southern slopes of the Kapuzinerberg with the Steingasse and Bürglstein districts. In the background is the Gaisberg. On the right there is a glimpse between the trees of the Cathedral and the Franciscan Church.

23 A view of the Fortress. The oldest part of the Fortress (1077) dates from Archbishop Gebhard's day, since when it has been frequently built on to and adapted to keep abreast of increasing offensive and defensive requirements. It is built on a ledge of Dolomite rock separated from the adjacent Mönchsberg by a cleft known as the "Scharte". At its foot are the precincts of S. Peter's Monastery.

24/25 Hohensalzburg, the "Goldene Stube". This room, which owes the name "golden" to its lavish decoration, along with the sleeping quarters and the "Goldener Saal" makes up the suite of the former Archbishops' residential apartments on the fourth floor of the "Innere Schloss". They were ordered by

Archbishop Leonhard von Keutschach in 1501/02. Most of the original colours, gilding and wood-carving of the interior decoration have been preserved. Apart from its sheer magnificence the "Stube" contains many elements, especially in the wood-carving, of mystic and supernatural significance. The scrolls on the ceilings and walls, for instance, with their depictions of fabulous beasts, could well include symbolic allusions to the Christian world. Everything about the room, including the stove, may well represent contributions to some as yet unidentified motif blending mythical and fantastic elements with the Christian faith, as well as being associated with the concept of dominion and power. The decoration of the door in the north wall of the Goldene Stube leading to the Archbishops' bedroom is the most elaborate in the whole Fortress (see also 166).

26 The Nonnberg Convent. The Romanesque church is still preserved, with traces of mid-12th century murals of a very high order: these full-face depictions of saints convey an impression of extreme dignity and solemnity.

31 The Residenz Platz. See 136/137 and 193—195.

32 The Old Residenz, the audience-chamber. This is on the second floor of the main building, next to the Ante-camera. The floor is of thrice-tinted parquetry, and the stucco-work is by Antonio Camesina of Vienna. The ceiling frescoes (1710), scenes from the life of Alexander the Great, are by Johann Michael Rottmayr. The valuable tapestries on the walls (Brussels, 1593) depict scenes from Roman history. The stove (about 1783) is by Meister Peter Pflauder, and the furniture, upholstered with genuine tapestry, is by H. Jakobs and came from Paris in about 1775.

33 The New Residenz, stucco-work on the ceiling. See 176/177 and 204.

34 The Mirabell Garden. The marble vases on the stone balustrades were executed to designs by J. B. Fischer von Erlach, and some of them are illustrated in his "Entwurf einer historischen Architektur". See also 182/183.

39 The horse-trough on the Kapitel Platz. This dates from 1732, during Leopold Anton Freiherr von Firmian's term as Archbishop. The site was previously occupied by the Pegasus Fountain in the Mirabell Garden. The statue of Neptune was executed by the Salzburg sculptor J. A. Pfaffinger to a design by Raphael Donner: a model can be seen in the Salzburg Museum. Neptune's crown is a later addition (1950).

40 A burgher's house, part of the courtyard. See 102/103.

41 S. Peter's Cemetery. This photograph fully captures the unique atmosphere and setting of this lovely old cemetery. The steps on the right lead up to the early Christian caves hewn out of the sheer rockface of the Mönchsberg, and above them are S. Gertrude's Chapel and the Maximus Chapel. See also 145 and 226/227.

42 Salzburg in autumn. The blend of opalescent light and delicate pastel shades on a warm and sunny day in late autumn creates a unique and unforgettable impression.

46/47 The Old City. The view shows how the Old City took shape along a stretch of the river protected by the natural bastions of the Festungsberg and the Mönchsberg. It also illustrates the delineation between the heart of the Old City, the great ecclesiastical buildings, and the Burghers' Town along the bank of the river.

48/49 View from the church-tower at Mülln. The River Salzach winds its narrow way between the Festungsberg and the Mönchsberg on one side, and the Kapuzinerberg on the other. The Old City came into being in the bend of the river; behind it is the Hohensalzburg Fortress, and on the Kapuzinerberg is the Capuchin Monastery. At the foot of the hill can be seen the old bridgehead (now the Platzl) and parts of the New Town dating from 1850. In the foreground is the Evangelical Church (1863/67). The river Salzach has been regulated within its present banks since 1850. In the background can be seen

the Rauchenbichl and Erentrudisalpe, and behind them the Schwarzenberg.

50/51 View from the "Bürgerwehr" fortifications on the Mönchsberg. The heart of the city is clearly constituted by the buildings erected by the spiritual and temporal rulers ("Fürstenstadt") and the cramped Burghers' Town along the river. At the foot of the Hohensalzburg Fortress are the precincts of S. Peter's Monastery, and to the left of it are the Cathedral and the Franciscan Church. Behind them are the Nonnberg Convent founded in about 700 A. D. In the right foreground are the Festival Theatres, and opposite them the Old University and the Collegiate Church. Between them is the thoroughfare laid out by Archbishop Wolf Dietrich leading from the riding-stables to the Cathedral. At the bottom of the view are the Siegmundsplatz and the ornamental horse-trough. On the left is the Burghers' Town with the Getreidegasse and the Rathaus (City Hall), and in the background are the Kapuzinerberg, the Gaisberg and Rauchenbichl, the Erentrudisalpe, and the Schwarzenberg.

52 View from the Hettwer Bastion. To the left, behind the row of burghers' houses, are the Archbishops' Palace (New Residenz), and the "Glockenspiel" belfry. On the right is the Cathedral, and between the New Residenz and the Cathedral is the tower of S. Michael's Church, Salzburg's oldest parish-church. In the background are the massive walls and battlements of the Hohensalzburg Fortress.

53 The Cathedral precincts. In the right foreground are the Franciscan Monastery and Hofstallgasse, and opposite them are the "Gräflich Lodronsches Collegium Rupertinum" students' hostel and the Archiepiscopal Chapter-House. In the background are the west front of the Franciscan Church, the Cathedral, and the Cathedral Square (Domplatz), and on the left is the "Glockenspiel" belfry.

54 View from the "Katze" bastion on the Mönchsberg. In the foreground is the Romanesque tower of S. Peter's Abbey, which was converted to Baroque in 1756 and given a baroque top. Adjoining it is the Franciscan Church, with its Romansque nave and Gothic choir; and behind it is the Collegiate Church. On the far bank of the Salzach is the Mirabell Palace.

55 Towers. In the foreground are the roof and tower of the Franciscan Church. The latter, originally built on the Nürnberg pattern, was given a Baroque spire in 1670, and underwent a conversion back to Gothic in 1866/67 (the photograph was taken before the restoration of the spire in 1969). To the right is the north tower of the Cathedral, completed in 1655. Between them is the tower of the New Residenz, to which the Glockenspiel was added in 1702. On the left of the Franciscan Church is the ridge-turret of S. Michael's Church.

56 The Franciscan Church. The low Romanesque nave dates from 1208–1233. The lofty choir by Meister Hans von Burghausen was begun in 1408 and completed during the second half of the 15th century. The tower dates from 1486—1498.

57 The Cathedral, seen from the Mönchsberg. In the foreground, like an atrium, is the Domplatz, bounded on the east by the marble facade of the Cathedral (1614—1628) designed by Santino Solari. The towers were added 1652—1655. Left, a glimpse of the Residenzplatz and Mozartplatz: in the background are the southern slopes of the Kapuzinerberg, and at its foot is the Emergency Hospital.

58 View from the Hoher Weg. The Hoher Weg leads along the northern slopes of the Festungsberg to the Nonntal Convent. Behind the Archbishops' Palace are the Cathedral and the Franciscan Church, and between them can be seen the dome of the Collegiate Church. In the background are the Mönchsberg and the former lighthouse.

59 The Cathedral, seen from the Hoher Weg. The view illustrates how the Cathedral towers above the surrounding buildings. On the left is the spire of the Franciscan Church, and in the background are the Mönchsberg and Café Winkler.

60 Towers and domes. In the foreground are the Old University and Collegiate Church: behind them are the Cathedral and the Nonnberg Convent Church.

61 The Collegiate Church. In the foreground is the Rathaus, completed on its present site in 1407. Behind the Collegiate Church is the Edmundsberg on the Mönchsberg, built in 1696 in the days of Edmund Sinnhuber, Abbot of S. Peter's. Today it is an international research centre.

62 The Collegiate Church from the rear. The Collegiate Church is J. B. Fischer von Erlach's most mature work in Salzburg, and attests a sculptor's striving for form as well as the consummate mastery of the architect.

63 Nonntal, S. Erhard's Church. The Cathedral Chapter had S. Erhard's Church rebuilt in 1685/69 near its servants' hospital to plans by Caspar Zugalli. Adjoining the church on either side are the men's and women's wards of the hospital, started in 1676.

64 The dome of the Cajetan Church. The Theatine monks were invited to Salzburg in 1684 by Archbishop Max Gandolf, and their monastery was built between 1685 and 1700 to plans by Caspar Zugalli. In accordance with the rules of the order the church had no tower. The church and former monastery, with its two wings, form a single unit. The 100 foot high oval cupola is a conspicuous feature of the local landscape. The monastery, once used as a garrison hospital, now serves the hospitallers in a similar capacity.

65 A view of S. Erhard's Church. This small, centralised church on the south side of the Nonnberg is surmounted by a round cupola on a high tambour.

66 The Mönchsberg, looking east. Behind various late 19th century accretions is the conspicuous "Alte Borromäum" (in the meantime rebuilt), a relic of a family residence built for his relatives by Archbishop Count Paris Lodron. On the right is Holy Trinity Church. Along the foot of the Kapuzinerberg is the Linzer Gasse, with S. Sebastian's Church. To the left of the Kapuzinerberg is the Fürberg, and behind it is the Gaisberg with the pointed Nockstein.

67 View from the Kapuzinerberg. In the foreground are the eastern end of the Kai and the former Cajetan Monastery. Above the burghers' houses along the Kai and in the Kajetanerplatz is the Nonnberg Benedictine Convent. Above them all are the Hohensalzburg Fortress and the massive battlements in front of the "Hochschloss". In the background are Leopoldskron Heath and the Untersberg.

68 The Kapuzinerberg. The Kapuzinerberg is mainly composed of dolomite rock, combined with chalk and (at the foot of the gentler southern slopes) marl (Seefeldner). It is about 750 feet high, dome-shaped, and steeper on the north side than on the south. Its well-marked paths become steeper as they near the summit, and numerous clearings afford wonderful views of the city and its surroundings. The easiest ways to the summit are from the Linzer Gasse and the Steingasse. There is also a third path, steeper and narrower, up the north side from Schallmoos-Gnigl. From the Hettwer Bastion just below the Capuchin Monastery there is a particularly fine panorama of the Old City, though the roar of the traffic can still be heard; but beyond the gate to the east of the monastery the path to the summit runs through unspoiled Nature, and the noise from the city far below gradually dies away.

69 The Mönchsberg. The Mönchsberg is composed of a conglomerate rock known as nagelfluh, which was deposited by the Salzach and its tributaries between the Ice Ages and eventually combined with sand and particles of mud in the chalky water. Later, these deposits were shifted by glaciers moving down from the mountains, and only a small proportion of them were left on the bed of the basin, especially behind the dolomite rock of the Festungsberg. Today these constitute the Mönchsberg and Rainberg (Seefeldner). The highest point of the Mönchsberg is about 330 feet above the Salzach. Apart from four municipal reservoirs the hill is hardly built over at all, and vehicular traffic is not permitted. It is easily accessible by two flights of steps or a lift. It is thickly wooded and offers pleasant walks along carefully tended paths, with every now and then superb views of the city and its surroundings.

70 View of Salzburg Bridge and the Kapuzinerberg. The houses across the road on the other side of the bridge formed part of what used to be the suburb of "Enthalb-Ach". Behind them rises the Kapuzinerberg, with sections of the fortifications constructed by order Hettwer Bastion is the Capuchin Monastery, and in the background is the Gaisberg.

71 Holy Trinity Church from the Mönchsberg. Together with the priests' and boys' quarters, Holy Trinity Church is

the architectural culmination of the Makart Platz. On the opposite side of the square, left, is the Landestheater. At the foot of the Kapuzinerberg are the Linzer Gasse and S. Sebastian's Church (see also 157).

72 Salzburg Bridge (Staatsbrücke). Like its predecessors, the present Salzburg Bridge, renovated 1941–1947, carries all the traffic from the Old City to the other side of the Salzach. In the foreground are the huddled houses of the former suburb "Am Stain", while on the opposite side of the river is a solid wall of burghers' houses. On the left is the Old Rathaus, and behind it on the right is the Collegiate Church. The stage of the New Festival Theatre backs directly on to the rock-face of the Mönchsberg.

73 The Cathedral precincts from the Basteiweg. In the foreground are the Mozart foot-bridge and the houses lining the Imbergstrasse. On the left bank of the river are remains of the old town walls with the "Imhofstöckl". Behind them can be seen the Mozart Platz, the Residenz Platz, the New Residenz and Glockenspiel belfry, the Cathedral, and the Old Residenz. Below them is S. Michael's Church.

74 View of the Cathedral from the Hohensalzburg Fortress. The view is from the surrounding ramparts, looking towards the Kapitel Platz. In the foreground is the watchtower of the Kuenburg Bastion. Below, right, are the Archiepiscopal offices and canons' residences. Behind the Cathedral are the Residenz Platz and part of the Burghers' Town. On the left is the south side of the archway linking the Cathedral with S. Peter's Abbey, and behind it are the Domplatz, the Old Residenz, burghers' houses, and the Rathaus tower.

75 View from the Kuenburg Bastion. Immediately below is the moat, and over it is a bridge leading into the fortress. The gateway is in the massive "Bürgermeister" Tower built by Cardinal Archbishop Matthäus Lang in 1523 and fortified with cannons. In the valley below is the former Cajetan Monastery, and on the other side of the river is the Emergency Hospital.

76 The Old City, looking west. In the foreground are the precincts of S. Peter's Abbey, including the cemetery, church,

S. Margaret's Chapel, the monastery, and its ancillary buildings. Behind them, left, are the Old and New Festival Theatres and the Felsenreitschule Theatre, separated by the Hofstallgasse from the Franciscan Church, the Collegiate Church, and the Old University. At the foot of the Mönchsberg is the Bürgerspital-Church, of the Ursuline Convent. In the background, right, is the parish church of Mülln.

77 The Nonnberg Convent. The view is from the Kuenburg Bastion, looking eastwards over the roofs of the "Schlangengang" towards the S. Erentrudis Benedictine Convent on the Nonnberg. The western part of the Convent Church dates from the 12th century, but the remainder of the church was rebuilt after a fire in the 15th century. The convent is a conglomeration of plain buildings ranging from the 13th to the 19th century. The houses in the Nonntal are 19th and 20th century.

78 The Kapuzinerberg, looking south. In the foreground are a wall and watchtower from the fortifications constructed by Archbishop Paris Lodron in about 1630. In the middle foreground is the Mozart foot-bridge leading to where the Michael Gate used to be. To the south are former canons' residences, the dome of the Cajetan Church, and the Nonnberg Benedictine Convent on a projecting terrace of the Festungsberg. In the background are the Rauchenbichl, the Erentrudisalpe, and the Tennengebirge massif.

79 View from the Humboldt Terrace. There is a superb panorama from a spur of the Mönchsberg overhanging the Klausen Gate. In the foreground are the Ursuline Convent and Church, built 1699—1705, probably to a design by J. B. Fischer von Erlach, and behind them is the Old City, dominated by the great ecclesiastical edifices.

80 Mülln Church. The suburb of Mülln was an independent territory with its own church, and derived its name from some nearby mills (Mühlen). The conspicuous church dates from the 15th century but underwent considerable alterations during the 17th and 18th centuries. Below it in the main street of Mülln are a leper-house that is known to have existed in the 15th century, and a small church (1714).

82 The former suburb "Am Stain". In the foreground are the houses lining the Griesgasse. On the far side of the Salzach is the oldest settlement on the right bank, referred to as "Am Stain" in documents dated 1408, the "Stain" being the rockface of the Kapuzinerberg. The narrow road at the foot of the western slopes of the Kapuzinerberg used to be the main road to the south. Until the mid-19th century the houses in the Steingasse backed directly on to the river, thereby attracting craftsmen such as tanners, dyers and potters who needed plenty of water to ply their trade. The present Kai dates from the second half of the 19th century. Above the houses at the foot of the Kapuzinerberg can be seen traces of the old fortifications. On the left is the tower of the tiny church of S. Johann am Imberg, first mentioned in documents dated 1319, and reconstructed in 1681. Its interior decoration dates from the second half of the 18th century. Above it is the Capuchin Monastery.

83 The Burghers' Town from the fortifications on the Mönchsberg. The outstanding features of the Burghers' Town are small squares; narrow, winding alleys; and cramped huddles of houses surrounding the Archbishops' City. Most of the characteristic concave roofs have unfortunately been superseded by more modern styles. In the foreground is the church of the old General Hospital. The only street worthy of the name is the Getreidegasse.

84 By the "Innere Steintor". The Steingasse: on the right, house No 18 with a Renaissance doorway surmounted by the arms of Bürgermeister Wolf Dietrich Füller (1658) with the device: "My life and end are in God's hand." In the background is the medieval Johannes or Stein Gate: the house in the foreground was built on by Archbishop Lodron in 1634 (see 222).

85 Judengasse. The name is probably derived from a fromer Jewish school in what is now the Gasthof Höllbräu (left) with the figure of S. Michael on the wall. In the background is the Waagplatz, the oldest market-place in Salzburg.

86 Judengasse. The first documentary mention of this street is dated 1935. The present houses are 15th and 17th century, but most of the frontages date from about 1800. The first Rathaus was built in 1407, but the present building dates from 1616 and the frontage from 1772. Before Archbishop Wolf Dietrich refashio-

ned the Old City the Judengasse, Pfeiffergasse and Kaigasse were the only thoroughfares from the Nonntal to Mülln by way of the Old City.

87 Getreidegasse. This has always been the main street of the Burghers' Town. In the 12th century it was called Tragasse and Trabgasse, "trab" meaning quick, lively. Most of the houses are in the characteristic style of Salzburg upper-class residences, with ornate facades and fine courtyards. The many wrought-iron inn-signs range from 16th to 19th century work.

88 Getreidegasse. In the background, left, is the Old Rathaus.

89 Linzer Gasse. This was the main road to the north-east from the New Town on the right bank of the Salzach. The houses on the right were rebuilt after the fire of 1818. S. Sebastian's Church was built 1505/12, enlarged 1749/53, burned down in 1818, and rebuilt in 1822. In the adjacent cemetery are the mausoleum of Archbishop Wolf Dietrich and tombs of many patrician families, as well as those of Paracelsus and some of the Mozart family.

90 Müllner Hauptstrasse. The houses with their plain facades date from the 16th to the 19th century. The fountain (1727) by Sebastian Stumpfegger was restored in 1879 and again in 1950.

91 The Alter Markt. The general market-place was transferred from the Waagplatz to the present Alter Markt during the expansion of the city between the 11th and 14th centuries. A number of town mansions were also built here.

92 The Floriani fountain in the Alter Markt. The fountain dates from the 16th century, but the basin and pedestal were renovated 1685/87. The wrought-iron work (1583) is by Meister Wolf Gumpenberger, and the statue of S. Florian (1734) is by J. A. Pfaffinger.

93 The Universitäts Platz and Grünmarkt. The building of the University was followed by an expansion of the backs of the houses in the Getreidegasse. A little square came into being, its western end being little wider than an ordinary street. On week-day mornings the square serves as a fruit, flower and vegetable market (Grünmarkt). House No 14 is the back of the house in which W. A. Mozart was born. The facade is 18th century.

94 A medieval burgher's house. This is the back of Steingasse 18 (see 84) which was formerly right on the river bank. It was standing in the early 15th century, rebuilt in the 16th century, and admirably restored in 1969.

95 A burgher's house, Brodgasse. This well-preserved house is mentioned in documents dated 1374 and 1399. Lack of space in the Burghers' Town meant that houses had to be tall and narrow, not more than three windows wide; but as time went on many of them were enlarged to a width of four or more windows. The frontages are usually without either loggias or projecting bays. Such decoration as there in is confined to the window-frames.

96 Hollow mouldings on outside walls. From the 17th century onwards concave mouldings along the tops of outer walls usually bore an inscription or motto of some mind. This house, Gstättengasse 29, was built in 1676 after the great land-slide of 1669, but was severely damaged in an air-raid in 1944.

97 A typical Salzburg concave roof. The roof is often below the level of the top of the facade and is lined with conduits to drain the rain-water off into the gutters beneath the hollow mouldings (see previous illustration). The effect is somewhat Italian, but in fact these roofs existed long before the Renaissance and the influx of architects from the south.

98 A medieval town mansion. The building dates from 1404 and at one time or another was the residence of several noble families. In the 17th century it was acquired by the Cathedral Chapter, but in 1800 it was secularised and became State property.

99 A stairway in an old house. The stairway up to the first floor of the 15th century house Judengasse 10 is designed to take up as little space as possible. It is therefore in a dark corner, and the steep steps of marble or conglomerate are winding and angular. The stairway is supported on the ground floor, and sometimes on the upper floors as well, by conglomerate or marble pillars, either free-standing or built-in.

100 17th century vaulting. This is on the ground floor of Sigmund-Haffner-Gasse 5. The mansions of prominent Salzburg families or wealthy merchants are a good criterion of the cultural and artistic aspirations of the middle-classes in those days.

101 15th century ceiling decoration. This house is Kaigasse 5. Recent restoration of medieval burghers' houses has brought to light some fine examples of late medieval decoration, notably the kind of beams frequently found in farm-houses, and as richly carved as the ceiling entablature in some of the rooms of the Hohensalzburg Fortress.

102/103 The arcades in the Schatz passage in the Getreidegasse, and at Sigmund-Haffner-Gasse 14. Most of the houses in the Burghers' Town stretched a long way back from the street, so that the only way the back rooms could get light was by way of the courtyards, which were surrounded by passages that sometimes even linked neighbouring houses. During the 16th century, when wood was giving way to stone as the usual building material, the old wooden constructions were superseded by arcades of red marble or conglomerate on alternate floors. The supports on the upper floors are invariably of wood.

104 A baker's in the Gstättengasse. Gstättengasse 4 probably dates back to the 17th century. In the early 18th century it was named the "Thalerbäckerhaus" after its owner Jakob Thaler. The premises were still being used for baking until quite recent times, and have preserved the characteristics of the small medieval shops in which the wares were displayed on the pavement outside.

105 The passage at Universitäts Platz 6. The University took shape during the 17th century on the site of the former Frauengarten. At the same time the backs of the houses in the Getreidegasse were expanded, and the way from the Getreidegasse to the University complex was through the front doors and courtyards of the Getreidegasse houses. Today most of these passages are lined with shops.

106 Part of a courtyard. The 16th century patrician residence Mozart Platz 4 underwent alterations between 1760 and 1770. On the north side of the second courtyard is a mid-18th century chapel.

107 The Robinighof at Schallmoos. This was built by the Cathedral Chapter after the draining of the Schallmoos marsh. In 1744 it was acquired by J. G. Robinig, an ironmonger from Villach, and renova-ted in about 1770. It is a characteristic example of a Salzburg rococo house with "everything under one roof" as in local farm-houses. W. A. Mozart and his father were friends of the Robinig family.

108/109 The old General Hospital (Bürgerspital). Founded in 1327, it was renovated between 1556 and 1570. The triple row of arcades along the face of the Mönchsberg was severely damaged in an air-raid in 1944 but was completely restored 1954/55.

110/111 The Franciscan Church. The nave dates from about 1220, and the choir, the work of Meister Hans von Burghausen, from 1408—1450. In 1709 the high altar to a design by J. B. Fischer von Erlach replaced a late Gothic altar (1486—1498) by Michael Pacher from Bruneck in South Tyrol. On the high altar a seated figure of the Virgin Mary is all that remains of Pacher's altar: the infant Jesus is a modern restoration. The figures of S. Florian and S. George (1709) on either side are by Simeon Fries.

112 The Franciscan Church, detail of the tympanum of the south door. The terraced doorway is an interplay of red and white. In the tympanum above the frieze of vine tendrils are Christ and two saints with models of churches (early 13th century).

113 The Bürgerspital Church. The hospital was founded in 1327 and the church was consecrated in 1350. The interior consists of a nave and two side-aisles, and an outstanding feature is the lofty, rectangular choir. Along the nave are separate oratories reserved for the prebendaries. Most of the decoration is 18th century.

114 S. Sebastian's Church, main door. The design is by F. A. Danreiter, a Court Inspector of Parks and Gardens: the sculpture (1754) is by J. A. Pfaffinger, the door dates from 1822, and the wrought-iron work (1752) above the window is by Philipp Hinterseer.

115 S. Sebastian's Church, a screen. The church originally belonged to a hostel and hospital (1496) mainly for the poor and needy outside the parish, as well as for beggars and vagrants (and later for domestic servants). It was originally built in 1505/12 and was converted to Baroque in 1749/55 by Kassian Singer from Kitzbühel. It suffered severe damage in the great fire of 1818. This fine screen (1752) is by the Court iron-master Philipp Hinterseer.

116 The Bürgerspital Church, the "Gotischer Saal". The area now known as the "Gotischer Saal" is actually the back part of an oratory that was added to this church in the early 15th century. In about 1570 the oratory and part of the vaulting of the church collapsed. It was the strips of mortar applied to the vaulting during the work of restoration that gave it the appearance of fan-vaulting. The oratories were intended primarily for the prebendaries, but in 1865 they were provided with partitions so that they could be used for other purposes as well. A restoration embarked upon in 1950 proved unexpectedly protracted and it was not until 1972 that it was at last concluded except for the provision of a separate approach and accommodation for public functions.

117 Entrance to Mozart Platz 4. In the 18th century this house belonged to the von Rehlingen family (see also 106 and 123).

118 Entrance to Pfeifergasse 4. Early 17th century doorways are as rare as late medieval ones. The red marble relief above the open gable may be from the old Cathedral cemetery.

119 A doorway at Steingasse 46. In the tympanum of this red marble doorway (1568) are the name and arms of the owner of the house at that time, one Hans Stainhauser, with the device "Betrachts auf ewig". There are five round medallions on the door-post and three on the beams: (left, a coat-of-arms with a panther and the name "Warbara Widmerin"; right, a climbing ibex and the name "Warbara Praunin"; centre, a house or trade-sign). There are also medallions on both the jambs: left, a coat-of arms with two crossed griffin's feet; right, a house-sign with the letter S.

120 The main doorway of the Salzburg Sparkasse (Savings-Bank). The doorway was part of a pawnbroker's shop (1747) opposite Holy Trinity Church. The premises were demolished in 1906, but in 1951 this door was incorporated in the renovated headquarters of the Sparkasse on the Alter Markt.

121 Doorway of the Old Rathaus. The door dates from 1675, and the marble

figure of Justitia (1616) is by Hans Waldburger. The doors and the wrought-iron work above them date from 1772.

122 Getreidegasse, entrance to the house where Mozart was born. Getreidegasse 9 was once a Court apothecary's. The marble doorway dates from about 1730. See also 231.

123 The front door of Mozart Platz 4. The fine doorway is of marble, and the door itself is of wood overlaid with iron. The ornamentation is forged and riveted.

124 Entrance to the shop Getreidegasse 5. This is a striking example of Salzburg Baroque wrought-iron work of about 1760.

125 An inn-sign in Getreidegasse. The inn in question is the Sternbräu. The elaborate wrought-iron work (about 1760) is typical of Philipp Hinterseer.

126 A Romanesque lion in Sigmund-Haffner-Gasse. The premises are those of the Kuenburg family's town residence, built in 1670, and the Romanesque lion (about 1150) is on the right of the passage leading to the courtyard. An inscription on the tablet in the animal's paws extols a craftsman named Bruder Bertram as a "Meister". The lion probably came from the old Romanesque Cathedral, but opinions differ as to what its exact function could have been.

127 The Bürgerspital Church, vaulting. See 113.

128 The door of the Rathaus, Justitia. See 121.

129 The Bürgerspital Church, a relief of S. Sebastian. This is the work of Konrad Asper of Konstanz, and was originally created for the "Linz" or "Sebastian" Gate in the Linzer Gasse ordered by Archbishop Marcus Sitticus in about 1615. The gate was demolished in 1894, and the relief was transferred to a wall of this church in 1956.

130 The Franciscan Church, sculpture on the pulpit. A man in armour lying under a lion is stabbing it with a sword. Marble, 12th century.

132/133 The Old City from the tower of the Evangelical Church. Against the background of the Hohensalzburg Fortress the splendid ecclesiastical buildings stand out behind the wall of

medieval burghers' houses. The varying heights of the buildings are a reflection of their importance in the social hierarchy: burgher, lord, God. How majestically the Cathedral, the Archbishops' church, towers above all Salzburg's other churches.

134/135 The Old City from the Kuenburg Bastion. From here too the magnificent ecclesiastical buildings and spacious squares stand out prominently from the huddled houses of the Burghers' Town. Both in concept and in execution the Cathedral is the spiritual and architectural centre of the ecclesiastical city. The present Cathedral was planned by Archbishop Wolf Dietrich von Raitenau to take the place of the medieval Minster and the 12th century Romanesque Cathedral that was burned down in 1598, unsuccesfully restored, and finally demolished. A design submitted in 1606 by a pupil of Palladio's named Vincenzo Scamozzi was not proceeded with: instead, new plans by Scamozzi or his adopted son Francesco de Gregorii were approved, and the foundation-stone was laid in 1610. The foundation-stone of the present building was laid during the rule of Wolf Dietrich's successor, Marcus Sitticus von Hohenems. the new Cathedral, designed by Santino Solari of Verna, near Como, was consecrated in 1628, and the towers were added in 1652/55. The rectangular Domplatz to the north-west of the Cathedral serves as a sort of atrium. Antonio Davio's arches on either side of the west front (1658/63) constitute links with the adjacent squares, as well as providing direct connections between the Archbishops' Residenz, S. Peter's Abbey, and the Cathedral, thus forming the historical basis of "the former unity of spiritual and temporal power" (Fuhrmann).

In the foreground is the Kapitel Platz; on the left is the Cathedral and part of S. Peter's Monastery; and behind them are the Franciscan and Collegiate Churches. On the right is the New Residenz, and in front of it are former Chapter-houses and canons' residences. Opposite the "Glockenspiel" tower is S. Michael's Church, and in the background (right) are the Kapuzinerberg and part of the old "Am Stain" district. To the left of them is the New Town with the Mirabell Palace, the neo-Gothic S. Andrew's Church, the facade of which underwent modifications in 1970/71, Holy Trinity Church, and the Evangelical Church (1863/67) on the river-bank.

136/137 The Residenz Platz. Archbishop Wolf Dietrich's "modernisation" of Salzburg involved the demolition of the Cathedral Monastery and Cemetery and of over fifty ancillary buildings clustered round the old Cathedral, in order to make room for the four spacious squares round the Cathedral. One of the finest of all Salzburg's squares is the Residenz Platz, with a fountain attributed to Tommaso di Garona. On the left is S. Michael's Church, which belongs to S. Peter's, and on the right is the New Residenz. There is also a glimpse of the Mozart Platz with its statue of Mozart (1842).

138 The Domplatz. The rectangular Domplatz, surrounded by buildings on all sides, serves as a kind of atrium to the Cathedral. The foreground is dominated by the Court Architect Wolfgang Hagenauer's statue of the Virgin Mary (1766/71) with other figures by his brother Johann B. Hagenauer. The marble facade of the Cathedral (1614 to 1628) is by Santino Solari. The two outer statues (1660) of S. Rupert (left) and S. Virgil (right) are by Bartlmä Obstall, and the two inside statues of S. Peter and S. Paul (1697/98) are by Bernhard Michael Mandl. The four evangelists on the gallery above the west door, and the statues of Moses, Elijah and the Redeemer on the gable are attributed to the same Tommaso di Garona, who is said to have been responsible for the fountain on the Residenz Platz (Pretzell).

139 The Domplatz. Behind the statue of the Virgin Mary is the Wallis wing of the Old Residenz that forms the western side of the square. This section of the Residenz was completed in Archbishop Wolf Dietrich's day. In the background is the Franciscan Church.

140 The Domplatz. In the foreground is the statue of the Virgin Mary. On the right, the north facade (1656/60) of S. Peter's Monastery complements the south side of the Residenz. In the background are features of the Hohensalzburg Fortress the "Schlangenrondell", the "Feuerbastei", and the "Trumpeters' Tower".

141 The Kapitel Platz. The view takes in the ornamental horse-trough (1732), the Cathedral, the arches, and the north-south facade of S. Peter's Monastery. In the background is the tower of the Franciscan Church.

142 View down the Hofstallgasse. The Hofstallgasse on the site of the old Frauengarten was part of Wolf Dietrich's modernisation of medieval Salzburg, constituting a section of the link between the Gstätten and Schanzl Gates by way of the Kapitel Platz and the Kapitel Gasse. It also served as a "via triumphalis" for lavish processions to the Cathedral. In the foreground on the left is the Collegium Rupertinum, today an archiepiscopal students' hostel.

143 The Universitäts Platz. This square originally came into being as the result of the building of the University. It is linked with the Getreidegasse by the passages described in 105, and in 1626 a similar link with the Alter Markt was established in the shape of the "Ritzerbogen" passage that takes its name from the owner of the property at that time, Freiherr Ritz von Grueb. Work on the University, right, was started in 1618 and completed in 1621. The Aula Maxima dates from 1631, and the whole complex was rounded off by the building of the Collegiate Church between 1694 and 1707. On the left are the backs of the Getreidegasse houses that were expanded after the building of the University. In the background are the "Ritzerbogen" and the backs of the houses in the Sigmund-Haffner-Gasse.

144 S. Peter's Abbey. The Benedictine Monastery founded by the Franconian bishop Rupert in about 690 A.D. originally ran along the rockface to the south of the present church, but was shifted northwards during the first quarter of the 12th century. To the east of the main courtyard is the actual monastery, together with its cloisters, fountain and garden. In the background, by the Old Festival Theatre, is the new Collegium Benedictum founded by Peter Behrens in 1926. The monastery church, orginally Romanesque, was destroyed by fire in 1127 and rbuilt 1130—1143 on the same lines as the Cathedral at Hildesheim in Lower Saxony. Between 1757 and 1780 the Romanesque church, traces of which are still clearly visible, was converted to late Baroque as well as undergoing structural alterations. The east and south sides of the church abut on to S. Peter's Cemetery with its tombs of famous personages, its catacombs hewn out of the Mönchsberg, and the late-Gothic S. Margaret's Chapel (1485—1491) which contains some interesting red marble memorial plaques let into its walls. The Chapel of the Holy Cross

clinging to the rockface is approximately on the site of the original early medieval church.

145 S. Peter's Cemetery, the Maximus Chapel. Tradition has it that the caves in the rockface of the Mönchsberg, Salzburg's catacombs, were Christian sanctuaries during the last years of Roman rule, but there is no authoritative evidence in support of this theory. The Maximus Chapel above S. Gertrude's Chapel is named after a priest who, according to the legend, was killed with all his companions on this very spot during the Great Migrations, but the story seems to be based on a confusion between Juvavum (Salzburg) and Joviacum (Schlögen on the Danube) (Noll).

146 S. Peter's Abbey, fountain in the cloisters. The cloisters north of the church surround the whole of the ground floor of the eastern wing of the monastery. The south side of the monastery and the fountain date from the 12th and 13th centuries.

147 S. Peter's Church. Originally this was a three-aisled Romanesque basilica, but the choir underwent considerable alterations between 1605 and 1625, and the whole church was converted to Baroque between 1753 and 1785. The modification of the function of the pillars, which is a feature of Lower Saxon churches, is clearly discernible. A thorough restoration was carried out in 1957. The marble high altar (1777/78) was executed to a design by the sculptor Lorenz Hörmbler; the stonework is by Johann Högler, the statues are by Franz Hitzl, and the altar-painting is by "Kremser Schmidt", Johann Martin Schmidt of Stein on the Danube.

148 The Nonnberg Convent Church. The 11th century Romanesque church was destroyed by fire in 1423, but after a provisional restoration work was started in 1463 on a Gothic church on the old Romanesque ground-plan, and the new church was completed in 1506/07. The choir, nine steps above the level of the nave, is directly above the tomb of the first Abbess, S. Erentrudis; a late 15th century statue of her can be seen on the left. The Gothic altar from Scheffau was acquired in 1853 in exchange for a Renaissance altar (1629) by Hans Waldburger.

149 The Nonnberg Convent Church, part of the west oratory. The nuns' choir is separated from the public part of the church by an elaborate screen in the western half of the nave. The wealth of invention and the delicacy of the ornamentation are typical of late 15th and early 16th century work.

150 The Cathedral, west door. Of the three archways leading into the interior from the Domplatz, the middle one is flanked by statues of S. Peter and S. Paul (1697/1698). These colossal figures on high pedestals decorated with coats-of-arms are by the sculptor Bernhard Michael Mandl, who came to Salzburg from Bohemia. Above the wrought-iron screen can be seen the date the Cathedral was consecrated.

151 The Cathedral. The transition from the nave to the choir recalls Roman and Venetian churches. The proportions also suggest the influence of local medieval tradition (Fuhrmann). The building is 285 feet long, and the transept is 206 feet across. The church has room for 10,500 people. The nave is flanked by two side-aisles, and the impression of spaciousness is enhanced by the light streaming in from the dome and from the western end of the church. The stucco work is elaborate but not overdone. The ceiling frescoes by Donato Mascagni, Ignazio Solari and Francesco da Siena were cleaned and restored during the repairs carried out in 1954/55 (the Cathedral was severely damaged during an air-raid in 1944). The painting of the Resurrection on the marble high altar is by Donato Mascagni, and the carving on the stalls was completed in about 1690 to designs by J. B. Fischer von Erlach (Fuhrmann).

152 The Cathedral. On either side of the spacious barrel-vaulted nave are four chapels, above which are oratories linked with the nave by balconies. The organ (1702/03) by the Court Organ-builder Christoph Egedacher has been frequently rebuilt and enlarged, the most recent overhaul being in 1958/59. It has 126 stops and about 10,000 pipes. The proportions of the building create a sense of movement upwards, and this is appreciably enhanced by a consistent distinction between structural (two superimposed tiers of plain pilasters and fascias) and decorative purposes. It is this distinction that gives the interior its perfectly proportioned dignity and solidity.

153 The Cathedral, pulpit. During the restoration of the Cathedral after the Second World War the pulpit was also renovated to a design by the architects Dr. Wiser, Dr. Bamer and Ing. Pfaffenbichler, with Prof. P. Thomas Michels OSB as theological adviser. The sculpture is by Toni Schneider-Manzell, the marblework by Mayr-Melnhofsche Marmorwerke of Salzburg-Parsch, and the bronze-casting by the firm of Priesmann, Bauer & Co. of Munich. The octagonal, ambo-like structure rests on a round pillar of smooth marble on which is a support in the form of a S. Andrew's cross, the arms of which are decorated with the heads of symbols of the four Evangelists. The sides of the pulpit consist of seven bronze plaques with figured designs and quotations from the Bible with particular reference to God's Word and its impact on mankind. On the bronze gate is a representation of the Holy Ghost.

154 The Collegiate Church, facade. This church (1696—1707) was commissioned for the University by Archbishop Count Johann Ernst Thun and designed by J. B. Fischer von Erlach. It is a cruciform centralised building (i. e. without aisles) with a shortened transept and a massive round dome above its intersection with the nave. The reasons for laying the axis of the church north—south were the ample space available and the need to harmonise the church with the recently completed University. The dominating feature of the facade is the way the constituent components are linked by sculptural elements, just as the main cornice along the top of the facade links the free-standing prismatic towers on either side with the prominently protruding central section. The massivity of the facade is relieved by doors and large windows, and an impression of upward, festive aspiration is imparted by its delicate architectural structure. This highly original church is the most mature of J. B. Fischer von Erlach's Salzburg buildings and constitutes an Austrian Baroque masterpiece of European stature (see also 60, 61 and 62).

155 The Collegiate Church, choir. The sense of surprise engendered by the splendid interior is due to the harmony between the structure of the walls and their far from lavish decoration. All sense of earthly reality is dispelled in the darkness of the apse, where the architectural proportions are obscured

by representations of clouds, a vision of eternity dissolving into celestial glory. The stucco-work in the apse (1706/07) is by Carlo Diego Carlone and Paolo de Allio. The high altar, which was not completed until 1738/40, combines philosophical and religious motifs whereby religion, art and learning are all subject to God and divine authority. The statues are by J. A. Pfaffinger. The interior decoration eschews colour. The sculpture (1904—1910) in the niches along the nave is by Hans Piger.

156 The Cajetan Church, door. This church was originally founded for the Theatines (Cajetans) and was built between 1685 and 1700 to plans by Johann Caspar Zugalli (see 64). It is flanked on either side by the former monastery buildings. Both in structure and in detail the door is a miniature equivalent of the narrow facade of the church, constricted between the two wings of the former monastery.

157 Holy Trinity Church. This was J. B. Fischer von Erlach's first commission to build a church. It is a centralised building with an oval interior, and originally the whole church was dominated by the dome, because the towers were stumpy, but they were heightened in 1759 and further modified after the great fire of 1818, so that the dome has been robbed of much of its former dominance. The concave facade leaves room for a small oval space and a flight of steps in front of the church. The church was built 1694—1702 and consecrated in 1699. Adjoining it are, left, the priests' accommodation and, right, the boys' quarters which housed two foundations, the Collegium Virgilianum and the Siebenstätter Collegium to assist indigent boys of noble or merchant lineage to pursue their studies. It is the architectural unity of this fine church that makes it the dominating feature of the Makart Platz.

158 Hohensalzburg from the west. The narrow side of the fortress is seen from the Richterhöhe on the Mönchsberg. The outworks include, right, the upper and lower Bernhard von Rohr Bastions, the casemates that now house catering establishments, and the upper and lower "Hasengraben". Behind them are the massive wall surrounding the fortress; the "Geier", "Hasen" and "Gerichts" Towers; and the clock-tower. Between the "Hasen" and "Gerichts" Towers can be seen the "Feuer" Tower and part of the "Innere Schloss", the oldest part of the whole fortress. In the background is the summit of the Gaisberg.

159 The Fortress from the Kapuzinerberg. A prominent feature of this view is the sheer wall at the western end, guarded on the west and south by a wall and massive towers (see illustration opposite). Towering above all the battlements is the great mass of the "Hochschloss". In front of it are the "Grosser Burghof" and S. George's Church. On the left can be seen a section of the defences comprising the approach to the Grosser Burghof. At its lower end are the Nonnberg Bastions immediately adjacent to the moat and stretching far down the hillside. Next come the massive "Schlangenrondell" (Bürgermeister Tower) and the "Schlangengang" named after the long-barrelled cannon known as "Felsschlangen". The defences terminate with the "Reisszug" building and the barrier of the "Rosspforte" (see 162). In the background is the Salzburg plain stretching away to the foot of the Untersberg.

160 Hohensalzburg from the "Hasen" Bastion. In the foreground is the second defensive archway on the Burgweg, and behind it are the "Schlangenrondell" (Bürgermeister Tower), the lower Trumpeters' Tower, and the entrance to the Burg. To the right is the "Feuerbastei". Above them are the Trumpeters' Tower and the surrounding wall. On the extreme right is part of the "Hoher Stock". Most of the trees are of recent origin because until 1861 the whole hill was classified as a military fortress and no trees were allowed on it.

161 Hohensalzburg, the walls of the "Hoher Stock". The view from the upper "Hasengraben" takes in the sheer north wall of the "Innere Schloss" with the rows of bay-windows by the Goldener Saal. Further down is the Kuenburg Bastion, and above it are the surrounding wall and the Trumpeters' Tower.

162 Hohensalzburg, the "Rosspforte". The original gateway dates from about 1500, but it was subsequently converted into a long approach which could be barricaded at regular intervals. The projecting bay above it is late-Gothic, and the holes in the wall are for firearms and date from about 1570 (Schlegel).

163 Hohensalzburg, the "Grosser Burghof". The cistern dates from 1539 at the time of Archbishop Matthäus Lang von

Wellenburg. Behind it is an old lime-tree and the "Hoher Stock" of the "Innere Schloss". On the right is S. George's Church (1501) with a marble monument of Archbishop Leonhard von Keutschach blessing his domains (Hans Valkenauer, 1515).

164 Hohensalzburg, the "Goldener Saal". Along with the Goldene Stube and the sleeping quarters immediately to the east, the Goldener Saal belongs to the set of Archbishops' Apartments. These splendid rooms on the fourth floor of the "Hochschloss" were ordered by Archbishop Leonhard von Keutschach in 1501/02. The rectangular Goldener Saal has a blue ceiling studded with gold, and the frieze just below the ceiling is decorated with coats-of-arms of the Empire, the Archbishop, the Austrian Provinces, the Electors, suffragan bishops of Salzburg, noble Austrian families, and some of Salzburg's religious foundations and noble families. Supporting the ceiling by the north wall are four monolithic red marble pillars with twisted stems: the one in the foreground is said to have been damaged by a cannon-ball when the fortress was besieged during the Peasants' Revolt in 1525.

165 Hohensalzburg, the "Goldene Stube". The stove of coloured tiles in the north-west corner, a unique masterpiece of late-Gothic Austrian pottery, dates from 1501 and is of Salzburg provenance. The tiles on the lower part of the stove are decorated with fantastic plant-designs, and those on the upper part with coats-of-arms and human figures. The tiles themselves are almost without exception unusually thin. In all probability they were made to a pre-prepared pattern that was only used once, the plastic details being applied later. The whole of the lower part of the south side of the stove is taken up by the figure of a man in late-medieval dress: a local tradition has it that he is the artist who made the stove. This tile is in two pieces and is apparently hand-made. See also colour-plate 24.

166 The "Goldene Stube". This is a section of the door in the north wall illustrated in colour-plate 25. The lower parts of the elaborate scrolls above the keel-arch are decorated with brightly-coloured birds. In the narrow upper panel is a hunting-scene with hounds.

167 The Gothic stove, detail. See 165.

168 The Old Residenz, main entrance. This was formerly the residence of the Archbishops, who were temporal as well as spiritual rulers, and dates from 1595 to 1619. The portal dates from the early 17th century. Above it is the coat-of-arms (1710) of Archbishop Harrach, and the figures on either side of it are by Wolf Weissenkirchner.

169 The Old Residenz, the west wing, facing the courtyard. The west wing of the Old Residenz was completed in 1614 at the time of Archbishop Marcus Sitticus. The facade of the east side is decorated with a row of huge Tuscan pilasters. In the arcade is a fountain in a tufa niche (see 198) with a statue of Hercules. The coat-of-arms above the middle window is that of the builder. The coats-of-arms lower down and the inscriptions on the panels under the outer windows are those of Archbishop Count Max Gandolf Kuenburg and Count Johann Ernst Thun.

170 The Old Residenz, "Carabinieri Saal". This room on the second floor of the main building was for the guards. It was completed about 1600 and measures 165 x 40 feet. The room was heightened in 1665, as was the door in 1690. The heavy stucco-work is by the brothers F. and C. A. Brenno, and the ceiling frescoes (1689, restored in 1953) are by J. M. Rottmayr.

171 The Old Residenz, conference room. The doorway was probably designed by the great Lukas von Hildebrandt and was executed in about 1710 by B. M. Mandl, Johann Schwäble and Andreas Götzinger. The marble is local.

172 The Old Residenz, Antecamera. This is on the second floor of the main building, between the Conference Room and the Audience-Chamber. The painting on the ceiling (about 1710) is by Martin Altomonte and depicts scenes from Roman history and the life of Alexander the Great. The stove dates from about 1776.

173 The Old Residenz, Marcus Sitticus Room. Known also as the "White Room", this is situated immediately above the Hercules fountain (see 169). The white neo-classical stucco-work (1776) on the walls and ceiling is by Peter Pflauder. The stove too dates from about 1776.

174/175 The New Residenz, Glockenspiel (carillon) and entrance. This building (1592—1602) was commissioned by

Archbishop Wolf Dietrich for the accommodation of visiting potentates and as somewhere he could himself live while the Old Residenz was being completed. The south extension dates from about 1670. During Archbishop Count Johann Ernst Thun's time the portico and main guard-room were added in 1701, and in 1702 the tower was heightened and equipped with the present Glockenspiel: its bells are by Melchior de Haze of Antwerp, and the mechanism was furnished by a Salzburg clock-maker named Jeremias Sauter.

176/177 The New Residenz, "Gloriensaal" and part of the "Ständesaal". On the second floor of the north-west wing of the New Residenz, facing the Mozart Platz, is a suite of five rooms with coloured ceiling stucco-work (1602) by Elia Castello, who was also responsible for Wolf Dietrich's mausoleum in S. Sebastian's cemetery. Castello, who came from a family of artisans in the building-trade at Melide on Lake Como, died at the age of 30 and is buried in the same S. Sebastian's cemetery (aisle 10). His fine tomb is the work of his brothers Antonio and Pietro.

178 The former Court Library, doorway. Above this door (1672) leading out of the north side of the main premises of the former Court Library is the coat-of-arms of Cardinal Archbishop Max Gandolf von Kuenburg. It was he who had the west wing extended southwards and allocated the whole of the first floor of the New Residenz to the Court Library. The premises were embellished by four fine marble doors that are still doing duty today. They bear inscriptions and chronograms to do with booklore and learning, and two of them also bear coats-of-arms. Nowadays the premises are used for offices and for housing technical apparatus belonging to the Main Post Office.

179 The "Kapitelhaus" (Chapter-house), doorway. Most of the premises between the Kapitalplatz and the Kaigasse belonged to the Cathedral Chapter and individual canons. Kapitel Gasse 4 was the actual Chapter-house at which the Cathedral Chapter met to conduct business and even to elect Archbishops. It was built in 1603 at the time of Archbishop Wolf Dietrich, who personally contributed to the cost of building as well as having a say in the design. The door, with its double-windows and gable, stands out boldly yet harmoniously

against the plain facade, an effect that is enhanced by Michael Pernegger's reliefs on either side of the windows of the coats-of-arms of the then 24 members of the Cathedral Chapter.

180 Mirabell Palace and Garden. Built in 1606 on the instructions of Wolf Dietrich, this palace was originally called Altenau, but Wolf Dietrich's successor Marcus Sitticus changed its name to Mirabell. The present building was executed by Johann Lukas von Hildebrandt between 1721 and 1727, but it was severely damaged in the great fire of 1818, and Peter von Nobile's restoration entailed substantial modifications. The garden, re-designed by J. B. Fischer von Erlach in about 1690, underwent further alterations in about 1730 by Franz Anton Danreiter.

181 Mirabell Palace, garden facade. It is on this facade that Lukas von Hildebrandt's original design is most clearly discernible. The Pegasus (1661) by Caspar Gras of Innsbruck has occupied its present site since 1913: previously it was on the Kapitel Platz, but in 1732, along with the two lions in the foreground and the two unicorns by the steps leading to the Kurgarten, it formed a "Pegasus Fountain" on a site east of the Mirabell Palace, where it remained until 1818.

182/183 Mirabell Palace from the south. The Mirabell Garden (see also 180). The pleasure-garden to the south and east of the palace was first laid out in Wolf Dietrich's day and was expanded by his successor Marcus Sitticus. In 1689/90 Archbishop Count Johann Ernst Thun had it re-arranged by J. B. Fischer von Erlach. The central part of the garden is dominated by four large groups of figures (1690), representing the four elements, by Ottavio Mosto, a native of Padua who settled in Salzburg. The other statues in the garden are by various local sculptors and of unequal quality. Part of the fortifications constructed by Archbishop Paris Lodron between 1619 and 1653 enclosed the Mirabell Garden, and their site is now marked by a number of marble dwarfs (in German "Zwerge", which is why this part of the garden is known as the "Zwerglgarten"). They came from a "Zwergtheater" opened by Archbishop Count Franz Anton Harrach on what are now the Exhibition Grounds in Schwarzstrasse: the theatre closed in 1811.

184/185 Mirabell Palace, portico and one of the figures in the niches. The attractive stucco-work (1772) in the portico in the middle section of the west wing is the work of J. Gall of Vienna. The two neo-classical sandstone figures in the niches are of considerable artistic value and bear all the hallmarks of Austrian and Viennese Baroque. It was probably not until after 1818 that they found their way here.

186/187 Mirabell Palace, Ceremonial Stairway. The main stairway in the west wing of the palace is a masterpiece of Austrian High Baroque. The attitudes of the cherubs disporting themselves on the lavishly decorated banisters exactly match the soaring ornamentation of the balustrade. The cherubs and statues in the niches (1726/27) are by Georg Raphael Donner and his workshop. The ceiling and ceiling fresco were destroyed in the great fire of 1818. The air-raids of 1944 caused further minor damage which was restored in 1945/46. The lanterns are modern.

188 Schloss Leopoldskron. This was built in 1736 by Archbishop Leopold Anton Freiherr von Firmian for his relatives, and was designed by Pater Bernhard Stuart, a professor of mathematics at Salzburg University. It remained in the possession of the Firmian family until 1828, after which it changed hands several times. In 1918 it was acquired and lavishly furnished by Max Reinhardt, most of the original contents having disappeared, including an important picture-gallery and a celebrated collection of portraits of painters. Since 1958 the Schloss has housed the Salzburg Seminary of American Studies.

189 Schloss Leopoldskron, looking south. The view from the terrace over the pond takes in the Untersberg (6,120 feet), about which there are many local legends.

190 Schloss Leopoldskron, "Festsaal". The Festsaal is two stories high and is decorated with delicately tinted stucco-work by Johann Georg Braun of Wessobrunn, Johann Kleber from the Bregenz Forest, and Johann Lindenthaler of Salzburg. The paintings (1740) are by Andreas Rensi.

191 Schloss Leopoldskron, "Theatre" room. The stove is part of the original fittings, but the furniture and panelling were acquired by Max Reinhardt from dealers and adapted to this room.

192 View of the Residenz Platz. Right, the north wing of the Old Residenz: left, 15th century burghers' houses (see also 136 and 137).

193/194/195 The Residenz Fountain. This was completed between 1656 and 1661 at the time of Archbishop Count Guidobald Thun, but the ascription of the design and execution to Giovanni Antonio Dario is false. Made entirely of Untersberg marble, it is the most masterly monumental Baroque fountain in German-speaking Europe. Who actually designed it is still unknown, though F. Martin has suggested that it may be the work of Tommaso di Garona.

196 Ornamental horse-trough (Hofstall-schwemme). This dates from about 1695. The wall, which was intended to conceal a quarry and to provide a background to the square, was heightened in 1732. B. M. Mandl's statue of a man breaking in a horse (1695) was turned round to face the square, and a balustrade was added to the basin. The rest of the sculpture is by J. A. Pfaffinger, and the paintings of horses are by Franz Anton Ebner. The latter were subsequently overpainted, but were rediscovered in 1855 and restored in 1915/16 and again in 1955/56.

197 The New Festival Theatre, west facade. In 1693/94 Archbishop Count Johann Thun had new facades added to the Court Stables and a marble portal, designed by J. B. Fischer von Erlach, added to the narrow west frontage. The figures on either side of the vase are by Wolf Weissenkirchner. The doors and the window behind the vase were added in 1959/60. In the foreground is B. M. Mandl's sculpture of a horse being broken in.

198 The Old Residenz, the "Hercules" Fountain. In a niche in the arcade along the west wing of the Old Residenz (see 169) is a fountain with a representation of Hercules in combat. It dates from about 1614 and is the work of an unknown Italian sculptor. The form and decoration of the niche recall the grottoes at Hellbrunn Palace. The statues of ibexes are a reference to Archbishop Marcus Sitticus of Hohenems who commissioned the work: the ibex featured in the coat-of-arms of the Hohenems family.

199 S. Peter's Abbey, a pillared fountain. Between 1660 and 1664 the sculptor Christoph Lusime executed an original pillared fountain for Cardinal Archbishop Count Guidobald Thun, who presented it to S. Peter's Monastery for the garden.

200 Hohensalzburg, the Keutschach Memorial. This splendid statue of rough red Adnet marble dates from 1515. Philip Halm ascribes it to the Salzburg master Hans Valkenauer, who also worked on, but never finished, an Imperial tomb commissioned by the town of Speyer (fragments of it can be seen in the Salzburg Museum). Archbishop Keutschach is portrayed in full regalia: in his left hand is his crozier, and his right hand is uplifted in benediction. Above him is a lavishly decorated stone baldachin with figures of saints and patron-saints. On either side of the baldachin is a Levite with a missal or legate's cross (see also 202).

201 S. Peter's Church, west door. In the tympanum above the romanesque west door (1240) at the foot of the tower is a representation of Christ enthroned on a rainbow and flanked by S. Peter and S. Paul. In the spandrel is a stylised tree with a dove in its branches and an inscription: "Janua sum vitae, salvande quique venite, per me transite, via non est altera vitae" (I am the gateway to life: come hither to be saved and enter through me, for there is no other way to life). Below it is a frieze of vine tendrils, a reference to Christ's words: "I am the vine and ye are the grapes."

202 The Keutschach Memorial, a deacon. The head of the figure to the right of the Archbishop (see 200) is of red Adnet marble. In form and concept, some of the details are still late-Gothic survivals, but the work as a whole is imbued with a new spirit which places man at the centre of things, bringing out his personality and the blend of Mind and Nature.

203 S. Peter's Church, tomb of Werner von Raitenau. This striking example of superior craftsmanship by an unknown master is in the south-west chapel: it is the tomb of Archbishop Wolf Dietrich's father, a military commander who met his death in Croatia in 1593.

204 The New Residenz, stucco-work on the ceiling above the stairway (see also 176—178). The way up to the ceremonial apartments on the second floor used to be from the inner courtyard, using the present access to the Glockenspiel. On the ceiling above the somewhat gloomy stairway is some stucco work including curious grotesque motifs and ornamentation as well as emblems of Archbishop Wolf Dietrich and his family, executed by Italian masters.

205 The Cathedral, details of the stucco-work. The substantial stucco-work (1628—1635) in the Cathedral is by Italian masters (Giuseppe Bassarino, Andrea Orsolini etc.) who maintained their supremacy over local Salzburg artists in this field until the first quarter of the 18th century.

206/207 S. Peter's Church, screen. This masterly late Baroque wrought-iron screen (1768) is by a Salzburg artist, the Court master-locksmith Philipp Hinterseer from Lofer in Pinzgau.

208 Nonnberg Convent Church, chapel-screens. The three chapels in the south aisle date from some time after 1620, and the fine wrought-iron screens (1625) are by the Court master-locksmith Hans Georg Klein. A motif common to each of them is an ornamental spiral ending in a grotesque figure.

209 Hofstallgasse, a Baroque wrought-iron gate. The left half of the gate is early 17th century work and was originally on the stairway in the west wing of the Old Residenz. The right half is a later addition.

210 The Old Residenz, main entrance. The view shows the top of the stairs from the landing by the Carabinieri Saal up to the third floor. There is some very elaborate ornamentation from the second half of the 17th century with the coat-of-arms of Max Gandolf von Kuenburg, Cardinal Archbishop of Salzburg 1668 to 1687.

211 The Wolf Dietrich Mausoleum, wrought-iron. This early 17th century grille creates an overall impression of repose that is typically Renaissance. The basic motif is akin to that of similar work in the Carabinieri Saal of the Old Residenz.

212 Hohensalzburg, a door in the Archbishops' apartments. This is the back of the door leading from the Goldene Stube to the Archbishops' sleeping-quarters (see colour plate). The work is of local origin and dates from 1501.

313

213 Mülln Parish Church, a chapel-screen. This screen is in the first chapel on the north side, which was founded in 1607 by Hans Ulrich von Raitenau, Archbishop Wolf Dietrich's brother. It was Wolf Dietrich who summoned the Augustinian hermits from Bavaria to Salzburg and allocated them this church.

214 S. Peter's Church, bronze candelabra. The two large bronze candelabra at the intersection of the transept and the choir were presented to the Abbey by Archbishop Wolf Dietrich in 1609. He himself estimated their value at 1,500 gulden. Whether they are of French or German provenance is uncertain.

216 The Gstättentor. The Spital or Gstätten Gate was rebuilt and widened in 1618 on the instructions of Archbishop Marcus Sitticus, and renovated in 1805 and again in 1895. It was also called "Schleiferbogen" from the workmen who used to polish (*schleifen*) the rockface hereabouts in order to prevent landslides.

217 The Neutor, west side. The Neutor (New Gate) is a 122-84 metres long tunnel through the Mönchsberg linking the Old City with the Riedenburg suburb on the far side of the Mönchsberg. Tunneling was started in 1764 on the instructions of Archbishop Count Sigismund Schrattenbach. The tunnel was consecrated in 1767 and completed by 1769 except for the "Ruinenbastei" at the western end. The technical details of the operation were entrusted to the Court Director of Works, Elias von Geyer; while the decoration of the entrances to the tunnel was the responsibility of the Court Contractor Wolfgang Hagenauer and his brother Johann Baptist, the Court Sculptor. Between them these men were responsible for a superb architectural as well as engineering achievement. The various inscriptions and figures are intended to perpetuate the memory of Archbishop Schrattenbach and Salzburg's glorious past, and their form betrays more than a hint of early neo-classicism. The death of Archbishop Schrattenbach in 1771 put an end to any idea of completing his original concept, which included an arrangement of ruins at the western end of the tunnel as a reference to Roman Salzburg (Juvavum): such parts of the ruins as had already been assembled were removed in 1874 (Adolf Hahnl: "Studien zu Wolfgang Hagenauer", a Salzburg University thesis, 1969).

218 Mülln, the Müllegger Tor. This fine marble portal bearing the coat-of-arms of Wolf Dietrich was built in about 1605 and was named Schloss Müllegg, which belonged to the von Grimming family until it was purchased by Archbishop Count Johann Ernst Thun, who had it pulled down and replaced by St. John's Hospital (now the Provincial Hospital). Through the gateway there is a glimpse of Mülln Church.

219 The Klausen Tor, the far side. Marcus Sitticus had this gate built out of public funds in 1612 to defend the narrow approach (Klause) to the city from Mülln between the Mönchsberg and the river. The original gate was destroyed by fire in 1605. The structural unity of gate and rockface has had to be sacrificed to the requirements of today's traffic.

220 The Mönchsberg, the Mülln Redoubt. When Salzburg's defences were overhauled in 1638 a double barrier was constructed on the north face of the Mönchsberg: in front, the Monika Gate, and further back the Augustinus Gate. Substantial traces of the fortifications erected between 1620 and 1646 can still be seen on the Mönchsberg as well as on the Kapuzinerberg.

221 The Mönchsberg, the "Bürgerwehr". The original late 13th century fortifications were consolidated and strengthened in about 1480, largely by the burghers. This "Bürgerwehr" controlled the narrowest ridge of the Mönchsberg between the Mülln Redoubt and the Festungsberg.

222 The Inneres Steintor. The medieval Inneres Steintor, or Judentor, was known in Paris Lodron's day as the Johannistor. Its southern end, constructed by Paris Lodron in 1634, is built directly on to the rockface of the Kapuzinerberg. On the river side the Kapuzinerberg was guarded by a wall of conglomerate blocks (see also 84).

223 The approach to Hohensalzburg. The way up to the fortress is guarded by two gates: after the Lodron Gate, completed in 1642 under Archbishop Paris Lodron, the approach rises steeply to the Keutschach Gate (1513).

224 The Kapuzinerberg, the Hettwer Bastion. In 1924 the Kapuzinerberg fortifications below the monastery were named the "Hettwer Bastion". Colonel

Emil Hettwer was a faithful servant of Salzburg and as a member of the "Stadtverein" (City Association) did much to embellish the city and preserve its ancient monuments.

226/227 S. Peter's Cemetery. The old cemetery on the south and east sides of S. Peter's Church contains a number of notable tombs dating from the 15th century to the present day. The arcades (1626) are enclosed by fine wrought-iron screens (16th—18th century). The interior of S. Margaret's Chapel (1485 to 1491) in the middle of the cemetery can boast almost as many tombs and interesting plaques as the exterior. The crosses in the right foreground are from graves by a family of stonemasons named Stumpfegger.

228/229 S. Sebastian's Cemetery, mausoleum. S. Gabriel's Chapel was built between 1597 and 1603 as a mausoleum for Archbishop Wolf Dietrich. It is a round building surmounted by a cupola, with a rectangular barrel-vaulted recess for the altar at the west end. The interior is decorated with coloured tiles and stucco-work by the Court potter Hans Kapp and the architect Elia Castello respectively. The interior is also notable for four lavishly decorated niches with overlife-size statues of the Evangelists and two bronze plaques (1605 and 1607) executed by Herold of Nürnberg with inscriptions relating to the foundation of the mausoleum and the Archbishop' burial.

230 The Mozart Memorial. This statue was designed in 1842 by Ludwig von Schwanthaler of Munich and executed by Johann Baptist Stiglmeier, also of Munich. The preliminary excavations for its siting brought to light a Roman mosaic pavement.

231 The house where W. A. Mozart was born. In the early 15th century Getreidegasse 9 was the property of a highly respected middle-class family named Keutzl, from whom it passed in 1585 to the Court apothecary Chunrad Fröschlmoser. In 1713 it was acquired by the Hagenauer family, who were of merchant stock. Since 1917 the house has belonged to the International Mozarteum Foundation and has been converted into a museum. Leopold Mozart and his wife Anna, née, Pertl, lived here from November 1747 till 1773.

232 Mozart's birthplace, the kitchen. The utensils in the Mozarts' kitchen have been assembled from a number of different owners and dealers.

233 Mozart's birthplace, the former bedroom. The Mozarts' quarters on the third floor of the Hagenauers' house comprised three large rooms and a kitchen. The middle room, with a window giving on to a passage and lit only by a narrow shaft from the courtyard, was Leopold's and Anna's bedroom, and it was in this room that their seventh child Wolfgang Amadeus was born on 27 January 1756. Today the room contains various likenesses of W. A. Mozart and his parents as well as his travelling piano (1780) by Anton Walter of Vienna.

234 A portrait of W. A. Mozart in his best clothes, aged 6. This oil-painting, 81 x 62 centimetres, which according to the late Otto Erich Deutsch is probably by A. P. Lorenzoni of Salzburg (1763), was presented to W. A. Mozart by the Empress Maria Theresia after he and his sister Nannerl had played for her in Vienna on 13 and 21 October 1762.

235 From the Mozarts' bedroom. In the clavichord (1760) is a notice in Mozart's wife's own hand to the effect that he used it right up to his death. Above it is a portrait of his father Leopold (1717 till 1787), a universally respected musician and composer who from 1744 was responsible for teaching the violin at the Prince-Archbishops' choir-school: in 1763 he was appointed Deputy Kapellmeister of the Archbishops' musical establishment. His "Violinschule" (manual of violin-playing), first published in 1756, shows him to have been an extremely knowledgeable and understanding teacher.

236 The keyboard of Mozart's piano. This walnut "Hammerclavier" by Anton Walter of Vienna, with five octaves and a knee-pedal, was frequently used by Mozart at his public concerts. On the music-stand are Mozart's first compositions, dated 11 May and 16 July 1762, written down in his sister's exercise-book of clavecin studies. On the wall is a picture of the youthful Mozart at the piano.

237 Portrait of W. A. Mozart by Joseph Lange. This unfinished portrait, 38 x 28 centimetres, is on view in the bedroom. It was painted in Vienna in 1782/83 by Mozart's brother-in-law Joseph Lange.

238 S. Sebastian's Cemetery, the Mozart family grave. The Mozart family owned a vault in this cemetery. Leopold Mozart was buried here in 1787, and one of his sister Nannerl's daughters in 1805. In 1826 the Danish diplomat Georg Nikolaus von Nissen who married W. A. Mozart's widow Constanze was laid to rest here, as was Constanze herself in 1842. Nannerl died in 1829 and is buried in S. Peter's Cemetery.

239 S. Sebastian's Cemetery, the tomb of Paracelsus. The view is from the S. Philip Neri Chapel, looking toward the portico by the north door of the church. The portico was restored in 1941 and converted into a memorial. Incorporated in the lower half of the mid-18th century Baroque tomb is the original grave of the celebrated physician, who died in 1541. His bones are preserved in the obelisk above the tomb. The portrait of Paracelsus' father which used to be here is now in the Salzburg Museum; its place was taken in 1941 by a marble relief with a likeness of Theophrastus Paracelsus by the sculptor Leo von Moos.

240 The Nonnberg Convent, Faldistolium. In 1242 the Pope granted the Abbesses of the Nonnberg Convent the right to use the faldistolium and pastoral staff at pontifical celebrations. The faldistolium presented to the Convent by Archbishop Eberhard II. is unique of its kind and probably dates from the 12th century. The significance of much of its ornamentation is still obscure. In all probability it was of secular origin and only later came to serve an ecclesiastical purpose. The wood is probably maple, painted red. At either end of the faldistolium are ivory lions' heads and bronze claws, and there is also a wealth of ivory figuration and ornamentation, though during the 15th century some of it was replaced by painting.

241 The Salzburg Museum, a Celtic beaker. This bronze beaker came to light in 1932 during the excavation of a burial-ground at Dürrnberg above Hallein. The vessel is chased in a single mould, and the spout, handle and rim are cast. What makes this beaker unique is its ornamentation. The beaker dates from about BC 350 and is probably of local origin, though it combines Etruscan, Celtic and even Scythian elements. All in all, it is a superb specimen of art and craftsmanship.

242 The Salzburg Museum, a Romanesque tympanum. This light marble tympanum probably belonged to one of the doors of the old Cathedral that was demolished early in the 17th century (see 134 and 135), and dates from about 1180. On the scroll of the angel on the left is an inscription: "Ave Maria gracia ple(na)", and on that of the angel on the right: "Beata es Domini genetrix."

243 The Cathedral, a Romanesque font. This is a survival from the old Cathedral. The lions are 12th century, and the basin was executed in 1321 by a certain Meister Heinrich. The 19th century cover was removed during the restoration of the Cathedral and renovated in 1958 (T. Schneider-Manzell).

244 The Bürgerspital Church, Holy Sepulchre. This elaborately carved shrine in the form of a chapel (about 1480) probably housed sacred relics and (during Holy Week) the Host.

245 The Franciscan Monastery, a Salzburg Madonna. The original 108 centimetre high stone figure came to light after the removal of later accretions, but some of the folds under the left arm are missing. It is a lovely example of the "smooth" Salzburg style of about 1400 till 1420.

246 The Franciscan Church, the Madonna by Michael Pacher. The seated figure of the Madonna is of limewood and is all that remains of Michael Pacher's triptych altar commissioned by the Salzburg City Council in 1484. Pacher worked on it from 1486 until 1498. The figure of Jesus by the Salzburg sculptor J. Piger dates from 1890. Pacher's altar cost 3,500 Rhenish gulden, and when it was broken up in 1709 the gold and silver was melted down and fetched 512 gulden. The original head and face of the Madonna were cleared of later accretions in 1938.

247 The Nonnberg Convent, a Mystic Cross. This fine piece of sculpture was executed locally in about 1300 for the medieval Cathedral and was presented to the Convent by Archbishop Wolf Dietrich in 1601 after the Cathedral had been pulled down. In the representation of Christ there is all the agony of a death that is inexorable and has to be duly submitted to. In arousing compassion in the beholder this important work anticipates the future by subordinating the "mystery" to the devotional aspect.

248 The Old Residenz, Hercules. This colossal marble figure was commissioned by Archbishop Wolf Dietrich in about 1600 and is the work of an unknown, but probably Italian, master. It was originally intended for Wolf Dietrich's "Dietrichsruhe" pleasure-garden on the site of what is now the second courtyard of the "Toscana" wing of the Old Residenz, where the statue now stands in a niche of the same period.

249 The former Archiepiscopal Treasury, an ornamental pitcher. This gilt silver pitcher, along with an equally elaborate basin that goes with it, was used for washing hands after a banquet. The scenes in the medallions represent "Orpheus and the wild beasts" (a Christian symbol depicted, as was customary in those days, in the guise of a classical myth). This graceful pitcher (1690) is the work of an Augsburg goldsmith named Paul Hübner. The Archiepiscopal Treasury included a great number of venerable and valuable objets d'art, and the Archbishops, notably Wolf Dietrich, vied with each other in their contributions to the splendour of their Court; but when Salzburg lost its independence the Treasury was dispersed and a substantial proportion of it was removed to Florence by Grand Duke Ferdinand III. of Tuscany. From Florence these treasures found their way into the possession of the Kings of Italy, and there they remained until shortly after the First World War, when this pitcher and its basin were identified by the Salzburg historian Dr. Franz Martin, though it was not until 1966 that Dr. Kurt Rossacher made the discovery public. Particularly elaborate is the tableware by leading goldsmiths such as Paul van Vianen, Hans Karl, Cornelius Herb, Paul Hübner etc. all of whom were summoned to the Salzburg Court at one time or another.

250 The Collegium Benedictum, a screen. This college for theological students was completed in 1926 to a design by the Salzburg architect F. Wagner with the support of Benedictine monasteries in Austria and Germany under the supervision of Abbot Petrus Klotz. The interior decoration of the vestibule, including this wrought-iron screen, is by Peter Behrens of Vienna, and the screen was executed by the firm of Anton Schwarz, also of Vienna.

251 The Collegium Benedictum, a crucifix. This over life-size crucifix by Jakob Adlhart of Hallein was executed specially for the vestibule of the Collegium, which is purposely kept in semi-

darkness. It is a striking example of religious Expressionism and portrays all the agony of the Son of Man's death upon the Cross.

252 The Cathedral, the "Faith" Door. Work on the restoration of the war-damage to the Cathedral was started in 1958 and included replacing the old oak doors with three bronze ones by sculptors from Austria, Italy and Germany, the three countries most closely associated with Salzburg's history. The doors were to be named after the three divine virtues—Faith, Hope and Charity—the archiepiscopal authorities acting as theological advisers. The central motif of the "Faith" Door (the left-hand one) by Toni Schneider-Manzell of Salzburg is the conversion of S. Paul, and with appropriate Biblical figures the artist illustrates the power of Faith and the trials and dangers to which it is subjected (Simmerstätter). The whole profound concept is reinforced by symbols of God, Grace and Faith. The door was executed by the firm of Priesmann, Bauer & Co. of Munich, the cost being defrayed by the Association of Austrian Banks and Bankers.

253 The Cathedral, the "Charity" Door. The central motifs of this door by Giacomo Manzù of Milan are the handles in the form of ears of corn and vine-leaves, symbolising bread and wine, which in turn are the symbols of Christ's sacrifice for mankind. Other symbolic allusions are the four birds (Elijah's raven, a broody hen, a dove, and a pelican) on the lower part of the door. There are also four panels with representations of saints who figured prominently in Salzburg's history and were renowned for their devotion and Charity: top, right, S. Severin, the apostle of Noricum; top, left, S. Martin, Salzburg's former patron saint; below, right, S. Francis and S. Konrad of Altötting; and below, left, S. Notburga and Brother Engelbert Kolland. The door was executed by the Ciceri brothers of Milan, and the cost was borne by the archiepiscopal offices, the diocese, and the Ecclesiastical Building Association.

254 The Cathedral, the "Hope" Door. The lower part of Edward Mataré of Cologne's door is largely taken up with a pyramid of buds surmounted by a representation of the Nativity and of the news reaching the shepherds. Below the plain handle is a portrayal of the expulsion from Paradise, an allusion to

mankind's lost innocence and hope of redemption through Jesus Christ. In the top left-hand corner a hand with a fiery solar orb in its palm symbolises God's infinite mercy. Around it is a throng of rejoicing angels, one of whom is pointing to the Virgin Mary below. The Virgin is surrounded by a mandorla (an almond-shaped halo) bordered with rosary beads, symbolising Her as the pledge of God's promise to mankind and as the One who intercedes for us with Him. Mataré's contribution to Salzburg Cathedral was executed by the Düsseldorf firm of Schmäke and was presented to Salzburg by Frau Berta Krupp von Bohlen-Halbach.

255 The Cathedral crypt. While carrying out repairs to the severe war-damage sustained in an air-raid in 1944 the architects Dr. Bamer, Dr. Wiser and Herr Pfaffenbichler decided to restore the medieval crypt, and a chamber was created in which (on the suggestion of Max Kaindl-Hönig's "Der Dom zu Salzburg, Symbol und Wirklichkeit", Salzburg 1959, page 71) the bones of past Archbishops associated with the present Cathedral were assembled, leaving ample space for the tombs of future Archbishops. Excavated remains of earlier Cathedrals on this site were also tastefully incorporated into the new crypt. The masonry of the crypt includes elements of almost all the earlier buildings on this site. Of particular interest is this early 13th century Romanesque crucifix, the cross being made of enamel. It found its way to Salzburg from the monastery church at Seekirchen, the foundation of which is connected with S. Rupert's arrival at Salzburg. The altar rests on remains of the original Cathedral of S. Virgil. The red glass pendant lamps were made at Murano.

256 The Salzburg Museum, a Renaissance cabinet. With its elaborate intarsia work, this lovely cabinet of about 1600 is a superb example of early 17th century joinery. It has two layers fashioned in the shape of a chest. The elaborate decoration of the front consists of elements and motifs of the architecture of the time. The panels of the doors are decorated with personifications of the four cardinal virtues: Wisdom, Justice, Moderation and Charity. The rest of the inlay-work consists of motifs taken from Nature, rather like illustrations from old botanical albums. The cabinet was probably ordered by Wolf Dietrich for the New Residenz (Nora Watteck). Later, it seems to have come into the possession of the University and to have been installed in the Maria Plain property which was acquired by the University in 1673. From there it found its way to the Salzburg Museum, but how or when the cabinet last changed hands remains a mystery.

258/261 The New Festival Theatre, west front and upstairs. In 1953 the Provincial Governor of Salzburg, Josef Klaus, resolved to enlist the support of the Federal authorities and of the City and Province of Salzburg for a new Festival Theatre, complete with fully up-to-date equipment and installations, on the site of the Court Stables (like the Felsenreitschule). The Theatre was designed by Clemens Holzmeister and completed in 1960. Its exterior blends harmoniously with its surroundings as well as substantially conforming to the appearance of the original building, although only Fischer von Erlach's west front (1693/94) has been preserved in its entirety (see 197). The interior decoration of the New Festival Theatre strikes a distinctly contemporary note. Down the middle of the upstairs foyer runs a row of marble pillars with relief-masks by the sculptor Heinz Leinfellner. On the north wall are four tapestries by Kurt Fischer depicting Fire, Water, Air and Earth. Giselbert Hoke's tapestry on the south wall portrays "Good and Evil". The tapestries were woven by the Viennse artists Schulz and Riedl.

259 The Old Festival Theatre. The early 17th century Court Stables (later barracks) were converted into a Festival Theatre by the architect Eduard Hütter in 1925 and modified by Clemens Holzmeister in 1926. In 1937/38 Holzmeister completely redesigned the whole theatre as well as the sqare outside. In 1939/40 the interior was again altered by a stage-designer from the Third Reich, Benno von Arendt. The most recent modifications were by the architects Hans Hofmann and Erich Engels in 1962/63.

260 "Stadtsaal". The former Prince-Archbishops' Winter Riding-school now serves as a foyer and is also used for receptions and exhibitions. Its back wall is the actual rockface of the Mönchsberg. The ceiling frescoes (1690) by J. M. Rottmayr and Christoph Lederwasch were restored by Florian Scheel of Feldkirch, Vorarlberg, in 1926. The lighting and fittings (1926) were designed by Clemens Holzmeister.

262/263 The Mozarteum, the "Konzertsaal" wing and main hall. In 1880 the "Cathedral Music Association and Mozarteum", founded in 1841, became the "International Mozarteum Foundation", its terms of reference being the performance and propagation of Mozart's music and the promotion of Mozart studies. The present "Mozarteum" in Schwarzstrasse was built in 1910/14 to plans by the Munich architect Richard Berndl. It is a late Munich "Jugendstil" building with a "school" wing and a "Festsaal" wing. The latter is surmounted by a gable-relief by Bruno Diamant representing the "Glorification of Music". The cherubs by the candelabra above the main entrance are by Georg Römer. The splendid "Konzertsaal" can seat an audience of about 800. The four-manual organ, with 57 stops and 4,472 pipes, was later replaced by a more modern instrument which was consecrated on 10 January 1970 by Countess Gertrud Arco-Valley, who contributed over half of its cost. The new organ is now known as the "Arco Organ". It was installed by Walker-Mayer & Cie of Guntramsdorf, Lower Austria, in collaboration with the Salzburg organ-builder Hermann Öttl. The greater part of the "School" wing is devoted to the Mozarteum's teaching activities. In 1914 the Mozarteum was promoted to the status of a Conservatorium, and since 1953 it has been a National College of Music and Dramatic Art. The library contains a comprehensive collection of literature on Mozart, and in the archives are letters and original manuscripts by (amongst others) Wolfgang Amadeus Mozart and his father Leopold.

264 The "Kongresshaus". Salzburg's "Kurhaus" was destroyed in an air-raid during the Second World War. In 1953/57 the site was used for a new complex consisting of the "Kongresshaus", the Park Hotel, and the Paracelsus curative establishment on the north and east sides of the former Kurhaus property. On the south side of the Main Congress Hall are three bronze figures designed by the Salzburg sculptor Max Rieder and executed by the Salzburg firm of Kiss.

265 The Museums Platz. The building of the New Festival Theatre meant that a new home had to be found for the contents of the "Haus der Natur" housed in part of the former Court Stables (later barracks). They were eventually transferred to specially converted premises

belonging to the old Ursuline Convent which the Ursulines were prepared to dispose of in order to move further out of the city. At the same time the war-damage to the Salzburg Museum was repaired, and some small ancillary buildings belonging to the Convent, as well as others in the narrow Stiglgasse, were demolished to make room for a new thoroughfare. The little square in front of the "Haus der Natur" also came into being. The former "School" wing of the Convent now houses the Municipal Health Offices and a Maternity Advisory Centre.

266 The Papageno Platz, the Papageno Fountain. The old houses and the remains of the medieval walls on this site were bombed during the Second World War. The work of reconstruction included plans for a small square for which the Municipality commissioned a fountain with the sculpture of Papageno as "a joyous allegory of Mother Nature", taken from Mozart's "Magic Flute" (Paumgartner). The figure was designed and executed by Hilde Heger and cast by the firm of Kiss, both of Salzburg: the stonemasonry is by Heinrich Mayer, also of Salzburg.

267 Kai Gasse 12, the Trakl Fountain. This memorial to the poet Georg Trakl, who was born in Salzburg in 1887 and died in Cracow in 1914, was erected in 1954. It was designed and executed by Toni Schneider-Manzell and cast by Pöll of Vienna.

268/269 The Parsch Parish Church. Salzburg's first modern church was converted from the stables of the last surviving farmhouse on the Weichselbaum estate by "Gruppe 4" (the architects Wilhelm Holzbauer, Friedrich Kurrent, and Johann Spalt). The exterior is unassuming — only the three crosses indicate that the building is a church. One of its most striking features is the belfry, through which the interior derives its daylight. The interior consists of the former low-vaulted stable and a lofty presbytery. Particularly effective are the concentration of light on the altar, and the discrepancy between the heights of the two parts of the church. Among prominent artists who contributed to this church are Oskar Kokoschka (the decoration of the doors), Fritz Wotruba (the crucifix above the north door), Jakob Adlhart (the cross on the altar), and Josef Mikl (the stained-glass windows ribbed with cement).

270 The Herrnau Parish Church. This church is the central feature of a spiritual welfare complex — church, parsonage, Kindergarten, and Eucharistinian convent — that ministers to the new housing estates beyond the Nonntal district. The foundation-stone was laid in 1958 and the church was consecrated in 1962 in the name of S. Erentrudis, the first Abbess of the Nonnberg Convent. It was designed by the Vienna architect Robert Kramreiter. The monumental glass-painting closing the altar-piece from outside was made by Margaret Bilger of Traunkirchen, Upper-Austria.

271 S. Vital Parish Church. In 1970 the archiepiscopal authorities had a new parish church built for the Kendlerstrasse area. As well as the church there is a parsonage, a kindergarten, and a social centre. The interior of the church is square, and a pre-prepared diagonal through the joists of the roof leads to the altar, which is surrounded on three sides by pews and a dais for the choir, and is lit by a fanlight in one corner. The interior is simple to the verge of austerity, and though any kind of ornamentation is deliberately eschewed, the general effect is distinctly impressive. The church was executed by Wilhelm Holzbauer: work started on 25 October 1970 and the consecration was on 22 October 1972.

272 Salzburg-Lehen, the football stadium. This was built by the Municipality to plans by the architects Hans Wiser of Salzburg and Jakob Adlhart of Hallein. Work started on 1 October 1969 and the stadium was inaugurated on 18 September 1971. It holds 17,700 spectators, and beneath the playing-surface is parking-space for 360 cars. Though undoubtedly an impressive example of contemporary architecture, the stadium is badly sited from a town-planning point of view.

274/275 The Pilgrimage Church of Maria Plain and the statuary on the facade. This conspicuous feature of the Salzburg landscape was founded by Archbishop Count Max Gandolph Kuenburg and built by the Court Architect Giovanni Antonio Dario between 1671 and 1674. Its purpose was to house a statue of the Virgin Mary that had been acquired from the Grimming family from Lower Bavaria and had been venerated in Plain since 1652. In 1673 the property

was handed over to Salzburg University, and after the dissolution of the University in 1810 it was acquired by S. Peter's Abbey in 1824/25. The statues of the four Evangelists on the facade date from 1673 and are the work of an unknown artist who was evidently still influenced by Mannerism. Their ascription to the Court Architect G. A. Dario is highly improbable in view of his numerous other commitments (Pretzell).

276—281 Hellbrunn Palace. In 1613 Santino Solari, the architect of the present Cathedral, was commissioned by Archbishop Count Marcus Sitticus of Hohenems to build a country palace near the Waldemsberg (Hellbrunnerberg) on a site that in the 15th century had been an animal reserve. The palace was to be mainly modelled on contemporary Baroque villas outside Rome and Venice. During the first half of the 18th century the ornamental French garden to the south of the palace was redesigned, and towards the end of the century it was extended eastward to link up with a small English garden. The two protruding wings of the somewhat unpretentious main building enclose an approximately square courtyard approached by a long drive lined with one-story outbuildings. The garden with the famous fountains lies to the north and west of the palace and is directly linked with it by the grottoes along the ground floor of the west front. To the north of it a series of small ponds leads to the exedra-shaped and richly decorated enclosing wall, at the foot of which is a large stone table and some stools which will rudely surprise anyone venturing to sit on them: they are part of Hellbrunn's famous aquatic practical jokes. The marble statues by the ponds, in the park, and in the grottoes are by Santino Solari and leading local sculptors such as Hans Waldburger, Konrad Asper etc. The Festsaal on the first floor of the north side of the palace and the adjoining Oktogon are decorated with some very fine murals by a Florentine monk named Fra Arsenio (alias Donato Mascagni) whom Marcus Sitticus also commissioned to supply paintings for the new Cathedral. In the galleries of the lofty Festsaal (two stories high) are allegorical figures symbolising various virtues and characteristics, and on either side are ingeniously contrived perspective views of strrets and buildings against a background of the Uffizi Palace in Florence

and S. Mark's Cathedral in Venice. The "Monatsschlössl" on the Hellbrunner Berg derives its name from having allegedly been built in a single month, much to the surprise of the Archbishop's guest the Archduke Maximilian, the Governor of Tyrol. It now houses the Salzburg Folklore Museum, which is well worth a visit. On the same hill, further south, is the "Steintheater", a natural grotto converted into an open-air stage on the instructions of the theatrically-minded Archbishop Marcus Sitticus. It staged frequent performances of the new "music-dramas" that had been cultivated in Italy, particularly in Mantua, since the late 16th century. A performance of one of these music-dramas at the Steintheater in 1618 is authenticated as having been the first operatic performance north of the Alps.

282/283 Schloss Klesheim. This was built by J. B. Fischer von Erlach in 1700/09 on the instructions of Archbishop Count Johann Ernst Thun, but it was not until minor alterations (including the addition of the portico and terrace) were effected in 1732 at the time of Archbishop Leopold Anton Freiherr von Firmian that it was habitable. The ceremonial apartments are all concentrated in the central section symmetrically to the axis. The tastefully applied stucco-work (1707) is by Paolo d'Allio and Diego Francesco Carlone. J. A. Pfaffinger's couchant stags on either side of the portico are a reference to Archbishop Firmian, in whose coat-of-arms they featured. Before the First World War Schloss Klesheim was the residence of the Archduke Ludwig Viktor, a brother of the Emperor Franz Joseph I. In 1921 it became the property of the Province of Salzburg and from 1938—1945 it was taken over by Hitler's Germany. In 1940/41 it was overhauled and refitted by the architects Strohmayr and Reiter: the flowerbeds were redesigned and a terrace was added at the back. After the Second World War Klesheim reverted to the Province of Salzburg and it is now used for the accommodation of distinguished visitors, official receptions, etc.

284 Looking south. The view from the Nonnberg Convent takes in S. Erhard's Church in Nonntal and beyond it the Salzburg Plain, Hellbrunn and the distant mountains (the Tennengebirge massif with the Hoher Göll and Pass Lueg).

318

Table des illustrations, explications, indications diverses

Couverture: Place de la Résidence vers l'ouest. Au premier plan la fontaine de la Résidence (voir remarques au sujet de l'illustration 136). Derrière, le côté est de l'ancienne Résidence des archevêques-princes de Salzbourg. Les voûtes du Dôme (construites de 1656 à 1660 d'après les plans d'Antonio Dario) relient la Résidence au Dôme du point de vue optique comme aussi réellement. Au fond on voit le Mœnchsberg et l'église des franciscains.

9 Hohen-Salzbourg, vue vers le sud. Panorama de la tour de feu à l'est du haut château sur la tour de Geyer et les toits de la maison de travail vers le sud et sur la plaine du bassin de Salzbourg. Au fond les hautes montagnes avec l'Untersberg et le massif du Hoher Goell.

10/11 Vue du Hochgitzen. Des hauteurs de la chaîne de collines qui s'étendent au nord de la ville de Salzbourg et à sa proximité il y a de nombreuses vues, pleines de charme, sur le bassin de Salzbourg. Au centre, à gauche, le Plainberg. Derrière le Kapuzinerberg, le mont de la forteresse et le Moenchsberg. Ils embrassent le territoire de l'ancienne ville de Salzbourg. Au fond, à droite, l'Untersberg et le Hoher Goell. Adjacente, la coupure profonde du col de Lueg et le Tennengebirge.

12 La ville, vue du Gaisberg. A l'est de Salzbourg s'élève le Gaisberg, haut de 1286 m. La proximité de la ville ainsi que de nombreuses occasions de promenades et des terrains de ski en font la montagne de la ville et un but d'excursions populaires. De ses pentes on jouit d'un vaste panorama. Au nord-ouest, dans la plaine, se trouve un resserrement de la vallée formé par le Kapuzinerberg, le mont de la forteresse et le Moenchsberg au travers duquel coule la Salzach. C'est ce resserrement qui, au temps des Romains et aussi ensuite, pendant le Moyen-Âge, offrit pour le développement de la ville un terrain avec protection naturelle.

15 Salzbourg, vue du Kapuzinerberg. Un coup d'œil du point de vue supérieur de la ville, du Kapuzinerberg, sur la forteresse du Hohen-Salzbourg avec ses bâtiments étendus. Par la «Scharte» (brèche) le château fort est séparé du Moenchsberg qui le rejoint à droite. En bas, on aperçoit les environs du Dôme. A l'arrière-fond, la plaine du bassin de Salzbourg qui est limitée par l'Untersberg et le Lattengebirge.

16/17 La Vieille Cité, vue du bastion de Hettwer. Des anciens ouvrages de fortification du Kapuzinerberg on jouit de nombreuses vues, pleines de charme, sur la ville et ses environs. Le bastion du Hettwer, qui s'élève au-dessus de la ville (voir l'illustration 224), se trouve vis-à-vis de la Vieille Cité et offre une vue favorable sur la formation de ses bâtiments. Derrière les maisons sur le Rudolfskai, dont les fronts qui se suivent rappellent presque un mur, s'élèvent les édifices du prince du Pays, les bâtiments du clergé et des familles de la noblesse, le tout dominé de façon monumentale par la forteresse du Hohen-Salzbourg.

18 Vue sur la ville, du Moenchsberg. Au premier plan, les parois de rochers, taillées de façon unie au-dessus de Neutor. Au fond, à gauche, le bâtiment de l'ancienne université, construite vers 1630, avec l'église collégiale. En arrière, la pente sud du Kapuzinerberg avec le quartier de la Steingasse et le Burglstein. A l'arrière-plan, le Gaisberg. Parmi les arbres, à droite, on aperçoit l'église des franciscains et le Dôme.

23 Vue sur le château fort. Le château fort du Hohen-Salzbourg, appelé «forteresse» par la population et dont le noyau fut construit sous l'archevêque Gebhard, en 1077, subit par la suite de multiples remaniements et fut ainsi adapté aux possibilités alternées d'attaque et de défense. La forteresse s'élève sur un rocher dolomitique allongé, séparé par un abaissement, ou «Scharte» (brèche), du Moenchsberg adjacent. Au pied de celui-ci est situé l'ensemble des bâtiments du monastère Saint-Pierre.

24/25 Hohen-Salzbourg, la chambre dorée. Cette pièce, appelée ainsi à cause de son aménagement somptueux, appartient, avec la chambre à coucher et la salle dorée, à un nouvel ensemble de pièces d'habitation au quatrième étage du château intérieur. Cet ensemble de salles fut construit sur l'ordre de l'archevêque Leonhard von Keutschach en 1501 et 1502. L'aménagement précieux comme couleurs, dorures et riches sculptures en bois est encore conservé pour la majeure partie dans son état original. Grâce aux nombreux détails contenus dans les sculptures en bois, leur somptuosité représentative est, pour ainsi dire, transposée dans le mystérieux et le merveilleux. Les multiples entrelacements des sarments au plafond et aux murs, peuplés d'animaux et d'êtres fabuleux, pourraient être mis en liaison spirituelle avec des personnages et des symboles du monde chrétien. De ce fait l'ensemble, le poêle y compris, paraît avoir été adjoint à un programme de multiples relations, toutefois pas encore interprété, dans lequel le mythe fantastique et la chrétienté salutaire sont enchaînés et reliés à la seigneurie et au pouvoir. Le portail, dans le mur nord de la chambre dorée, conduit dans la chambre à coucher de l'archevêque. Cet accès est pourvu d'une décoration particulièrement riche et de toutes les portes offre un effet des plus somptueux (voir aussi remarques concernant l'illustration 166).

26 Nonnberg, peinture murale romane. Dans l'église gothique de l'abbaye de femmes sur le Nonnberg, fondée ver 700 par saint Rupertus, une partie de l'ancienne église romane du XI siècle a été conservée sous le chœur des religieuses. Les restes d'une peinture murale importante et de haute qualité du milieu du XIIe siècle s'y trouvent encore. Les demi-figures des saints, représentées dans une position frontale, ont une expression d'une gravité profonde et d'une dignité solennelle.

31 Place de la Résidence. Voir remarques concernant les illustrations 136/137 et 193 à 195.

32 Ancienne Résidence, salle des audiences. Cette pièce se trouve au deuxième étage du bâtiment principal, adjacente à « l'antecamera » (antichambre). Le plancher se compose d'anciens parquets en trois nuances. Le stucage est une œvre d'Antonio Camesina de Vienne; les peintures du plafond, avec des scènes de la vie d'Alexandre le Grand, furent effectuées par Johann Michael Rottmayr en 1710. De précieuses tapisseries, accrochées aux murs, représentent des scènes de l'histoire mythique des Romains (exécutées à Bruxelles, vers 1593). Le poêle est une œuvre du maître Peter Pflauder (vers 1783). Les meubles, recouverts de véritables gobelins, furent fournis vers 1775 par la maison H. Jakobs de Paris.

33 Nouvelle Résidence, stucage du plafond. Voir remarques concernant les illustrations 176/177 et 204.

34 Jardin Mirabell. (Voir aussi les illustrations 182/183). Les balustrades en pierre, dans le jardin, sont décorées par des vases de marbre sculptés d'après les esquisses de J. B. Fischer von Erlach. Ils sont en partie dessinés dans son œuvre « Projet pour une architecture historique ».

39 Abreuvoir du Chapitre. L'abreuvoir aux chevaux sur la place du Chapitre fut érigé en 1732 sous l'archevêque Leopold Anton, baron von Firmian. Avant cela, à cet endroit, se trouvait la fontaine aux chevaux avec le Pégase, actuellement placé dans le jardin Mirabell. Le groupe de Neptune est une œuvre de J. A. Pfaffinger, sculpteur de Salzbourg, d'après une esquisse de G. R. Donner (le modèle est au musée de Salzbourg). La couronne du dieu de la mer est un complément plus tardif, datant de 1950.

40 Maison bourgeoise, partie de la cour. Voir remarques concernant les illustrations 102/103.

41 Cimetière Saint-Pierre. La photo fait ressortir la situation unique au point de vue paysage de cet ancien cimetière. De la première arcade, à droite, montée aux anciennes grottes de prière dans la paroi du Moenchsberg, puis à la chapelle Sainte-Gertrude et au-dessus à la chapelle Saint-Maxime (voir aussi remarques concernant les illustrations 145, 226 et 227).

42 Salzbourg en automne. Au cours des journées douces de l'automne tardif, journées attiédies de soleil, se font sentir à Salzbourg, dérivant d'une lumière argentée, mêlée à de tendres couleurs odorantes, des impressions pittoresques et pleines de charme.

46/47 La Vieille Ville. Vue sur l'anse de la rivière dans laquelle l'ancienne cité s'étend, protégée par le mont de la forteresse, le Moenchsberg et la Salzach. La Cité des Princes, ainsi nommée en tant que noyau, se distingue nettement par sa disposition et son aspect de la Cité des Bourgeois qui s'étend le long de la rivière.

48/49 Vue de la tour de l'église de Mulln. La Salzach parcourt, en faisant une courbe, le défilé formé par le Kapuzinerberg et le mont de la forteresse avec, adjacent, le Moenchsberg. Dans la courbe de la Salzach, la Vieille Ville, derrière le Hohen-Salzbourg, sur le Kapuzinerberg le couvent des capucins. Au pied de la montagne, l'ancienne tête de pont et des parties de la nouvelle cité qui remontent après 1850. Au premier plan l'église protestante construite de 1863 à 1867. Les rives de la Salzach furent régularisées après 1850 et agrémentées de promenades. A l'arrière-plan le Rauchenbichl, l'Alpe d'Erentrudis et, en arrière, le Schwarzenberg.

50/51 Vue du rempart des bourgeois. Les bâtiments du seigneur du pays et du clergé (Cité des Princes) ressortent distinctement comme centre, ainsi que le long de la rivière la masse des maisons des bourgeois (Cité des Bourgeois). Au-dessous du Hohen-Salzbourg le quartier monacal de Saint-Pierre. A gauche, l'église des franciscains et le Dôme. Derrière, sur le Nonnberg, le monastère des religieuses fondé vers 700. Au premier plan, à droite, le complexe des palais des festivals, vis-à-vis le bâtiment de l'ancienne université avec l'église collégiale. Entre les deux la Hofstallgasse réalisée par l'archevêque Wolf Dietrich. Au bord inférieur de la gravure la place Siegmund et l'abreuvoir aux che-

vaux. A gauche, la Cité Bourgeoise avec la Getreidegasse et l'hôtel de ville. A l'arrière-plan le Kapuzinerberg; le Gaisberg avec le Rauchenbichl, l'alpe d'Erentrudis et le Schwarzenberg.

52 Vue du bastion de Hettwer. Derrière la rangée des maisons bourgeoises, à gauche, le nouveau bâtiment de la Résidence avec le carillon. A droite, le Dôme, entre les deux la tour Saint-Michel, la plus ancienne église paroissiale de la ville. A l'arrière-plan la forteresse du Hohen-Salzbourg avec les puissants murs et les ouvrages de défense avancés.

53 Le quartier du Dôme. Au premier plan, à droite, le monastère des franciscains, la Hofstallgasse, vis-à-vis le Collegium Rupertinum du comte de Lodron (internat) et le bâtiment de la chapelle de l'archevêché, derrière la façade occidentale de l'église des franciscains, la place du Dôme et le Dôme, à gauche, la tour avec le carillon.

54 Vue du bastion du chat. Au premier plan la tour de l'église Saint-Pierre (romane), remaniée en 1756 et munie d'une coupole baroque. A côté l'église des franciscains avec son vaisseau roman et le chœur gothique adjacent, derrière l'église collégiale. Sur la rive droite le château Mirabell.

55 Tours. Au premier plan le chœur élevé et la tour de l'église des franciscains, munie d'une coupole baroque en 1670, remaniée en style gothique en 1866 et 1867. (Photo prise avant la restauration du clocher en 1969). A droite, la tour nord du Dôme, achevée en 1655 avec l'étage surélevé. Entre les deux la tour du bâtiment de la nouvelle Résidence, sur laquelle le carillon fut installé en 1702. A gauche de l'église des franciscains le lanterneau de Saint-Michel.

56 L'église des franciscains. Le basvaisseau roman fut construit de 1208 à 1223. Le chœur surélevé commencé en 1408 (maître Hans de Bourghausen) et achevé au cours de la deuxième moitié du XVe siècle. La tour fut élevée entre 1486 et 1498.

57 Le Dôme vu du Moenchsberg. Au premier plan, la place du Dôme, qui forme un genre d'atrium, est limitée à l'est par la façade en marbre de la cathédrale, construite de 1614 à 1628. Projetée par Santino Solari, achèvement des tours de 1652 à 1655. A gauche, vue sur la place de la Résidence et sur celle de Mozart; au fond, le Kapuzinerberg, pente sud. Devant, l'hôpital des accidentés.

58 Vue du Hoher Weg (chemin élevé). Il conduit par la pente nord du mont de la forteresse au couvent de Nonnberg. Derrière la Résidence archiépiscopale actuelle, le Dôme et l'église des franciscains, entre ceux-ci la coupole de l'église collégiale, à l'arrière-plan, le Moenchsberg et l'ancien phare.

59 Le Dôme vu du Hoher Weg. Le Dôme s'élève d'une manière impressionnante au-dessus des bâtiments environnants. A gauche, la tour de l'église des franciscains, à l'arrière-plan, le Moenchsberg avec le «Café Winkler».

60 Coupoles et tours. Devant, l'ancienne université avec l'église collégiale, en arrière, le Dôme et l'église du monastère de Nonnberg.

61 L'église collégiale. Au premier plan, l'hôtel de ville, construit à l'emplacement actuel en 1407. Derrière l'église collégiale, sur le Moenchsberg, le château d'Edmond, bâti en 1696 sous l'abbé Edmund Sinnhuber de Saint-Pierre (aujourd'hui centre de recherches international).

62 L'église collégiale, dos. De tous les bâtiments de J. B. Fischer von Erlach à Salzbourg l'église collégiale est l'œuvre la plus mûre. Son aspect est une preuve de la maîtrise de l'architecte et en même temps de sa volonté de façonner en tant que sculpteur.

63 Nonntal, église Saint-Erhard. Le chapitre du Dôme fit reconstruire de 1685 à 1689, près de l'hôpital de ses domestiques, l'église Saint-Erhard, d'après les plans de Caspar Zugalli. Adjacentes et des deux côtés de l'église, les ailes de l'hôpital pour hommes et pour femmes, bâties à partir de 1676.

64 Coupole de l'église Saint-Gaétan. L'archevêque Max Gandolf fit venir en 1648 les théatins. Construction du couvent de 1685 à 1700, d'après les plans de Caspar Zugalli, avec l'église sans tour selon les règles de l'ordre. L'église et l'aile de l'ancien couvent forment un bâtiment d'une unité complète. Ce qui saute particulièrement aux yeux, c'est la coupole transversale en ovale d'une hauteur de 35 m. Plus tard, le couvent hébergea l'hôpital de la garnison, actuellement hôpital des frères de la charité.

65 Vue sur Saint-Erhard. Eglise du côté sud, au pied du Nonnberg. Petit bâtiment

central avec coupole ronde sur un haut soubassement circulaire.

66 Moenchsberg, vue vers l'est. Derrière les bâtiments, parcs et autres emplacements datant de la deuxième moitié du XIXe siècle, le centre est dominé par «l'ancien Borromaeum». Un palais encore bien conservé, élevé en son temps dans cette partie de la ville par l'archevêque Paris, comte de Lodron, comme siège de sa famille. A droite, l'église de la Trinité. Le long du Kapuzinerberg, la Linzer Gasse avec l'église Saint-Sébastien. A gauche du Kapuzinerberg, le Furberg, derrière le Gaisberg, le Nockstein, pic aigu.

67 Vue du Kapuzinerberg. Au premier plan, le quartier du quai de l'est avec l'ancien couvent de Saint-Gaétan. Au-dessus des maisons des bourgeois de la place Saint-Gaétan et de la rue du Quai, le couvent des bénédictines de Nonnberg. Plus haut la forteresse du Hohen-Salzbourg avec les puissants ouvrages avancés devant le haut-château. Au fond le marais de Leopoldskron et l'Untersberg.

68 Paysage du Kapuzinerberg. Le Kapuzinerberg se compose dans sa masse principale surtout des rochers dolomitiques, sur lesquels se sont déposées des plaques calcaires et au pied, du côté sud, plus plat, des couches de marne (Seefeldner). Il a environ 230 m de haut avec un sommet tronqué. Cependant le côté nord tombe en parois abruptes. Sur les pentes, s'élevant vers la cime, il y a de bons chemins. Ils vous conduisent à des points où se trouvent des bancs pour se reposer et jouir de la vue sur la ville et ses environs. En partant de deux point dans la ville (Linzer Gasse et Steingasse) la montée n'est pas difficile. Un troisième chemin du côté nord, mais celui-là étroit et abrupt, part de Schallmoos-Gnigl et mène au sommet. Au bastion de Hettwer, au-dessus du couvent des capucins, d'où s'offre une vue incomparable et étendue sur la vieille cité, on entend encore distinctement le bruit du trafic animé de la ville. Lorsqu'on traverse la porte barbacane située à l'est du couvent, on a de plus en plus l'impression en montant vers le sommet que la nature est restée là encore presque vierge. Ici se perd le bruit de la ville.

69 Le rocher du Nonnberg est un conglomérat (gompholite) qui s'est formé au cours de l'âge tertiaire par des dépôts des galets divers de la Salzach et de ses affluents. Dans l'eau calcaire ces galets

se sont cimentés avec le sable et le limon. Lorsqu'un nouvel avancement des glaciers, venant des montagnes, leva ces dépôts, ils ne purent se maintenir que sur quelques endroits au fond du bassin, particulièrement derrière l'écueil dolomitique du mont de la forteresse. Là, ils forment actuellement les hauteurs du Moenchsberg et du Rainberg (Seefeldner). Le point le plus élevé du Moenchsberg se trouve à 100 m au-dessus du niveau de la Salzach. Sur la montagne, où l'on a construit quatre grands réservoirs pour l'approvisionnement de la ville en eau, les maisons sont clairsemées et le passage des véhicules motorisés généralement interdit. Des accès passant par les anciennes fortifications, deux escaliers et un ascenseur, permettent d'arriver facilement au haut du plateau. Celui-ci est richement boisé et offre, sur des chemins bien entretenus, des promenades reposantes avec des vues pittoresque, en bas, sur la ville et des panoramas lointains aux environs.

70 Vue sur le Pont d'Etat et le Kapuzinerberg. Vis-à-vis du Pont d'Etat, des maisons de l'ancien faubourg «enthalb ach». Derrière, le Kapuzinerberg avec une partie des fortifications des monts de la ville érigées sur l'ordre de l'archevêque Paris von Lodron. Au-dessus du bastion de Hettwer, le couvent des capucins. A l'arrière-plan, le Gaisberg.

71 L'église de la Trinité vue du Moenchsberg. Au centre, une vue sur la place Makart dont l'impressionnante clôture architectonique est formée par l'église de la Trinité avec les bâtiments adjacents de l'école des pages et du séminaire. Devant, en bas et à gauche, le Landestheater (Théâtre du Pays de Salzbourg). Au pied du Kapuzinerberg, la Linzer Gasse et l'église Saint-Sébastien. (Voir il. 157.)

72 Le Pont d'Etat. Nouvellement construit de 1941 à 1947 le Pont d'Etat est, comme l'était son prédécesseur, l'artère principale du trafic vers la Vieille Cité. Au premier plan des maisons de l'ancien faubourg «Am Stain». Sur la rive opposée de la Salzach, un front clos, à la manière d'un mur, des bâtiments des bourgeois. A gauche, l'ancien hôtel de ville. En arrière, à droite, l'église collégiale et adossé à la paroi du Moenchsberg, le bâtiment contenant la scène du grand palais des festivals.

73 Le quartier du Dôme, vu du chemin du bastion. Au premier plan des maisons de l'Imbergstrasse et la passerelle Mozart. Sur la rive gauche, restes des anciens remparts de la ville et l'Imhofstoeckl. Derrière, la place Mozart et celle de la Résidence, le nouveau Bâtiment de la Résidence avec le carillon, le Dôme et l'ancienne Résidence. Devant, l'église Saint-Michel.

74 Hohen-Salzbourg, vue sur le Dôme. Vue du chemin de ronde du mur d'enceinte sur la place du Chapitre et sur le Dôme. Au premier plan la tour de guet du bastion de Kuenbourg. A droite et au-dessus, l'ordinariat archiépiscopal et les maisons des chanoines. Derrière le Dôme, la place de la Résidence avec les maisons de la cité des bourgeois. A gauche, vers le sud, les voûtes du Dôme, en tant que jonction entre le Dôme et l'abbaye Saint-Pierre; derrière, la place du Dôme et l'ancienne Résidence des archevêques-princes; plus loin les maisons de la ville bourgeoise et la tour de l'hôtel de ville.

75 Vue du bastion de Kuenbourg. En bas, le fossé avec le pont vers l'entrée dans le domaine du château. La porte se trouve dans la puissante «tour du bourgmestre», construite sous l'archevêque cardinal Matthaeus Lang en 1523 et munie de canons. Dans la vallée l'ancien couvent de saint Gaétan. Au delà de la rivière l'hôpital des accidentés.

76 La Vieille Ville vers l'ouest. Au premier plan le quartier de l'abbaye Saint-Pierre, avec le cimetière, l'église de l'abbaye, la chapelle Sainte-Marguerite, la monastère et ses dépendances. Derrière, à gauche, petit et grand palais des festivals et manège des rochers, séparés par la Hofstallgasse de l'église des franciscains, de l'église collégiale et de l'ancienne université. Devant les pentes du Moenchsberg, l'hôpital des bourgeois et l'église des ursulines. A l'arrière-plan, à droite, l'église paroissiale de Mulln.

77 Vue sur le couvent de Nonnberg. Vue du bastion de Kuenbourg vers l'est, par dessus le toit du «couloir des couleuvrines» sur le couvent des bénédictines de Sainte-Erentrudis, sur le Nonnberg. L'église, à l'ouest, date du XIIᵉ siècle. Après un incendie au XVᵉ siècle elle fut reconstruite. L'ensemble sobre du couvent est composé de bâtiments allant du XIIIᵉ siècle jusqu'au XIXᵉ siècle. Les maisons dans le «Nonntal» (vallée des nonnes) datent des XIXᵉ et XXᵉ siècles.

78 Kapuzinerberg, vue vers le sud. Au

premier plan, le rempart et la tour de guet des anciennes fortifications de la ville, érigées sous l'archevêque Paris von Lodron, vers 1630. Au milieu la passerelle Mozart qui mène, en traversant la Salzach, dans le quartier de l'ancienne porte Saint-Michel. Vers le sud les anciennes maisons de chanoines, la coupole de l'église Saint-Gaétan et sur une terrasse du mont de la forteresse, le couvent des bénédictines de Nonnberg. A l'arrière-plan, Rauchenbichl, l'alpe d'Erentrudis et le Tennengebirge.

79 Vue de la terrasse de Humboldt. Une partie des rochers du Moenchsberg saille comme une chaire au-dessus de la Klausentor. Beau panorama. Au premier plan le couvent des ursulines avec l'église. Celle-ci fut construite de 1699 à 1705, probablement d'après des plans de J. B. Fischer von Erlach. Derrière la Vieille Ville avec la Cité des Princes qui ressort en dominant le tout.

80 L'église de Mulln. Mulln était autrefois un faubourg avec sa propre église et tous les traits caractéristiques d'une ville indépendante (le nom vient des moulins se trouvant dans la région). L'église, significative par sa situation pour l'aspect de la ville, date du XVᵉ siècle et fut remaniée au cours du XVIIᵉ et du XVIIIᵉ siècle. La maison des lépreux est située dans la rue principale (on en trouve les preuves dès le XVᵉ siècle) avec l'église actuelle datant de 1714.

82 Les maisons du quartier «am Stain». Au premier plan les maisons de la Griesgasse. Au delà de la Salzach la partie la plus ancienne de la tête du pont qui y fut érigée en 1408, nommée «Am Stain» dans les archives (le nom vient des rochers du Kapuzinerberg). Autrefois la rue principale vers le sud longeait la partie occidentale du rocher. Jusqu'au milieu du XIXᵉ siècle la face postérieure des maisons de la Steingasse tombait directement dans la rivière, ce qui favorisa l'établissement des artisans ayant besoin de beaucoup d'eau pour leur métier (tanneurs, teinturiers, potiers). Le quai actuel date de la deuxième moitié du XIXᵉ siècle. Au-dessus des maisons sur la pente de la montagne, les remparts des anciennes fortifications du Kapuzinerberg. A gauche la tour de la petite église Saint-Jean sur l'Imberg. Mentionnée en 1319 dans les archives, reconstruite en 1681. Intérieur de la seconde moitié du XVIIIᵉ siècle. Au-dessus le couvent des capucins.

83 La Cité des Bourgeois vue du rempart des bourgeois. De petites places, des rues étroites et tortueuses, de hautes maisons resserrées, collées l'une à l'autre, sont le signe caractéristique de la Cité des Bourgeois. Elle embrasse surtout, comme une ceinture étroite, le quartier princier. Les vieux toits à fossé caractéristiques sont malheureusement déjà remplacés par d'autres toitures. Au premier plan l'église de l'ancien hôpital des bourgeois. La seule rue, ici, est la Getreidegasse.

84 Près du Steintor (porte de pierre) intérieur. Steingasse, à droite, la maison No. 15 avec portail en style renaissance, au-dessus les armes du bourgmestre Wolf Dietrich Fuller (1568) et la devise: «ma vie et sa fin toujours dans la main de Dieu». Au fond la porte de Jean ou de Stein, à laquelle en 1634 Paris Lodron fit ajouter du côté sud l'avant-corps actuel. (voir il. 222).

85 Judengasse (rue des juifs). Le nom prend probablement son origine de l'école juive se trouvant autrefois dans le restaurant actuel de Hoellbraeu (maison à gauche avec au mur la statue de saint Michel). Au fond la place de Waag, la plus ancienne place du marché de la ville.

86 Judengasse. Mentionnée dans les archives en 1395 (Zillner). Les maisons sont construites selon les usages du XVᵉ et du XVIIᵉ siècle, les façades pour la plupart datent des environs de 1800. Hôtel de ville, érigé en 1407, refait en 1616 tel qu'il se présente encore aujourd'hui, tandis que la façade date de 1772. Avant le remaniement de la ville par Wolf Dietrich, la Judengasse était, avec la Pfeifergasse et la Kaigasse en passant par la Getreidegasse, l'unique voie de communication à travers la vieille ville de Nonntal à Mulln.

87 Getreidegasse. La Getreidegasse était la rue principale de la Vieille Ville bourgeoise. Au XIIᵉ siècle on la nommait Tragasse ou Trabgasse (trabig — vite, animé). La plupart des maisons dans le style des anciennes habitations des patriciens de Salzbourg. Des façades richement décorées, des cours représentatives. De nombreuses enseignes de fer forgé du XVIᵉ au XVIIᵉ siècle.

88 Getreidegasse. A l'arrière-plan, à gauche, l'ancien hôtel de ville.

89 Linzer Gasse. Sur la rive droite, importante rue de sortie du quartier vers le sud-est. La rangée de maisons à droite fut reconstruite après l'incendie de 1818. L'église Saint-Sébastien, érigée de 1505 à 1512, élargie de 1749 à 1753, en 1818 incendiée et reconstruite en 1822. Dans le cimetière se trouve le mausolée de Wolf Dietrich avec de nombreux tombeaux d'importants citoyens et patriciens de Salzbourg, comme ceux de Paracelse et de la famille Mozart.

90 Mullner Hauptstrasse (rue principale de Mulln). Des maisons avec des façades sans ornements du XVIe siècle jusqu'au commencement du XIXe siècle. La fontaine (1727, du tailleur de pierre Sebastian Stumpfegger) rénovée en 1879 et en 1950.

91 Vieux Marché. Au cours de l'élargissement de la ville (XIe au XIVe siècle) l'ancien marché des bourgeois fut transféré de la place Waag au « Vieux Marché » actuel. Ici furent bâties des maisons d'habitation pour la plupart représentatives.

92 Vieux Marché, fontaine de Saint-Florian. Le bassin et la colonne de la fontaine municipale qui s'y trouvaient déjà au XVIe siècle furent rénovés de 1685 à 1687. Grille de clôture du maître Wolf Gumpenberger vers 1583. La statue de saint Florian du sculpteur J. A. Pfaffinger (1734).

93 Place de l'université, marché aux légumes et aux fruits. La construction de l'ensemble des bâtiments de l'université eut comme résultat que l'arrière-front des maisons de la Getreidegasse dut être réadapté. La petite place qui en résulta, se resserrant vers l'ouest dans une sorte de rue, est utilisée le matin des jours ouvrables pour la vente de légumes, de fruits et de fleurs (Grunmarkt). La maison No. 14 est la maison natale de Mozart, vue de dos. Façade du XVIIIe siècle.

94 Maison moyenâgeuse de bourgeois. Dos de la maison No. 18 de la Steingasse qui, autrefois, se trouvait directement au bord de la rivière (voir il. 84). Elle existait déjà au début du XVe siècle, fut remaniée au XVIe siècle et parfaitement restaurée en 1969.

95 Maison bourgeoise, Brodgasse. La maison fut déjà mentionnée dans les archives en 1374 (Danklein) et en 1399 (Helyas, la maison de Chramer). Jusqu'à nos jours elle a bien conservé l'ancienne structure du bâtiment. L'espace limité dans la cité bourgeoise impose le

développement de maisons hautes dont les fronts à trois fenêtres à l'origine se développèrent au cours des siècles en fronts de quatre fenêtres et plus. Les façades sont pour la plupart sans ornements, des arcades et des saillies manquent presque entièrement. Des décorations et des stucs sont limités aux cadres des fenêtres.

96 Gorge, clôture du mur de maison. Depuis le XVIIe siècle les murs extérieurs des maisons se terminaient pour la plupart en haut par une gorge, décorée d'une inscription ou d'une sentence de la famille. La maison No. 29 de la Gstaetten-gasse, construite en 1676, après le grand éboulement de la montagne en 1669, fut gravement endommagée au cours d'un bombardement en 1944.

97 Le toit à fossés typique. Derrière les murs extérieurs de la maison, surpassant le toit et perpendiculaires à la façade, se trouvent quelques toitures basses sur pignons, l'une à côté de l'autre. De ce fait se forment des fossés, d'où l'eau de pluie est conduite dans les gouttières qui, sur le mur extérieur, commencent au-dessous de la gorge (voir il. 96). Ce genre de construction n'est pas italien, car il est prouvé qu'il fut employé avant la Renaissance et l'apparition des maîtres constructeurs velches.

98 Maison moyenâgeuse de la ville. Elle existait déjà en 1404. Plus tard propriété de diverses familles nobles. Au XVIIe siècle en possession du chapitre du Dôme, sécularisée après 1800 et actuellement propriété d'état.

99 Escalier dans une ancienne maison. La maison au No. 10, Judengasse, premier étage. Datant du XVe siècle. L'ancienne cage d'escalier est conçue en vue d'économiser de l'espace, le plus souvent anguleuse et sombre. L'escalier raide, avec des marches en marbre ou en gompholite, est étroit et en colimaçon. A ses pieds, la plupart du temps au rez-de-chaussée, mais souvent aussi dans les étages, des piliers de marbre ou de gompholite, isolés ou dans les murs, supportent le plafond.

100 Stuc de voûte, XVIIe siècle. La maison No. 5, Sigmund-Haffner-Gasse, rez-de-chaussée. Dans les maisons de bonnes familles, mais aussi dans celles des commerçants de haute renommée, se manifestent sous une forme bourgeoise une volonté de culture et un sens pour les arts.

101 Plafond, XVe siècle. 5, Kaigasse. Pendant les dernières décennies on a découvert, au cours de travaux de rénovation, quelques plafonds du Moyen-Âge tardif. Ils montrent une disposition des poutres comme celle qu'on voit dans les maisons de paysans, mais souvent richement taillées et profilées, ressemblant aux poutres de plafonds dans les salles de la forteresse du Hohen-Salzbourg.

102/103 Cour avec arcades, le passage Schatz. Cour avec arcades, 14, Sigmund-Haffner-Gasse. Les maisons de la Cité des Bourgeois, pour la plupart très profondes dans leur agencement, avaient besoin de cours pour l'éclairage des pièces de la partie postérieure. A chaque étage des couloirs entourent la cour et établissent séparément des communications avec les maisons adjacentes voisines. Avec la vulgarisation de la construction en pierre, au lieu d'anciennes constructions en bois, ici aussi on se mit à bâtir des arcades (la plupart datent du XVIe siècle) dont le matériel des piliers de support changeait d'étage en étage, passant alternativement du marbre rouge au gompholite. Cependant à l'étage supérieur les supports se faisaient en bois.

104 Gstaettengasse, boulangerie. La maison du No. 4, Gstaettengasse, existait déjà selon toute vraisemblance au XVIIe siècle. Au début du XVIIIe siècle on l'appela, suivant le nom de son propriétaire d'alors, la « maison du boulanger Thaler ». Le métier de boulanger s'est maintenu dans la maison jusqu'à nos jours, ainsi que la construction ancienne de la petite « boutique sur la rue ».

105 Maison avec passage, 6, place de l'université. Lorsque au cours du XVIIe siècle l'université fut érigée sur le terrain de l'ancien « parc des femmes », les dos des maisons de la Getreidegasse furent complétés. La communication entre le quartier de l'université et la Getreidegasse fut établie par les entrées des maisons et les passages à travers les cours. De nos jours les « maisons avec passages », ainsi conçues, se présentent pour la plupart avec des magasins dans leurs passages.

106 Maison de patricien, partie d'une cour. La maison du No. 4, place Mozart, est une maison de patriciens et date du XVIe siècle; remaniée de 1760 à 1770. Dans l'aile nord de la deuxième cour, chapelle datant du XVIIIe siècle.

107 Schallmoos, Robinighof. Bien du chapitre, construit après l'assèchement du marais de Schallmoos; acquis en 1744 par J. G. Robinig, de la noblesse impériale de Rothenfels, marchand de fer originaire de Villach; rénové vers 1770. Exemple d'une maison bourgeoise en style rococo avec les pièces de l'économie, les écuries et les étables sous le même toit, comme dans les fermes. Le père et le fils Mozart étaient en relations amicales avec la famille Robinig.

108/109 Ancien hôpital des bourgeois. L'hôpital des bourgeois fut fondé en 1327. Les bâtiments de l'hôpital nouvellement érigés de 1556 à 1570. Les couloirs menant aux cellules des bénéficiers, dans les deux étages donnant vers la montagne, furent détruits en 1944 au cours d'un bombardement; reconstruits en 1954 et 1955 dans l'ancien état.

110/111 Eglise des franciscains. Vaisseau construit vers 1220, chœur de 1408 jusqu'à 1450 du maître Hans de Bourghausen (maître-autel d'après des plans de J. B. Fischer von Erlach, érigé en 1709 à la place du triptyque en gothique tardif, créé par Michael Pacher, originaire de Bruneck, de 1486 à 1498). Sur le maître-autel, la Vierge assise; l'enfant Jésus renouvelé dans un genre moderne, l'unique reste sculpté de l'autel de Pacher. Les statues latérales de saint Florian et de saint Georges sont une œuvre du sculpteur Simeon Fries, 1709.

112 Eglise des franciscains, portail du sud, tympan. Portail à étagements multiples qui, alternativement, passent du rouge au blanc. Dans le panneau sous l'arc, au-dessus de la frise avec des spirales de vigne, Jésus et deux saints tenant des modèles d'église. Début du XIIIe siècle.

113 Eglise de l'hôpital des bourgeois. Eglise gothique à étagement ininterrompu et à trois vaisseaux de l'hôpital des bourgeois dont la fondation date de 1327, consacrée en 1350. A l'intérieur, vers l'est, chœur quadratique qui se termine tout droit vers le haut. Une partie du vaisseau dans toute sa largeur est occupée par une tribune pour les bénéficiers. L'intérieur date pour la plupart du XVIIIe siècle.

114 Eglise Saint-Sébastien, portail principal. Projet de F. A. Danreiter, inspecteur des jardins de la cour, statues de J. A. Pfaffinger de 1754, portail de l'entrée de 1822, grille de l'imposte en fer forgé de Philipp Hinterseer, datant de 1752.

115 Eglise Saint-Sébastien, grille de clôture. Eglise de la « maison des frères » construite en 1496 (hôpital et asile surtout pour des pauvres qui n'étaient pas originaires du pays et des infirmes. Plus tard hospice pour les domestiques). L'église fut construite de 1505 à 1512, remaniée en baroque de 1749 à 1755 (architecte Kassian Singer, originaire de Kitzbuhel). Gravement endommagée lors de l'incendie de la ville en 1818. La grille de clôture, importante œuvre d'art, fut créée par Philipp Hinterseer, forgeron de la cour.

116 Eglise de l'hôpital des bourgeois, salle gothique. La salle, appelée actuellement « salle gothique », est la partie arrière de la tribune qui fut construite et ajoutée à l'église des bourgeois au cours du premier quart du XVe siècle. Vers 1570 elle s'écroula avec une partie de la voûte de l'église. Lors de la reconstruction et en appliquant des couches de mortier sur la voûte on lui donna l'aspect d'un éventail. La tribune, destinée surtout aux bénéficiaires de l'asile, fut aménagée en 1865, par l'élévation de murs mitoyens, pour servir à des buts divers. Ce n'est qu'en 1950 que l'on commença la restauration, qui traîna longtemps et qui ne fut terminée qu'en 1972. Grâce à la construction d'un accès séparé et des pièces dépendantes nécessaires on peut l'utiliser pour des manifestations publiques.

117 Porte cochère, No. 4, place Mozart. Maison qui fut au XVIIIe siècle la propriété des seigneurs von Rehlingen (voir aussi il. 106 et 123).

118 Entrée de la maison No. 4, Pfeifergasse. Si on trouve rarement des portails du Moyen Âge tardif, on en trouve aussi rarement du début du XVIIe siècle. Au-dessus du fronton un bas-relief en marbre rouge, peut-être originaire de l'ancien cimetière du Dôme.

119 Portail de la maison No. 46, Steingasse. Portail de l'année 1568 en marbre rouge, panneau sous la voûte avec les armes et le nom du propriétaire d'alors, le bourgeois Hans Steinhauser et orné de la devise « Oberserve-le éternellement ». L'encadrement de la porte est décoré de cinq médaillons orbiculaires dont trois sur le linteau (à gauche : blason avec panthère et l'inscription circulaire « Warbara Widmerin », à droite : bouquetin cabré et le nom « Warbara Praunin », au milieu : insigne de la maison ou du commerce). Sur chaque jambage un médaillon (à gauche : blason avec deux pattes de griffon croisées, à droite : insigne de la maison avec un S).

120 Caisse d'épargne de Salzbourg, portail principal. Ce portail est le portail du mont de piété construit en 1747 vis-à-vis de l'église de la Trinité et démoli en 1906. En 1951, lors de la reconstruction de la centrale de la caisse d'épargne sur le Vieux Marché, le portail fut encastré dans le bâtiment.

121 Ancien hôtel de ville, portail. Portail datant de 1675, statue en marbre de la « Justitia » de Hans Waldburger. 1616, battants de la porte et grille de l'imposte de 1772.

122 Maison natale de Mozart, portail dans la Getreidegasse. 9, Getreidegasse, autrefois maison du pharmacien de la cour. Portail de marbre datant de 1730 environ, comparez aussi la note concernant l'illustration 231.

123 Portail, 4, place Mozart. Magnifique portail en marbre, les battants en bois recouverts de tôle de fer. Ornements forgés et rivés sur le bois.

124 Getreidegasse, entrée d'un magasin. No. 5, Getreidegasse, la maison Zezi. Exemple de la ferronnerie d'art, métier qui fut particulièrement florissant dans la ville au temps du baroque, vers 1760.

125 Getreidegasse, enseigne de restaurant. Enseigne de la brasserie Stern. Riche ferronnerie dans le genre de Philipp Hinterseer, vers 1760.

126 Sigmund-Haffner-Gasse, lion roman. Le « Langenhof », palais des seigneurs de Kuenbourg, construit en 1670. Dans le passage vers la cour, à droite, lion roman, vers 1150. Sur la plaque que tient l'animal, on loue un frère Bertram en tant que maître. La sculpture de haute qualité est probablement originaire du Dôme roman. Il y a différentes opinions sur l'endroit dans le Dôme où elle fut employée comme appui.

127 Eglise de l'hôpital des bourgeois, voûte. Voir remarques de l'il. 113.

128 Portail de l'hôtel de ville, Justitia. Voir il. 121.

129 Eglise de l'hôpital des bourgeois, bas-relief de saint Sébastien, œuvre de Konrad Aspers, originaire de Constance. Exécutée vers 1615 sur commande de l'archevêque Marcus Sitticus pour la nouvelle porte de Linz ou de saint Sébastien, dans la Linzergasse. La porte fut démolie en 1894. Le bas-relief placé sur l'église en 1956.

130 Eglise des franciscains, sculptures de la chaire. Lion, sous lequel se trouve un homme cuirassé qui enfonce un glaive dans le corps de l'animal. Marbre, XIIe siècle.

132/133 La vieille ville vue de la tour de l'église protestante Derrière les maisons des bourgeois, ressemblant par leur uniformité à un mur, les magnifiques bâtiments de la Cité des Princes devant la forteresse monumentale du Hohen-Salzbourg. La différence de hauteur des bâtiments, distinctement perceptible, reflète une mise en évidence de la structure sociale: bourgeois, seigneurs, Dieu. Entre les nombreuses vieilles églises de Salzbourg, le Dôme, l'église de l'archevêque, surpasse puissamment toutes les autres.

134/135 Vieille Ville vue du bastion Kuenbourg. D'ici aussi la «Cité des Princes» avec ses grands, ses magnifiques bâtiments et ses vastes places se détache distinctement de la masse compacte de la «Cité des Bourgeois» qui l'entoure. La conception et la structure font du Dôme, du point de vue architectonique et spirituel, le centre de la Cité des Princes. Au lieu de la cathédrale moyenâgeuse et de l'église romane construite au cours du XIIe siècle qui fut détruite par un incendie en 1598 et démolie après une rénovation mal réussie, l'archevêque Wolf Dietrich von Raitenau eut l'idée d'une nouvelle construction. Un projet élaboré en 1606 par Vincenzo Scamozzi, élève de Palladio, ne fut pas réalisé. La pose de la première pierre eut lieu en 1610, d'après un nouveau plan de Scamozzi ou de son fils adoptif Franzesco de Gregorii. L'archevêque Marcus Sitticus von Hohenems, successeur de Wolf Dietrich, fit poser en 1614 la première pierre du bâtiment actuel. Le plan fut conçu par Santino Solari, Comasque de Verna. L'édifice fut consacré en 1628. Les tours ne furent achevées que de 1652 à 1655. Du côté nord-ouest, tel un atrium le

précédant, se trouve le carré régulier de la place du Dôme. Les voûtes adjacentes, des deux côtés de la façade de l'église (1658 à 1663, architecte Giovanni Antonio Dario), assurent la communication avec les places environnantes. Elles réunissent aussi la Résidence et le couvent Saint-Pierre directement avec le Dôme et de ce fait indiquent la racine historique et «l'unité d'autrefois des pouvoirs spirituel et temporel» (Fuhrmann). Au premier plan de l'illustration on aperçoit la place du Chapitre, à gauche, la cure du Dôme, le bâtiment de l'abbaye Saint-Pierre, derrière, l'église des franciscains et l'église collégiale; à droite, le nouveau bâtiment de la Résidence, devant on distingue les anciennes maisons du chapitre et canoniques. Vis-à-vis de la tour du carillon apparaît l'église Saint-Michel, au fond, à droite, le Kapuzinerberg avec des maisons de l'ancien faubourg «Am Stain»; à gauche du tout on aperçoit la Nouvelle Ville avec le château Mirabell, l'église Saint-André en style nouveau gothique (façade transformée en 1970/1971), l'église de la Trinité et l'église protestante construite de 1863 à 1867 au bord de la Salzach.

136/137 Place de la Résidence. Au cours du renouvellement de la ville, conçu par l'archevêque Wolf Dietrich, ce dernier fit aplanir le couvent du Dôme, le cimetière du Dôme et plus de cinquante bâtiments autour de l'ancienne cathédrale. Ainsi il obtint l'espace pour les quatre grandes places contournant le Dôme. La place de la Résidence avec la fontaine, probablement une œuvre de Tommaso di Garona, est, quant à sa disposition, une des places de la ville faisant le plus d'effet. A gauche l'église Saint-Michel, dépendant de Saint-Pierre, à droite, le nouveau bâtiment de la Résidence. A côté, la place Mozart avec le monument de Mozart (érigé en 1842).

138 Place du Dôme. Le carré régulier de la place du Dôme, limité de tous les côtés par des édifices, se présente comme un atrium grandiose. Le premier plan est dominé par le monument de la Vierge, d'après le projet de Wolfgang Hagenauer, architecte de la cour (statues de son frère Johann B. Hagenauer), érigé de 1766 à 1771. Les travaux de la façade du Dôme, d'après un projet de Santino Solari, durèrent de 1614 jusqu'à 1628. Les statues monumentales, à gauche et à droite, à l'extérieur et faisant partie de la façade, représentent saint

Rupertus et saint Virgile (œuvre de Bartlmae Obstall 1660). Les statues à l'intérieur (saint Pierre et saint Paul) furent créées en 1697 et 1698 par Bernhard Michael Mandl. Les quatre évangélistes au-dessus de la balustrade et les statues du Sauveur, de Moïse et d'Elie sur le pignon sont attribuées au maître de la fontaine de la Résidence (Pretzell).

139 Place du Dôme. Derrière le monument de la Vierge, l'aile de Wallis de l'ancienne Résidence clôture vers l'ouest la place du Dôme. Cette partie du bâtiment fut encore construite sous l'archevêque Wolf Dietrich. A l'arrière-plan, l'église des franciscains.

140 Place du Dôme. Au premier plan le monument de la Vierge. A droite, la façade vers le nord du couvent Saint-Pierre, refaite de 1656 à 1660 d'après le modèle de la façade sud de la Résidence. A l'arrière-plan, la tourelle ronde des couleuvrines, le bastion de feu et la tour des trompettes du Hohen-Salzbourg.

141 Kapitelplatz (Place du Chapitre). Vue au-dessus de l'abreuvoir du chapitre, érigé en 1732, sur le Dôme, les voûtes du Dôme et la partie sud-nord du couvent Saint-Pierre; derrière la tour de l'église des franciscains.

142 Vue vers la Hofstallgasse. La Hofstallgasse fut établie sur le terrain de l'ancien jardin des femmes au cours des transformations de la Cité des Princes sous l'archevêque Wolf Dietrich. De ce fait résulta une nouvelle ligne de communication, entre les portes Gstaetten et Schanzl, en passant près du Dôme, par la Place du Chapitre et la Kapitelgasse. Elle offrit en même temps la possibilité du déploiement de magnifiques processions vers le Dôme. Au premier plan, à gauche, le Collegium Rupertinum, aujourd'hui internat archiépiscopal.

143 Place de l'université. Elle résulta de la construction de l'université. L'accès à la Getreidegasse s'établit grâce aux maisons avec passages (voir observations concernant il. 105). Afin d'établir aussi une communication avec le Vieux Marché, on perça en 1626 la Voûte de Ritz (nom du propriétaire de la maison de ce temps-là, le baron Ritz von Grueb). Le bâtiment de l'université (à droite) fut commencé en 1618 et on y entra en 1621. Il fut complété successivement par la construction de la grande aula en 1631 et par celle de l'église collégiale de 1694 à 1707, comme terminaison de l'ensemble. A gauche, parties postérieures des maisons de la Getreidegasse qui furent adaptées en façades par la suite. Au fond la voûte de Ritz avec les parties postérieures des maisons de la Sigmund-Haffner-Gasse.

144 Abbaye Saint-Pierre. Le couvent des bénédictins fut fondé vers 690 par saint Rupertus, évêque franconien. A l'origine le couvent était situé au sud de l'église, à la paroi de la montagne. Dans le premier quart du XIIe siècle on l'a transféré vers le nord. A l'est de la grande cour, le bâtiment du couvent avec le cloître, la fontaine et le jardin du monastère. Au fond, vers le palais des festivals, le nouveau Collegium Benedictinum, créé par Peter Behrens en 1926. L'église de la fondation est une basilique romane. Elle fut détruite en 1127 pendant l'incendie de la ville et reconstruite de 1130 à 1143 d'après des modèles saxons (Hildesheim). De 1757 à 1780 le noyau roman, encore perceptible dans l'ensemble et dans les détails, fut remanié en baroque tardif et la construction même partiellement changée. Les côtés est et sud de l'église entourent le cimetière Saint-Pierre avec des tombeaux de personnes connues et les catacombes, ainsi nommées, dans la paroi du Moenchsberg. Dans le cimetière, la chapelle Sainte-Marguerite. C'est un bâtiment en pur gothique tardif construit de 1485 à 1491 dont l'extérieur est orné d'intéressantes plaques de tombeau en marbre rouge. Collée à la paroi de rocher se trouve la chapelle de la croix (probablement à la place de l'ancienne église du monastère).

145 Cimetière Saint-Pierre, Chapelle Saint-Maxime. Les grottes dans la paroi de rochers du Moenchsberg, appelées les catacombes de Salzbourg, sont considérées suivant la tradition populaire comme lieux du culte chrétien de l'époque romaine tardive (ce qui scientifiquement n'est pas confirmé). La chapelle Saint-Maxime, située au-dessus de la chapelle Sainte-Gertrude, porte son nom d'un prêtre qui, suivant la légende, fut tué ici avec ses compagnons lors de la destruction de la ville au temps de la migration des peuples. Cependant il paraît que, d'après les sources consultées, on ait confondu Juvavum (Salzbourg) avec Joviacum (Schloegen sur le Danube). [Noll]

146 Abbaye Saint-Pierre, fontaine. Au nord de l'église de l'abbaye le cloître entoure tout le rez-de-chaussée de la partie est du monastère. La partie sud et la fontaine datent du XIIe au XIIIe siècle.

147 Eglise Saint-Pierre. A l'origine basilique romane à piliers à une nef et deux collatéraux dont le chœur fut transformé de 1605 à 1625 et qui reçut son aspect baroque actuel de 1753 à 1785. Le changement des supports, adopté des églises saxonnes, est encore distinctement visible. L'intérieur fut restauré totalement en 1957. Le maître-autel date de 1777 et 1778, d'après un modèle du sculpteur Lorenz Hoermbler; la pierre fut taillée par maître Johann Hoegler, les statues sont une œuvre de Franz Hitzl. Le tableau de l'autel est un travail du Kremserschmidt (Johann Martin Schmidt, originaire de Stein sur le Danube).

148 Eglise du couvent de Nonnberg. L'église romane (XIe siècle) fut détruite en 1423 par un incendie et après une reconstruction provisoire, refaite de nouveau à partir de 1463 comme église gothique sur les fondements de l'église romane et achevée en 1506 et 1507. Le chœur, de neuf marches plus haut que le niveau du vaisseau central, est situé au-dessus du tombeau de sainte Erentraud (première abbesse). A gauche, la sainte est représentée par une statue de la fin du XVe siècle. Le triptyque gothique est originaire de Scheffau. Il fut échangé en 1853 contre l'autel en style renaissance de Hans Waldburger (1629).

149 Eglise du couvent de Nonnberg, partie de la tribune occidentale. Le chœur des religieuses, dans la partie occidentale du vaisseau, est séparé de l'espace pour les laïques par une paroi de la galerie richement décorée. Les motifs de l'ornementation sont caractéristiques pour l'époque de transition du XVe au XVIe siècle, soit par leur richesse fantastique, soit par l'allure et l'élégance dans les détails.

150 Le Dôme, entrée. Des trois entrées voûtées qui conduisent de la place du Dôme sous le porche, celle du milieu est ornée des statues des princes des apôtres Pierre et Paul. Ces statues colossales, posées sur de hauts socles décorés d'armoiries, furent exécutées en 1697 et 1698 par le sculpteur Bernhard Michael Mandl, émigré de Bohême. Sur la grille de clôture est indiquée l'année de la consécration du Dôme.

151 Le Dôme. La jonction de la nef avec la croisée rappelle des modèles romains et vénitiens. Cependant le système des proportions fait aussi présumer l'influence d'une tradition moyenâgeuse locale (Fuhrmann). La longueur totale de l'intérieur est de 86 m, celle de l'axe du transept de 62,3 m. L'église peut contenir 10 500 personnes. Elle est conçue à trois nefs et l'effet obtenu par la disposition de l'espace intérieur est essentiellement déterminé par la lumière qui tombe de la coupole et des parties du devant. Le stucage est magnifique, cependant réparti d'une façon modérée. Les fresques de la voûte sont des œuvres de Donato Mascagni, Ignazio Solari et Francesco da Siena. Elles furent nettoyées et restaurées en 1954 et 1955 lors de la réfection du Dôme, gravement endommagé au cours d'un bombardement. Le maître-autel en marbre est orné d'un tableau représentant la résurrection du Christ par Donato Mascagni. Les sculptures en bois sur les parois avant et arrière des bancs datent de 1690, d'après une esquisse de J. B. Fischer von Erlach (Fuhrmann).

152 Le Dôme. La spacieuse nef centrale, couronnée d'une voûte en berceau, est accompagnée de quatre chapelles de chaque côté, se trouvant dans les nefs latérales. Au-dessus de celles-ci sont les oratoires qui, moyennant des balcons, ont une communication avec la nef centrale. L'orgue, une œuvre de Christoph Egedacher, facteur d'orgues de la cour, date de 1702 et 1703 et fut à quelques reprises reconstruit et agrandi, la dernière fois en 1958 et 1959. Il possède maintenant 126 registres résonnants et environ 10 000 tuyaux. Les proportions de l'intérieur du Dôme s'inspirent de la tendance vers la hauteur, ce qui vient d'être encore souligné en observant strictement la différenciation formelle de la structure (doubles piliers sans ornementation avec voûte). Cela prête à l'ensemble, avec une puissance dans les détails, une magnificence modérée.

153 Le Dôme, chaire. Lors de la reconstruction du Dôme la chaire, datant du XIXe siècle, fut aussi renouvelée. L'ensemble du projet fut conçu par le groupe des architectes comprenant le Dr. Wiser, le Dipl.-Ing. Pfaffenbichler et le Dr. Bamer. Conseiller théologique, Dr. P. Thomas Michels OSB, professeur d'université; sculptures, Toni Schneider-Manzell; travaux de marbre, Mayr-Melnhofsche Marmorwerke, Salzbourg-

Parsch; fonte du bronze, Maison Priesmann, Bauer & Co., Munich. La forme octogonale de base, dans le genre d'un ambon, repose sur une colonne ronde et lisse en marbre. Sur celle-ci se trouve un support en forme de croix de Saint-André dont les bouts portent comme ornements les têtes des symboles des quatre évangélistes. La balustrade de la chaire est formée de sept plaques en bronze avec des représentations figuratives et des citations bibliques qui se réfèrent spirituellement à la parole de Dieu et à son œuvre auprès des hommes. Sur la porte d'entrée en bronze se trouve une représentation de l'Esprit saint.

154 Eglise collégiale, façade. L'église fut construite pour l'université de 1696 à 1707 sur commande de l'archevêque Johann Ernst comte de Thun, d'après les plans de Johann Bernhard Fischer von Erlach. La conception de la structure est celle d'un bâtiment central en forme de croix avec un transept raccourci et une grande coupole ronde au-dessus du carré central. A cause du spacieux terrain disponible pour la construction, mais aussi en raison de l'harmonie architecturale avec les édifices de l'université déjà terminés, l'axe de l'église est orienté du nord au sud. La liaison des puissants corps fondamentaux de formes contrastantes avec les œuvres animées de sculpture, liaison qui domine l'ensemble de l'édifice, caractérise aussi la façade. La partie du milieu, qui s'avance en courbure prononcée jusqu'au pignon, est rattachée aux tours prismatiques latérales, presque séparées, par la corniche principale qui entoure l'édifice pour former une unité. Des portails et de grands vitraux non colorés assouplissent la rigidité de l'édifice. Une tendance à s'élever vers le ciel obtient, grâce à la structure architecturale délicate de la façade, un caractère solennel. Cette œuvre pleine d'imagination de J. B. Fischer von Erlach est la création la plus mûre de toutes les églises qu'il a construites à Salzbourg et aussi un des chefs d'œuvre du baroque autrichien d'ordre européen (voir aussi il. 60, 61 et 62).

155 Eglise collégiale, chœur. Grâce à l'harmonie des éléments utilisés pour donner aux parois leur forme et tout en économisant les décorations, l'intérieur de l'église impressionne par son faste noble. Sa réalité terrestre se perd dans l'obscurité de l'abside. Des formations de nuages voilent ici la limite

architectonique de l'intérieur. Ce qui est au-delà apparaît et descend en pleine gloire céleste. Le stucage de l'abside fut créé en 1706 et 1707 par Carlo Diego Carlone et Paolo de Allio. Le maître-autel ne fut achevé que de 1738 à 1740 environ. Sa formation se rapporte à un programme philosophique et théologique qui soumet la religion, la science et l'art à l'existence de Dieu et à sa garde. Les statues sont une œuvre de J. A. Pfaffinger. On s'abstint de décorer l'intérieur en couleurs. Les sculptures dans les niches du vaisseau furent exécutées par le sculpteur Hans Piger de 1904 à 1910.

156 Eglise Saint-Gaétan, portail. L'église, située au milieu des bâtiments de l'ancien couvent, fut fondée pour les théatins (disciples de saint Gaétan). Elle fut construite de 1685 à 1700 d'après les plans de Joh. Caspar Zugalli (voir aussi les remarques au sujet de l'il. 64). Le portail reflète par sa structure et par les détails l'étroite façade de l'église ressortant du plan des bâtiments adjacents de l'ancien couvent.

157 Eglise de la Trinité. Ce fut la première commande pour le plan d'une église reçue par J. B. Fischer von Erlach. Il l'a conçue comme édifice central avec au milieu un intérieur ovale en profondeur, recouvert d'une coupole qui domine l'ensemble de l'édifice. Les tours basses à l'origine furent surélevées en 1759 et après l'incendie de 1818 remaniées de nouveau. De ce fait la coupole perdit son effet dominant d'autrefois. La façade avec la partie centrale en retrait offrit la possibilité de constituer une petite esplanade, transversalement ovale, avec des escaliers. L'église fut construite de 1694 à 1702 et consacrée en 1699. Sur les côtés de l'église se rattachent: à gauche, le séminaire, à droite, l'école des pages. Celle-ci servit à héberger deux fondations, le Collegium Virgilianum et le collège de Siebenstatt, pour aider des jeunes gens nécessiteux de la noblesse et de la bourgeoisie à poursuivre des études. L'unité architecturale de l'ensemble est d'un effet dominant pour l'aspect de la place Makart.

158 Le Hohen-Salzbourg vu de l'ouest. Vue de la Richterhoehe (hauteur de Richter) sur le Moenchsberg. D'ici la forteresse nous présente un côté étroit. Des œuvres des fortifications avancées on voit, à droite, le bastion inférieur et

supérieur de Bernhard von Rohr, les casemates, dans lesquelles aujourd'hui le restaurant est installé, ainsi que les fossés inférieur et supérieur du lièvre. Derrière, on aperçoit le puissant rempart avec les tours du vautour, du lièvre, du tribunal et du clocher. Entre la tour du lièvre et celle du tribunal se font remarquer les tours du feu et une partie du château intérieur, la plus ancienne. Au fond le sommet du Gaisberg.

159 La forteresse vue du Kapuzinerberg. Coup d'œil du point de vue supérieur de la ville sur le Hohen-Salzbourg. On aperçoit le bloc massif du haut-château qui s'élève distinctement sur la partie ouest du rocher au-dessus des ouvrages fortifiés avancés qui sont protégés, vers le sud et l'ouest, par un rempart avec de puissantes tours (voir la photo en face). Devant, la grande cour du château avec l'église Saint-Georges. Vers l'est un ensemble des œuvres de défense, dans lesquelles sont englobées l'entrée du château et la montée à la grande cour. Ces fortifications commencent en bas avec les bastions du Nonnberg, situés tout près du fossé et descendant au loin sur la pente de la montagne; ces œuvres de défense continuent avec la puissante tour du bourgmestre («rondell» des couleuvrines) et le chemin de ronde des couleuvrines. Elles se terminent par le bâtiment du pont-levis et la barbacane de la porte des chevaux (voir il. 162). Au fond la plaine du bassin de Salzbourg au pied de l'Untersberg.

160 Hohen-Salzbourg, vue du bastion du lièvre. Au premier plan la deuxième porte barbacane sur le chemin vers le château fort, derrière la tour du bourgmestre («rondell» des couleuvrines) avec au-dessous la tour des trompettes et l'entrée au château fort. A droite le bastion du feu. Au-dessus, la tour des trompettes avec le rempart. A droite de l'illustration, au bord, une partie de l'étage supérieur. L'effectif des arbres sur le mont de la forteresse date d'une époque récente. Jusqu'en 1861 le château fort était considéré comme forteresse d'état, raison suffisante pour ne pas permettre que des arbres poussent aux environs.

161 Hohen-Salzbourg, murs de l'étage élevé. Vue du fossé du lièvre supérieur sur les puissants murs du château intérieur qui s'élèvent très haut du côté nord, avec la rangée des saillies de la salle dorée (Goldener Saal). En bas le bastion Kuenbourg, au-dessus le rempart et la tour des trompettes.

162 Hohen-Salzbourg, porte des chevaux. Bâtiment de la porte construit vers 1500 et qui, plus tard, fut remanié en une longue rampe, interrompue à quelques endroits par des barrières de poutres. La saillie est en style gothique flamboyant. Les meurtrières à étagements datent de 1570 environ (Schlegel).

163 Hohen-Salzbourg, la grande cour du château fort. La citerne fut creusée en 1539 sous l'archevêque Matthaeus Lang von Wellenburg. Derrière, le tilleul du château et l'étage dominant de la partie intérieure de la forteresse. A droite, la chapelle Saint-Georges, construite en 1501, avec un monument de marbre qui représente l'archevêque Leonhard von Keutschach bénissant son pays (Hans Valkenauer, 1515).

164 Hohen-Salzbourg, la salle dorée. La salle dorée ainsi que la pièce dorée adjacente vers l'est et la chambre à coucher appartiennent à l'ensemble des soi-disant chambres princières. L'archevêque Leonhard von Keutschach fit installer ces somptueuses pièces d'habitation en 1501 et 1502, au quatrième étage du haut château. La pièce quadrangulaire a un plafond peint en bleu avec des boutons dorés comme décoration. Le plafond est aussi décoré des armoiries de l'empire, de l'archevêque, des pays d'Autriche, des princes électeurs, des suffragants de Salzbourg et des familles nobles, des armoiries des familles de Salzbourg et des fondations. Près du mur, au nord, il y a quatre colonnes torses monolithes en marbre rouge qui supportent le plafond. On prétend que celle de devant aurait été endommagée en 1525 par un boulet de canon lors du siège du Hohen-Salzbourg par les paysans insurgés.

165 Hohen-Salzbourg, la salle dorée. Dans le coin nord-ouest de la salle dorée se trouve un poêle de faïence vernissée en couleur, datant de l'année 1501. Ce chef-d'œuvre unique d'un potier autrichien de l'époque du gothique flamboyant est d'origine salzbourgeoise. Les carreaux de faïence du bas montrent des plantes fantastiques et ceux de la partie supérieure des armoiries et diverses scènes. Les carreaux même sont très minces, à de rares exceptions. On a probablement d'abord préparé leur forme de base sur un moule qu'on a seulement employé une fois. Les détails

sculptés y furent ajoutés ensuite. Du côte sud du poêle se trouve une statue masculine en costume moyenâgeux du pays, remplissant toute la hauteur de la partie inférieure. On prétend qu'il s'agit là du maître potier qui a fait le poêle. Ce carreau se compose de deux parties et semble modelé à la main. Peut-être aussi est-ce une armoirie (Hallein? – Walcher von Molthein). Voir illustration en couleur No. 24.

166 La pièce dorée. La photo montre une partie du portail dans le mur nord de la pièce dorée, représentée sur l'illustration colorée No. 25. Les vrilles denses de l'arc infléchi sont animées dans la partie inférieure par des oiseaux multicolores. En haut, dans le panneau étroit, des hommes sauvages avec des chiens font la chasse.

167 Poêle en style gothique, détails. Voir remarques concernant l'illustration No. 165.

168 L'ancienne Résidence, portail principal. Siège d'autrefois des archevêques et princes du pays immédiats, construit de 1595 à 1619. Le portail date du début du XVIIe siècle. Les sculptures sont une œuvre de Wolf Weissenkirchner. Le chapiteau avec les armoiries de l'archevêque Harrach remonte à 1710.

169 L'ancienne Résidence, façade vers la cour de la partie ouest. Le côté ouest de l'ancienne Résidence fut construit en 1614 sous l'archevêque Marcus Sitticus. Vers l'est, c'est-à-dire vers la cour, la façade est composée d'une colonnade de pilastres toscans. Dans la partie couverte de la cour se trouve, dans une sorte de niche en tuf, la fontaine d'Hercule (Voir il. 198). Les armoiries au-dessus de la fenêtre centrale se réfèrent à l'archevêque Marcus Sitticus. Les armoiries du bas et les inscriptions sur les plaques des fenêtres latérales se rapportent aux archevêques Max Gandolf, comte de Kuenbourg et Johann Ernst, comte de Thun.

170 L'ancienne Résidence, salle des carabiniers. Dans le bâtiment principal, au deuxième étage, se trouve la salle de la garde du corps. Construite vers 1600, elle mesure 50 m x 12 m. Vers 1665 le plafond de la salle fut rehaussé et vers 1690 les portails relevés. Les lourdes formes en stuc sont une œuvre des frères F. et C. A. Brenno, J. M. Rottmayr a peint les fresques du plafond vers 1689 (restauré en 1953).

171 L'ancienne Résidence, salle des conférences. Le projet de l'encadrement des portes est probablement de Lukas von Hildebrandt. Exécuté vers 1710 par B. M. Mandl, Johann Schwaeble et Andreas Goetzinger. Beau travail en marbre du pays.

172 L'ancienne Résidence, antichambre. Située dans le bâtiment principal, au deuxième étage, entre la salle de conférences et la salle d'audiences. Fresques de 1710 environ de Martin Altomonte (Scènes de l'histoire des Romains et de la vie d'Alexandre le Grand). Poêle vers 1770.

173 L'ancienne Résidence, la salle Marcus Sitticus. La salle Marcus Sitticus, appelée ausi « la salle blanche », se trouve au-dessus de l'espace couvert avec la fontaine d'Hercule (voir il. 169). Le stuc blanc du plafond et des murs en style du classicisme est de Peter Pflauder et date de 1776. Le poêle de même époque.

174/175 La nouvelle Résidence avec le carillon. La nouvelle Résidence, portail. L'archevêque Wolf Dietrich fit élever le bâtiment de 1592 à 1602 en tant que pied-à-terre des visiteurs princiers et aussi pour son habitation pendant les travaux de reconstruction de l'ancienne Résidence. Vers 1670 la nouvelle Résidence fut prolongée vers le sud. Sous l'archevêque Johann Ernst, comte de Thun, on y adjoignit le vestibule et la pièce pour la grand-garde en 1701 ; la tour fut rehaussée et en 1702 on y installa le carillon. Pour les cloches, fondues par Melchior de Haze à Anvers, l'horloger Jeremias Sauter de Salzbourg construisit le mécanisme qui fait fonctionner le carillon.

176/177 La nouvelle Résidence, la salle de gloire. La nouvelle Résidence, la salle des états. Dans la partie nord-ouest de la nouvelle Résidence (face à la place Mozart et de la Résidence) il y a au deuxième étage une suite de cinq pièces. Elles sont somptueusement décorées avec des plafonds en stuc coloré. C'est une œuvre d'Elia Castello, créateur du mausolée de l'archevêque Wolf Dietrich (Chapelle Saint-Gabriel) achevé en 1602 dans le cimetière Saint-Sébastien. Originaire d'une famille d'ouvriers du bâtiment de Melide sur le lac de Côme, Elia Castello mourut à l'âge de 30 ans et est enterré au cimetière Saint-Sébastien, arcade 10. Ses frères, Antonio et Pietro, lui firent un tombeau digne de lui.

178 Ancienne bibliothèque de la cour, portail. L'illustration représente le portail de la sortie nord dans la salle principale de l'ancienne bibliothèque de la cour. Il est orné avec les armoiries du cardinal archevêque Max Gandolf von Kuenbourg et date de 1672. Le cardinal Kuenbourg fit agrandir vers le sud l'aile occidentale du nouveau bâtiment de la Résidence. Tout le premier étage fut mis à la disposition de la bibliothèque de la cour. Les pièces furent décorées de quatre somptueux portails de marbre qui se trouvent encore sur les lieux. Ils portent des inscriptions pourvues de chronogrammes aux livres et à la science. Deux portails sont ornés d'armoiries. Dans l'ancienne salle principale de la bibliothèque de la cour on a établi actuellement des installations techniques et divers services de la poste centrale.

179 La maison du chapitre, portail. Les maisons entre la place du Chapitre et la Kaigasse appartenaient pour la plupart au chapitre du Dôme et à certains de ses chanoines. La maison No. 4, Kapitelgasse, était la « maison du chapitre », où les services administratifs étaient établis et où aussi les conseils du chapitre ainsi que les élections des archevêques avaient lieu. Elle fut construite en 1603 sous l'archevêque Wolf Dietrich qui contribua non seulement à financer la construction, mais influença aussi le plan du bâtiment. De la façade sobre ressort puissamment le portail qui, avec double fenêtre et pignon, est d'une conception harmonieuse et pleine d'effet dans tous les détails. Il est encore enrichi par les reliefs des armoiries de 24 membres du chapitre du Dôme de ce temps là, ajoutés des deux côtés des fenêtres par Michael Pernegger.

180 Jardin et château Mirabell. Construit sur l'ordre de l'archevêque Wolf Dietrich en 1606 sous le nom d'Altenau, ensuite appelé Mirabell par l'archevêque Marcus Sitticus. Le bâtiment actuel fut construit de 1721 à 1727 par Johann Lukas von Hildebrandt. Lors de l'incendie de la ville en 1818 il fut gravement endommagé. Au cours de la reconstruction par Peter von Nobile certains changements architectoniques furent faits. Le jardin, remanié vers 1690 par J. B. Fischer von Erlach, fut, en ce qui concerne les fleurs et les arbres, transformé vers 1730 par Franz Anton Danreiter.

181 Château Mirabell, côté du jardin. Sur la façade du jardin ressort encore

le mode de reconstruction exécuté par Lukas von Hildebrandt. Devant le château et depuis 1913 se trouve le Pégase terminé en 1661 par Caspar Gras d'Innsbruck. A l'origine il fut établi sur la place du chapitre, mais après 1732 réuni aux deux lions du premier plan de l'illustration et aux deux licornes des escaliers du jardins de cure, pour former une fontaine de Pégase. Cette fontaine fut érigée sur la place à l'est du château Mirabell où elle resta jusqu'en 1818.

182/183 Château Mirabell vu du sud. Jardin Mirabell (voir aussi remarques concernant l'il. 180). Le jardin de plaisance au sud et à l'ouest du château fut déjà dessiné sous l'archevêque Wolf Dietrich et achevé sous ses successeurs. Un remaniement eut lieu sous l'archevêque Johann Ernst à partir de 1689 et 1690 sous la direction de J. B. Fischer von Erlach. La partie centrale du jardin est dominée par quatre grands groupes de statues, symbolisant les quatre éléments. Elles furent œuvrées en 1690 par Ottavio Mosto, originaire de Padoue et qui s'établit à Salzbourg. Les autres statues du jardin sont des œuvres de divers artistes locaux. Leur qualité artistique est moindre. Sur un bastion encore conservé des anciennes fortifications de la ville, reconstruit sous l'archevêque Paris Lodron (de 1619 à 1653) et englobant aussi le jardin Mirabell, se trouvent des statues de nains en marbre (le nom populaire de ce jardin sur le bastion est « jardin des petits nains »). Ces statues ainsi que d'autres transférées en différents endroits sont toutes originaires du « Théâtre des nains » établi par l'archevêque Franz Anton, comte de Harrach, sur l'actuel terrain d'exposition dans la Schwarzstrasse et délaissé en 1811.

184/185 Château Mirabell, porche. Porche, statue dans une niche. Le stuc gracieux du porche, qui se trouve au milieu de l'aile occidentale, est une création de J. Gall de Vienne, datant de 1722. Les deux statues en grès, en style du classicisme, dans les niches latérales sont remarquables du point de vue artistique. Elles accusent les traits typiques du baroque austro-viennois et furent probablement placées là après 1818.

186/187 Château Mirabell, escalier d'apparat. L'escalier principal dans l'aile ouest du château est un chef-d'œuvre du baroque autrichien dans son épanouissement. Sur la balustrade à

l'ornementation richement entrelacée jouent des amours qui renouvellent par leurs mouvements la montée exprimée déjà dans les ornements de la balustrade. Les amours et les statues dans les niches des murs furent créés par Georg Raphael Donner et son atelier en 1726 et 1727. Le plafond avec la fresque fut détruit par l'incendie en 1818. En 1944 des bombent causèrent des dégâts, cependant pas très importants, qui furent réparés en 1945 et 1946. Les lustres sont nouveaux.

188 Château de Leopoldskron. Le château fut construit en 1736 sous l'archevêque Leopold Anton, baron von Firmian, pour sa parenté et d'après les plans du Père Bernhard Stuart, professeur de mathématiques à l'université de Salzbourg. Jusqu'en 1828 propriété des Firmian, après quoi les propriétaires changèrent souvent. En 1918 Max Reinhardt acquit le château et l'aménagea somptueusement. L'ancien mobilier fut en grande partie perdu, entre autres une importante collection de tableaux fameux. Depuis 1958 le château est la propriété du Salzburg Seminar in American Studies.

189 Château de Leopoldskron, vue vers le sud. Vue de la terrasse du château sur l'étang situé au sud et vers l'Untersberg, 1855 m, la montagne des sagas de Salzbourg.

190 Château de Leopoldskron, salle des fêtes. La salle des fêtes, d'une hauteur de deux étages, est ornée d'un stucage aux couleurs délicates et auquel travaillèrent Johann Georg Braun de Wessobrunn, Johann Kleber de la forêt de Bregenz et Johann Lindenthaler de Salzbourg. Les tableaux sont d'Andreas Rensi et datent de 1740.

191 Château de Leopoldskron, la chambre de théâtre. Le poêle fait partie de l'ancien aménagement. La boiserie de revêtement des murs et les meubles furent achetés par Max Reinhardt chez des marchands d'objets d'art et ensuite adaptés pour la pièce.

192 Vue sur la place de la Résidence. A droite, la partie nord de l'ancienne Résidence, à gauche maisons des bourgeois datant du XVe siècle (voir aussi commentaires des illustrations 136 et 137).

193/194/195 La fontaine de la Résidence. Elle fut érigée sous l'archevêque Guidobald, comte de Thun, de 1656 à 1661. Cependant ni le projet, ni l'exécution ne doivent être attribués à Giovanni Antonio Dario. L'œuvre, entièrement exécutée en marbre de l'Untersberg, est la fontaine baroque la plus monumentale du territoire de langue allemande. Le maître de cette œuvre, exceptionellement capable, reste inconnu. F. Martin propose de l'attribuer au sculpteur Tommaso di Garona.

196 L'abreuvoir aux chevaux de l'écurie de la cour. L'ancien abreuvoir aux chevaux, près de l'écurie de la cour, fut construit vers 1695. La paroi, érigée comme clôture de la place et revêtement d'une carrière, fut surélevée en 1732. En même temps la statue du dompteur de chevaux fut tournée vers la place et la balustrade posée autour du bassin. Le groupe du milieu est de B. M. Mandl et date de 1695, les autres sculptures sont des œuvres de J. A. Pfaffinger, de 1732. Les fresques des chevaux furent exécutées par Franz Anton Ebner. Plus tard elles furent badigeonnées, découvertes en 1855 et renouvelées en 1915–1916 et 1955–1956.

197 Grand Palais des festivals, côté ouest. L'archevêque Johann, comte de Thun, fit remanier en 1693 et 1694 les façades de l'ensemble des bâtiments des écuries de la cour et le côté étroit de l'ouest fut muni d'un portail en marbre, d'après un projet de J. B. Fischer von Erlach. Les sculptures furent exécutées par Wolf Weissenkirchner. Les battants de la porte, ainsi que la fenêtre dans la niche du vase furent ajoutés en 1959 et 1960. Au premier plan, le groupe du dompteur de chevaux de l'ancien abreuvoir des écuries de la cour est une œuvre de B. M. Mandl.

198 Ancienne Résidence, fontaine d'Hercule. Dans le hall ouvert au rez-de-chaussée de l'aile occidentale de l'ancienne Résidence (voir illustration 169) se trouve, dans une niche, une grande fontaine avec la statue d'un Hercule combattant. Le groupe fut exécuté vers 1614 par un sculpteur italien dont le nom n'est pas connu. La forme et la décoration de la niche rappellent les grottes du château de Hellbrunn. Les sculptures du bouquetin font allusion à l'archevêque Marcus Sitticus (bouquetin, animal des armoiries de la famille von Hohenems).

199 Abbaye Saint-Pierre, fontaine à colonnes. Sur commande du cardinal archevêque Guidobald, comte de Thun, le sculpteur Christop Lusime érigea une fontaine à colonnes très originale. Le prince du Pays en fit don à l'abbaye Saint-Pierre, afin qu'elle soit installée dans le jardin du couvent.

200 Hohen-Salzbourg, monument de l'archevêque Keutschach. Cette œuvre en marbre rouge d'Adnet, date de l'année 1515. On l'attribue au maître Hans Valkenauer, originaire de Salzbourg (de Ph. Halm), créateur également d'un tombeau impérial pour Speyer qui ne fut toutefois pas terminé (fragments au musée de Salzbourg). L'archevêque, en vêtements sacerdotaux, est debout sous un baldaquin, tenant dans la main gauche la crosse pastorale, tandis que la main droite s'élève pour donner sa bénédiction. Ce baldaquin est richement décoré des figures des prophètes et des saints patrons. De chaque côtée du baldaquin un lévite avec missel ou croix de légat (voir aussi les remarques de l'illustration 202).

201 Eglise Saint-Pierre, portail vers l'ouest. Le portail roman à étagements, élevé vers 1240 du côté ouest de la tour de l'église abbatiale, montre dans le tympan un Christ trônant sur un arc-en-ciel avec de chaque côté les apôtres Pierre et Paul. Dans chaque coin un arbre stylisé sur lequel une colombe est perchée. Le demi-cercle est fermé par l'inscription: «Janua sum vite, salvande quique venite, per me transite, via non est alter vite» (Je suis la porte de la vie, vous tous qui avez besoin du salut, venez, entrez par moi; il n'y a aucun autre chemin de la vie. – Martin). Au-dessous se trouve un sarment de vigne (allusion à la parole du Christ: «Je suis la vigne, vous les sarments»).

202 Monument de l'archevêque Keutschach, diacre. Tête de la statue à droite, à côte de l'archevêque bénissant (voir illustration 200). Marbre rouge d'Adnet. Malgré l'influence du gothique moyenâgeux sur les détails, la conception et la formation de l'ensemble sont l'œuvre d'un esprit nouveau qui fait de l'homme la mesure des choses, qui découvre la personnalité et qui place une figure, composée de la nature et de l'esprit, au centre de la reproduction artistique.

203 Eglise Saint-Pierre, tombeau de Werner von Raitenau. Chapelle latérale du côté sud-ouest. Tombeau du père de l'archevêque Wolf Dietrich, mort en Croatie en 1593, en tant que colonel des lansquenets. Oeuvre pleine d'expression et impeccable du point de vue professionnel d'un maître inconnu.

204 Résidence – Nouveau Bâtiment, stuc du plafond dans la cage d'escalier (voir aussi illustrations 176–178). A l'origine la montée principale aux pièces de parade, se trouvant au deuxième étage du nouveau Bâtiment, commençait dans la cour intérieure en passant par l'accès actuel au carillon. La cage d'escalier, un peu sombre, présente un plafond décoré de stuc. Les motifs de celui-ci se composent, entre les ornements et les grotesques bizarres, des emblèmes de l'archevêque Wolf Dietrich et de sa famille. Les travaux furent exécutés par des spécialistes italiens.

205 Le Dôme, détails des décorations en stuc. Les décorations expressives en stuc furent exécutées de 1628 à 1635 par des maîtres italiens (Giuseppe Bassarino, Andrea Orsolini et d'autres), qui surent se réserver dans cette profession la prédominance sur les artisans locaux jusqu'au premier quart du XVIIIe siècle.

206/207 Eglise Saint-Pierre, grille de clôture. Un chef-œuvre de ferronnerie d'art du baroque tardif local. Exécuté par Philipp Hinterseer, maître forgeron de la cour, originaire de Lofer en Pinzgau.

208 Eglise abbatiale de Nonnberg, grille de la chapelle. Après 1620 trois chapelles furent ajoutées au vaisseau latéral sud de l'église abbatiale de Nonnberg. Le maître forgeron Hans Georg Klein créa pour celles-ci, vers 1625, de solides grilles de clôture. Leur motif principal et caractéristique de l'ornementation se compose de spirales avec des grotesques comme terminaison.

209 Hofstallgasse, grille en style baroque. La partie gauche de la grille date du début du XVIIe siècle et se trouvait à l'origine dans la cage d'escalier de l'aile sud de la Résidence. La partie droite est une restauration.

210 Ancienne Résidence, escalier, montée principale. Grille de clôture de l'escalier menant au troisième étage du palier devant la salle des Carabiniers. Ornementation très riche de la seconde moitié du XVIIe siècle avec les armes du cardinal archevêque Max Gandolf von Kuenbourg (1668 à 1687).

211 Mausolée de l'archevêque Wolf Dietrich, grille du portail L'impression tranquille que reflète cette grille du genre Renaissance s'apparente, pour ce qui est des motifs principaux, aux grilles de la salle des Carabiniers. Début du XVIIe siècle.

212 Hohen-Salzbourg, salle des princes, ferrure de la porte. Dos de la porte qui donne de la salle dorée dans la chambre à coucher (comparez photo colorée). Magnifique travail d'un armurier local de 1501.

213 Eglise paroissiale de Mulln, grille de la chapelle. Grille de clôture de la chapelle de devant du côté nord. Celle-ci est une donation de l'année 1607 faite par Hans Ulrich von Raitenau, le frère de l'archevêque Wolf Dietrich. Ce dernier convoqua en 1605 les ermites bavarois de Saint Augustin et leur assigna l'église de Mulln.

214 Eglise Saint-Pierre, candélabres de bronze. Les deux grands chandeliers de bronze (chandeliers du sanctus), placés dans le passage du transept au chœur de l'église, sont une donation de l'archevêque Wolf Dietrich à l'abbaye, en 1609. Il chiffra lui-même leur valeur à 1500 florins. Que ce soit un travail allemand ou français d'origine reste une question non encore éclaircie pour le moment.

216 Porte de Gstaetten. La porte de l'hôpital ou la porte Gstaetten fut reconstruite et élargie en 1618, sur l'ordre de l'archevêque Marcus Sitticus, et rénovée en 1805 et en 1895. La désignation « Voûte des rémouleurs » provient des artisans rémouleurs qui y étaient établis autrefois.

217 Neutor (nouvelle porte), côté ouest. Le Neutor est un tunnel à travers le Moenchsberg, long de 122,81 m (415 pieds de Salzbourg), établissant une communication directe avec le territoire de Riedenburg, situé hors de la Vieille Ville. Le percement du tunnel fut commencé en 1764 sur ordre de l'archevêque Sigismund, comte de Schrattenbach. En 1767 l'œuvre put être bénie et en 1769 les travaux furent terminés jusqu'au bastion des ruines du côté ouest. Elias von Geyer, directeur des constructions de la cour, exécuta la réalisation technique éminente du percement de la galerie. Wolfgang Hagenauer, administrateur des constructions de la cour et son frère Johann Bapt. Hagenauer, sculpteur de la cour, se chargèrent de l'adaptation artistique

des entrées du tunnel. Les deux façades, telles qu'elles sont réalisées, représentent une œuvre d'un effet monumental, unique aussi dans sa conception architectonique, qui les fait pour ainsi dire sortir directement du rocher de la montagne. Les inscriptions et les détails figurés se réfèrent systématiquement à la mémoire durable de l'archevêque Sigismund et au passé de la ville; dans leur formation les façades portent déjà l'empreinte du classicisme primaire. La mort de l'archevêque Sigismund en 1771 empêcha l'achèvement de cette œuvre grandiose en tant que monument, à laquelle on devait ajouter encore, du côté ouest, un ensemble de ruines, comme indication à l'ancien Juvavum. Les constructions partielles déjà terminées furent enlevées en 1874 (Adolf Hahnl « Etudes sur Wolfgang Hagenauer », dissertation à l'université de Salzbourg, 1969).

218 Mulln, Mullegertor (porte Mullegger). Portail magnifique en marbre avec les armoiries de l'archevêque Wolf Dietrich. Erigé vers 1605. Le nom vient du château des seigneurs von Grimming, le château Mullegg. L'archevêque Johann Ernst, comte de Thun, l'acheta et le fit démolir pour laisser construire à sa place l'hôpital Saint-Jean (aujourd'hui hôpital du Pays de Salzbourg). A travers la voûte de la porte, vue sur l'église de Mulln.

219 Klausentor, porte de Klausen, côté extérieur. Elevée à l'endroit le plus étroit entre la montagne et la rivière (Klause) en 1605, Après que l'ancienne porte eut été démolie par un incendie, l'archevêque Marcus Sitticus la fit reconstruire en 1612 pour le compte de la ville et comme barbacane pour barrer l'accès venant de Mulln. L'unité du paysage entre le rocher et l'ancienne porte fut sacrifiée aux exigences du trafic qui augmente sans cesse.

220 Moenchsberg, retranchement du Moenchsberg. Erigé hors des travaux de la nouvelle fortification de Salzbourg, en 1683, sur le côté nord du Moenchsberg en tant que double barbacane; en avant, la porte Sainte-Monique; en arrière, la porte Saint-Augustin. Sur le Moenchsberg et aussi sur le Kapuzinerberg des restes importants de la troisième fortification de la ville, datant de 1620 à 1646, ont été conservés.

221 Moenchsberg, rempart des bourgeois. Les fortifications de la ville, terminées au cours de la deuxième moitié du XIIIe siècle, furent élargies et com-

plétées en grande partie par la bourgeoisie vers 1480. Le rempart des bourgeois barra l'endroit le plus étroit du dos du Moenchsberg, entre le retranchement de Mulln et le mont de la forteresse.

222 Steintor (porte de pierre) intérieure. La porte Stein intérieure ou la porte des juifs, appelée sous l'archevêque Paris Lodron Johannistor (porte Saint-Jean), est moyenâgeuse. La partie saillante, érigée en 1634 sous l'archevêque Paris Lodron du côté sud, se heurte directement au rocher du Kapuzinerberg. Un mur de pierre de taille en conglomérat renforçait la paroi descendant à pic au bord de la rivière.

223 Montée à la forteresse. L'accès à la forteresse, comme on a l'habitude d'appeler le château de Hohen-Salzbourg, est protégé par des portes barbacanes. Apres la voûte (porte) de Lodron (construite en 1642 sous l'archevêque Paris Lodron) le chemin tourne en haut et de façon abrupte vers la porte barbacane suivante, la voûte de Keutschach, construite en 1513.

224 Kapuzinerberg, bastion de Hettwer. Les fortifications sur le Kapuzinerberg, pour la partie se trouvant au-dessus du monastère, reçurent en 1924 le nom « bastion de Hettwer ». Le colonel Emil Hettwer s'est acquis des mérites particuliers près du « Stadtverein » (société de la ville), quant à l'embellissement de la ville et à la conservation de précieux objets historiques.

226/227 Cimetière Saint-Pierre. L'ancien cimetière, qui contourne l'église Saint-Pierre des côtés sud et ouest, contient des tombeaux remarquables et bien dignes d'attention du XVe siècle jusqu'à nos jours. Les arcades, érigées en 1626, sont embellies par des grilles de clôture en fer forgé (du XVIe au XVIIIe siècle). La chapelle Sainte-Marguerite, construite de 1451 à 1491, est située au milieu des tombeaux. L'intérieur de la chapelle, aux proportions bien réparties, est orné de nombreuses plaques de tombeaux au ras du sol et de reliefs intéressants sur les murs, comme il s'en trouve aussi sur l'extérieur de la construction. Les croix, encore visibles au premier plan, sont originaires des tombeaux de la famille Stumpfeger, tailleurs de pierre.

228/229 Cimetière Saint-Sébastien, mausolée. La chapelle Saint-Gabriel fut construite de 1597 à 1603 comme mausolée de l'archevêque Wolf Dietrich.

C'est un édifice rond, couvert d'une coupole, auquel, du côté ouest, une pièce pour l'autel, avec voûte en berceau, fut ajoutée. L'intérieur est revêtu de stuc coloré et de carreaux multicolores. L'architecte et stucateur était Elia Castello; le portier de la cour, Hanns Kapp, en fit les carreaux. Les murs intérieurs sont embellis de quatre niches richement décorées avec les statues plus grandes que nature des évangélistes et deux plaques en bronze datant de 1605 et de 1607 (fonte de Herold, Nuremberg). Les inscriptions se rapportent à la fondation de la chapelle et à l'ensevelissement de l'archevêque.

230 Monument de Mozart. Erigé en 1842 d'après un projet de Ludwig von Schwanthaler de Munich. La fonte fut exécutée par le Munichois Joh. Bapt. Stiglmeier. Lors de l'excavation pour les fondements du monument on trouva des dalles en mosaïque romaines.

231 Maison natale de W. A. Mozart. No. 9, Getreidegasse. Au début du XVe siècle propriété de la lignée bourgeoise notable des Keutzl, en 1585 le propriétaire en fut Chunrad Froeschlmoser, pharmacien de la cour et, après 1713, la famille de commerçants Hagenauer prit possession de la maison. A partir de 1971 elle devint la propriété du Mozarteum, Fondation internationale, qui l'adapta en musée Mozart. Leopold Mozart et son épouse Anna Maria, née Pertl, y habitèrent de novembre 1747 jusqu'en 1773.

232 Maison natale de Mozart, cuisine. Les objets usuels dans la cuisine de la famille des Mozart viennent de différents propriétaires. Une partie fut acquise chez des commerçants d'objets d'art.

233 Maison natale de Mozart, ancienne chambre à coucher. Le logement de la famille Mozart se trouvait au troisième étage de la maison de Hagenauer. Il se composait de trois grandes pièces et d'une cuisine; la chambre du milieu, dont la fenêtre donne sur le vestibule et qui ne reçoit son éclairage de la cour que par une étroite lucarne, était la chambre à coucher des Mozart dans laquelle Wolfgang Amadeus, septième enfant de la famille, naquit la 27 janvier 1756. Divers portraits de Mozart et de ses parents sont exposés actuellement dans cette pièce ainsi que le piano qui l'accompagnait pendant ses voyages, terminé vers 1780 par Anton Walter à Vienne.

234 Portrait du jeune W. A. Mozart. Wolfgang Amadeus Mozart avec son habit de gala, reçu en cadeau impérial à l'occasion des concerts donnés avec sa sœur Nannerl devant l'impératrice Marie-Thérèse, le 13 et le 21 octobre 1762, à Vienne. Tableau à l'huile de 81 × 62 cm, peint probablement par A. P. Lorenzoni de Salzbourg (O. Deutsch) en 1763.

235 La chambre à coucher de la famille Mozart. Au-dessus du clavicorde, terminé en 1760, est supendu le portrait du père Leopold Mozart (1717 à 1787); ce clavicorde, selon une déclaration de l'épouse de Mozart écrite de sa main et collée à l'intérieur de l'instrument, fut utilisé par l'artiste jusqu'à sa mort. Leopold Mozart, un musicien et un compositeur généralement estimé, dirigea depuis 1744 l'enseignement du violon donné aux jeunes garçons de la chapelle archiépiscopale et princière. En 1763 on le nomma même vice-maître de chapelle de la cour. Son «Ecole de violon», imprimée pour la première fois en 1756, montre Leopold Mozart comme spécialiste riche de connaissances et pédagogue raisonnable.

236 Clavier du piano de Mozart. Un piano à marteaux fait par Anton Walter, Vienne, en noyer poli, à cinq octaves et pédale, sur lequel Mozart joua au cours de ses concerts. Sur le pupitre à musique les premiers essais de composition de Mozart (le 11 mai et le 16 juillet 1762), écrits dans le cahier d'exercices pour clavecin de sa sœur Nannerl. Sur le mur le portrait du jeune Mozart au piano.

237 Joseph Lange, portrait de W. A. Mozart. Maison natale de Mozart, chambre à coucher. Tableau à l'huile inachevé 38 × 28 cm, peint à Vienne en 1782 et 1783, par Joseph Lange, beau-frère de Mozart.

238 Cimetière Saint-Sébastien, tombeau de la famille Mozart. La famille Mozart possédait un tombeau au cimetière Saint-Sébastien. En 1787 on y ensevelit Leopold Mozart. En 1805 une fille de Nannerl, sœur de Mozart, en 1826 le deuxième mari de l'épouse de W. A. Mozart, le conseiller d'état danois Georg Nikolaus von Nissen et enfin, en 1842, Constance Mozart-Nissen elle-même y furent également enterrés. Nannerl, sœur de Mozart, fut ensevelie au cimetière Saint-Pierre.

239 Cimetière Saint-Sébastien, monument funéraire de Théophraste Paracelse.

Coup d'oeil de la chapelle Saint-Philippe-Néri dans le porche de l'entrée de l'église. Restauré en 1941 et remanié en pièce commémorative. Dans le tombeau de style baroque, datant du milieu du XVIIIe siècle, la pierre tombale du célèbre médecin (mort en 1541) est enchassée en bas. L'obélisque posé sur le tombeau contient les restes d'os conservés. Le portrait du père de Paracelse qui s'y trouvait autrefois, fut transféré au musée de la ville de Salzbourg et remplacé en 1941 par un relief en marbre, représentant Theophraste Paracelse, œuvre du sculpteur Leo von Moos.

240 Couvent de Nonnberg, Faldistorium (siège pliant). En 1242 le pape accorda aux abbesses de Nonnberg le droit d'employer, au cours des cérémonies pontificales, le siège pliant et la crosse. Le cadeau de l'archevêque Eberhard II est une pièce unique, datant probablement du XIIe siècle et dont le sens des détails est difficile à saisir et pas encore interprété. Ce siège fut peut-être d'abord une propriété laïque et plus tard employé pour des buts de culte. Il est fait d'un bois dur (peut-être de l'érable) verni en rouge, avec des têtes de lion en ivoire et des griffes en bronze aux extrémités ainsi que de riches incrustations d'ivoire ornementales, dont quelques-unes furent remplacées au cours du XVe siècle par des peintures.

241 Musée de Salzbourg, cruche à bec celtique. Cette œuvre de qualité fut trouvée en 1932 dans une colline de tombeaux sur le Durrnberg, près de Hallein. Le corps de la cruche est fait d'une seule pièce de feuille de bronze sans soudure. Le bec, le bord et la poignée sont fondus. Cette trouvaille est, grâce aux ornements sur le corps de la cruche, extraordinaire et unique. Elle date de 350 av. J.-C. environ et fut probablement un travail du pays dans lequel des éléments étrusques, celtes et scythiques furent fondus dans un ensemble parfait du point de vue artistique et professionnel.

242 Musée de Salzbourg, tympan roman. Le tympan, ciselé en marbre de couleur claire, appartenait probablement à un portail de l'ancienne cathédrale romane de Salzbourg, démolie au début du XVIIe siècle (comparez les remarques concernant les illustrations 134 et 135). Il doit dater de 1180 environ. Sur le transparent de l'ange de gauche est écrit «Ave Maria gracia ple(na)», sur celui de droite «Beate es Domini genetrix».

243 Le Dôme, fonts baptismaux romans. Ils furent conservés de l'ancienne cathédrale. Les lions datent encore du XIIe siècle, le bassin lui-même fut fondu en 1321 par un certain maître Heinrich. Le couvercle, datant du XIXe siècle, fut enlevé lors de la restauration du Dôme et, en 1958, nouvellement fait (T. Schneider-Manzell).

244 Eglise de l'hôpital des bourgeois, saint-sépulcre. Ecrin avec des sculptures en bois, en forme de chapelle, qui probablement servait à garder des reliques et à déposer le saint sacrement pendant les Pâques (vers 1480).

245 Couvent des franciscains, belle Madone. Terre cuite émaillée, 108 cm de haut, ancien original retrouvé. Sous le bras gauche une partie des plis manquent. Parfait travail salzbourgeois de style « délicat » de 1400 à 1420 environ.

246 Eglise des franciscains, la Madone de Pacher. Vierge assise en bois de tilleul, L'enfant Jésus sculpté en 1890 par J. Piger de Salzbourg. L'unique sculpture conservée du grand tryptique commandé en 1484 par le conseil de la ville à Michael Pacher et exécuté par l'artiste de 1486 à 1498. Le prix de l'autel fut de 3500 florins rhénans et après son démontage, en 1709, l'or et l'argent récupérés de la fonte rapportèrent encore 512 florins. Le visage et la tête de la Vierge dans l'état original furent mis à jour en 1938.

247 Couvent de Nonnberg, croix mystique. Oeuvre impressionante d'un atelier de Salzbourg, créée vers 1300 pour la cathédrale moyenâgeuse. Lors de la démolition de l'ancienne cathédrale l'archevêque Wolf Dietrich fit remettre en 1601 l'immense crucifix comme cadeau au couvent de Nonnberg. La face du Christ révèle le supplice humain d'une mort qui doit s'accomplir d'une façon inévitable mais à laquelle on se soumet avec dévouement.
Par la manière dont cette œuvre éminente se présente, manière qui provoque le sentiment de partager la souffrance, elle se libère du style mystique et annonce comme nouveau développement la représentation de l'image spirituelle.

248 Ancienne Résidence, Hercule. Immense statue en marbre datant de 1600 environ, d'un maître inconnu, probablement italien. Exécutée sur commande de l'archevêque Wolf Dietrich, conçue comme décoration de son jardin de plaisance « Dietrichsruh ». Ce jardin se trouvait à la place de la deuxième cour de l'ensemble appelé « Toscana » dans l'ancienne Résidence. Actuellement la sculpture y est placée dans une niche de la même époque, encadrée d'un portail.

249 Ancien trésor de l'abbaye Saint-Pierre, cruche d'apparat. L'illustration représente la cruche, complétée par un bassin également fastueux, employée à se laver les mains au cours des banquets. Elle est faite en argent doré. Les scènes représentées dans les médaillons se réfèrent à « Orphée et les animaux » (Symbole du Christ, selon la mode de l'époque, présenté comme thème païen antique). Ce joyau magistral fut exécuté en 1690 par l'orfèvre Paul Huebner, originaire d'Augsbourg.
Le trésor de l'abbaye Saint-Pierre de Salzbourg, dont les antiques joyaux, précieux et vénérables, particulièrement enrichis par l'archevêque Wolf Dietrich von Raitenau avec de fastueuses pièces pour les réceptions de la cour, fut dispersé lorsque l'abbaye perdit son indépendance. Sous le règne du grand-duc Ferdinand III. de Toscane une grande partie de ces objets de valeur fut transférée à Florence et finalement incluse dans la collection des rois d'Italie. Là, les pièces furent découvertes, après la première guerre mondiale, par le Dr. Franz Martin, historien de Salzbourg, mais ce n'est qu'en 1966 que le Dr. Kurt Rossacher put en faire la publication. Les pièces de vaisselle pour la table de la cour sont travaillées avec un faste tout particulier. Elles furent créées par d'éminents orfèvres, maîtres dans leur art, tels que Paul von Vianen, Hans Karl, Kornelius Herb, Paul Huebner etc. qui furent convoqués par l'archevêque de façon temporaire à la cour de Salzbourg.

250 Collegium Benedictinum, grille de clôture. La maison d'études pour théologiens construite avec l'aide des couvents de bénédictins autrichiens et allemands sous l'abbé Petrus Klotz, d'après les plans de l'architecte F. Wagner, fut terminée en 1926. La décoration artistique du hall et son adaptation, ainsi que le projet de la grille en fer forgé sont une œuvre de Peter Behrens de Vienne. (La grille fut faite par la forge d'art Anton Schwarz de Vienne).

251 Collegium Benedictinum, crucifix. Le hall du Collegium Benedictinum est tenu sombre avec intention. L'immense crucifix pour le hall fut exécuté par Jakob Adlhart de Hallein. Cette œuvre d'art importante de l'expressionnisme religieux reflète profondément la souffrance et la mort douloureuse de l'Homme-Dieu.

252 Le Dôme, la porte de la foi. A la place des anciennes portes, plutôt simples, en bois de chêne on mit en 1958, lors de la rénovation du Dôme gravement endommagé par un bombardement aérien, trois portes en bronze dans les encadrements des portails principaux. On chargea de leur élaboration artistique trois sculpteurs, un pour chaque porte, de Salzbourg, de l'Allemagne et de l'Italie, en tant que pays étroitement liés avec l'histoire de Salzbourg. Comme motifs on choisit la représentation des trois vertus théologales. La consultation théologique fut fournie par l'ordinariat de l'archevêché. La porte de la foi, à gauche, fut exécutée par Toni Schneider-Manzell de Salzbourg qui plaça la conversion de Saül au centre. Au moyen des personnages bibliques il indique le péril, l'épreuve et la force de la foi (Simmerstaetter). Des symboles de Dieu, de la grâce et de la foi complètent cette représentation profonde et pleine de sens. L'Union des banques et des banquiers d'Autriche se chargea des frais de la porte. La fonte fut exécutée par la maison Priesmann, Bauer & Co. de Munich.

253 Le Dôme, porte de la charité. L'élaboration de cette porte fut confiée à Giacomo Manzù de Milan. Il place l'eucharistie comme poignée au milieu de la porte (des épis de froment et des pampres de vigne en sont les symboles pour le pain et le vin — indication de l'amour du Christ, prêt au sacrifice). Quatre oiseaux sur le cadre inférieur de la porte (poule couveuse, corbeau d'Elie, colombe et pélican) donnent en plus des rapports symboliques avec le thème. Répartie sur quatre panneaux, la représentation des exemples d'un amour divin parfait et d'un amour du prochain complète le thème posé. Des personnes furent choisies à cet effet qui sont en relation avec l'histoire du diocèse. (En haut: à droite, saint Séverin, l'apôtre de la Norique; à gauche, saint Martin, l'ancien patron de Salzbourg. En bas, à droite, saint François et saint Konrad d'Altoetting; à gauche, sainte Notburga et le frère Engelbert Kolland). L'ordinariat de l'archevêché, la famille diocésaine et l'association de construction des églises se chargèrent du coût de cette porte. La fonte fut faite par les frères Ciceri à Milan.

254 Le Dôme, la porte de l'espérance. On chargea Edward Mataré de Cologne de la représentation de l'espérance. L'artiste remplit la partie inférieure de la surface de la porte d'un champ de boutons grimpant vers le haut. Encadrées par ces boutons se trouvent les représentations de la naissance du Christ et de l'annonce de celle-ci aux bergers. Au-dessous de la poignée très simple de la porte est représentée l'expulsion du paradis. Ainsi est indiqué ce qui est terrestre, la faute et l'espérance de la rédemption par le Christ. Dans la partie supérieure de la porte une main, sur laquelle tourne un soleil de flammes, symbolise la miséricorde offerte par Dieu. Elle est entourée d'un groupe d'anges jubilants dont un désigne la Vierge vers le bas et d'une mandorle, limitée par la chaîne de perles d'une couronne de roses. Ainsi la mère du Christ apparaît en gage de la promesse de Dieu et comme protectrice des hommes. L'œuvre spirituelle et impressionnante de Matarés est un don de Madame Berta Krupp von Bohlen-Halbach. La fonte fut exécutée par la maison Schmaeke à Duesseldorf.

255 Le Dôme, chapelle de la crypte. Au cours de la reconstruction du Dôme, gravement endommagé par un bombardement, on conçut le plan de créer, à la place des caveaux séparés pour les archevêques, un lieu d'ensevelissement commun. Les architectes, auteurs des plans de reconstruction, l'architecte Dr. Bamer, le Dipl.-Ing. Pfaffenbichler et le Dr. Wiser, se saisirent alors de l'idée de la crypte moyenâgeuse. On a ainsi réussi à créer un ensemble des quelques secteurs dans lesquels, suivant la suggestion de Max Kaindl-Hoenig (« Le Dôme de Salzbourg », symbole et réalité, Salzbourg 1959, p. 71) les ossements des archevêques, ayant des relations avec le Dôme actuel, purent être rassemblés ; il y a de la place pour l'ensevelissement des archevêques dans l'avenir et, en même temps, les restes des anciennes cathédrales que l'on y trouva purent être inclus dans l'aspect de l'ensemble d'une manière raisonnable et présentés convenablement.

La muraille de la chapelle de la crypte contient des éléments de presque toutes les époques de construction des cathédrales de Salzbourg. Le corps du Christ roman, datant du début du XIIIe siècle, est fixé sur une croix de verre. Il est originaire de l'abbaye collégiale de Seekirchen dont la fondation est mise en relation avec la venue de saint Rupertus à Salzbourg. La table de l'autel est posée sur des restes des murs de fondement de la cathédrale Saint-Virgile. Les lampes suspendues en verre doré viennent de Murano.

256 Musée de Salzbourg, armoire du style de la Renaissance. Ce meuble de parade avec un riche travail de marqueterie fut terminé juste avant 1600. Il nous montre l'artisanat de menuisier de cette époque au plus haut degré de sa maîtrise. La forme de l'armoire à étages s'inspire du bahut comme modèle. Pour la riche décoration du front on emploie des motifs architectoniques de l'époque. Les niches des panneaux des portes sont ornées de personnifications des quatre vertus principales : la sagesse, la justice, la modération et l'amour du prochain. Les autres motifs de marqueterie sont entièrement inspirés d'une manière naturaliste et rappellent isolément un atlas botanique comme modèle. Ce meuble précieux fut probablement commandé sous l'archevêque Wolf Dietrich pour l'ameublement de la nouvelle Résidence (Nora Watteck).

Lors du remaniement du palais il semble que cette armoire devint propriété de l'université qui l'utilisa pour meubler le bâtiment du couvent de Maria Plain dont la prise de possession eut lieu en 1673. De là l'armoire devint propriété du musée de Salzbourg. Les circonstances détaillées, comme la date exacte du dernier changement de propriétaire ne sont pas encore éclaircies.

258/261 Grand Palais des festivals, façade vers l'ouest. Grand Palais des festivals, foyer supérieur. Le Dr. Josef Klaus, chef de l'administration du Pays de Salzbourg, se décida en 1953 à intéresser le gouvernement fédéral, le Pays et la ville de Salzbourg, à la construction d'un nouveau Palais des festivals pouvant faire face aux exigences de nos jours. Le bâtiment devait être érigé à la place des anciennes écuries de la cour, car le manège des rochers s'y trouvait aussi. L'édifice fut terminé en 1960 d'après les plans du Dr. Clemens Holzmeister. L'apparence extérieure est largement adaptée à l'aspect de la Vieille Cité et se rapproche de l'ancien extérieur du bâtiment. Cependant ce n'est que la façade vers l'ouest de l'écurie de la cour, remaniée en 1693 et 1694 par Fischer von Erlach, qui fut conservée (comparez les remarques concernant l'illustration 197). L'aménagement intérieur du grand Palais des festivals est moderne. Le sculpteur Heinz Leinfellner partagea le foyer supérieur en deux parties au moyen de colonnes de marbre avec des masques en relief. Le mur nord est décoré de quatre gobelins avec comme sujets le feu, l'eau, l'air et la terre par Kurt Fischer ; le mur sud est orné d'une tapisserie représentant « le bien et le mal » de Giselbert Hoke. Le tissage est de Schulz et de Riedl, peintres viennois.

259 Petit Palais des festivals. Les écuries de la cour, datant du début du XVIIe siècle, transformées plus tard en caserne, furent reconstruites en 1925 en Palais des festivals (architecte Eduard Huetter) et rénovées en 1926 d'après les plans de Clemens Holzmeister. Une nouvelle reconstruction complète du bâtiment et un remaniement du lieu, d'après les plans de Holzmeister, furent exécutés en 1937 et 1938. En 1939 et 1940 une réadaption de l'intérieur a été faite par Benno von Arendt, chef des décors scéniques du Reich. Un nouveau remaniement eut lieu en 1962 et 1963 d'après les plans des architectes Dr. Hans Hofman et Dr. Erich Engels.

260 Petit Palais des festivals, salle de la ville. Le manège d'hiver des anciennes écuries de la cour est utilisé actuellement comme foyer et comme lieu de réceptions et d'expositions. Le mur du fond est formé par le rocher du Moenchsberg. La fresque du plafond de J. M. Rottmayr et Christoph Lederwasch, datant de 1690, fut restaurée en 1926 par Florian Scheel de Feldkirch (Vorarlberg). Les aménagements de l'intérieur et les éclairages furent travaillés d'après des projets de Clemens Holzmeister.

262/263 Mozarteum, salle des concerts et grande salle. La « Société de musique du Dôme et du Mozarteum », fondée dès 1841, se transforma en 1880 en « Fondation internationale du Mozarteum ». Elle se fixa comme but particulier, à part le soin et la diffusion de la musique mozartienne, les recherches sur Mozart. De 1910 à 1914 la fondation fit construire dans la Schwarzstrasse le « Mozarteum », d'après les plans de l'architecte Richard Berndl de Munich. Le bâtiment, en « Spaetjugendstil » (style de jeunesse tardif) de Munich, se compose d'une partie école et d'une partie salle des fêtes. La partie représentative de la salle des fêtes est ornée d'un pignon avec relief, la glorification de la musique par Bruno Diamant. Les amours des candélabres de l'avant-corps devant l'entrée principale sont une création de Georg Roemer. Le bâtiment contient la grande salle des concerts à la destination solennelle avec toutes les pièces dépendantes dont on peut avoir besoin. Elle contient environ 800 auditeurs. L'orgue (57 registres sonnants, 4 manuels, pédale, 4472 tuyaux) fut remplacé par un instrument moderne, après que l'ancien orgue ne put plus être utilisé. Lors de son inauguration, le 10 janvier 1970, il fut appelé « l'orgue d'Arco », du nom de la comtesse Gertrude Arco-Valley, qui, par sa donation, remboursa plus de la moitié du coût de l'orgue. L'installation du mécanisme fut faite par la maison Walker-Mayer & Cie, Guntramsdorf, Basse-Autriche, en collaboration avec Hermann Oettl, facteur d'orgues de Salzbourg. Dans la partie pour l'école du bâtiment c'est surtout l'école de musique « Mozarteum » qui trouva place. Celui-ci fut élevé en 1914 au rang d'un conservatoire et depuis 1953 c'est une académie d'état (école supérieure, du rang de l'université) pour musique et arts scéniques. La bibliothèque conserve surtout une vaste littérature concernant Mozart. Dans les archives on trouve entre autres des autographes (lettres et compositions) des Mozart, père et fils.

264 La maison des congrès. A la place de la maison de cure, détruite par des bombardements au cours de la seconde guerre mondiale, on érigea, du côté est et nord du terrain de l'ancien parc de cure, pendant les années 1953 à 1957, l'ensemble des bâtiments se composant de la maison des congrès, de l'Hôtel du parc (Parkhotel) et de la maison de cure Paracelse. Du côté sud de la grande salle des congrès se trouve un groupe en bronze, une création de Max Rieder, sculpteur de Salzbourg. La fonte en fut exécutée par la maison Kiss de Salzbourg.

265 Place du Musée. Comme conséquence de la construction du grand Palais des festivals, les collections de la « Maison de la nature », installées dans les bâtiments des anciennes écuries de la cour, plus tard utilisés comme casernes, durent être transportées ailleurs. Elles trouvèrent un abri dans l'ancien couvent des ursulines, vendu par l'ordre afin de pouvoir s'établir aux confins de la ville, après quoi celui-ci fut conformément réadapté. En rasant de petites dépendances du couvent dans l'ancienne « Stieglgaesschen » (ruelle de Stiegl) et en reconstruisant en même temps le musée de Salzbourg, démoli par des

bombardements, on put aussi percer une importante ligne de communication pour ce quartier et adapter le terrain pour une petite place devant la « Maison de la nature ». L'ancienne école du couvent fut adaptée pour l'Office de la santé publique et un bureau de conseils pour les mères.

266 Place de Papageno, fontaine de Papageno. Au cours de la deuxième guerre mondiale les bombardements aériens détruisirent les vieilles maisons et les restes de l'ancien rempart de la ville qui se trouvait à cet endroit. Lors de la reconstruction locale une petite place fut créée, pour laquelle la municipalité commanda une fontaine avec une représentation de Papageno, personnage de la Flûte enchantée « en tant que joyeux symbole de la nature, notre mère à tous » (Paumgartner). Projet et exécution des sculptures: Hilde Heger, sculpteur, Heinrich Mayer, tailleur de pierres, Kiss, fonte du bronze, tous originaires de Salzbourg.

267 No. 12, Kaigasse, fontaine de Trakl. Le monument commémoratif du poète Georg Trakl, né en 1887 à Salzbourg (décédé en 1914 à Cracovie), fut érigé en 1954. Projet et exécution de Toni Schneider-Manzell, fonte du bronze par Poell, Vienne.

268/269 Eglise paroissiale de Parsch. Dans les années 1955 et 1956 on transforma les bâtiments d'écurie de la dernière ferme se trouvant encore dans le faubourg de Weichselbaum et on en fit la première église de style moderne à Salzbourg. Le plan fut élaboré par le « Groupe 4 » (architectes et ingénieurs diplômés Wilhelm Holzbauer, Friedrich Kurrent, Johann Spalt). L'extérieur simple et sobre – trois croix le caractérisent comme église – se fait clairement remarquer par la formation particulière du clocher, essentielle pour la répartition de l'éclairage à l'intérieur de l'église. Celui-ci se compose des voûtes basses de l'ancienne écurie et d'un chœur élevé adjacent, En dirigeant la lumière vers l'autel et étant donné la grande différence de hauteur des deux parties, on obtient un effet particulier à l'intérieur. Des artistes réputés prirent part à l'aménagement, tels un Oskar Kokoschka (ornementation de la porte), Fritz Wotruba (crucifix sur le portail nord), Jakob Adlhart (croix de l'autel), Josef Mikl (vitres en verre et béton).

270 Eglise paroissiale, Herrnau. Point central d'une institution d'aide spirituelle

se composant de l'église, la cure, le jardin d'enfants et le couvent, maison mère des sœurs de l'eucharistie, pour cette partie de la ville qui vient de se développer en dehors du faubourg de Nonntal. Pose de la première pierre en 1958, consécration en 1962. La patronne de l'église est sainte Erentrudis, première abbesse du couvent de Nonnberg. Plan: architecte Robert Kramreiter, Vienne. La verrière grandiose, qui sépare comme une paroi le domaine de l'autel du dehors, est une œuvre de Margaret Bilger de Traunkirchen, Haute-Autriche.

271 Eglise paroissiale Saint-Vital. L'ordinariat de l'archevêché fit ériger, à partir de 1970, dans le quartier de la Kendlerstrasse un nouveau centre paroissial, conçu comme un ensemble de l'église, la cure, le jardin d'enfants et d'un club. Dans la partie carrée principale de l'intérieur de l'église un axe central, émanant de la construction du toit, descend en diagonale à travers la salle vers l'autel. Celui-ci est entouré de trois côtés de la tribune des chanteurs et des bancs d'église. Il est éclairé par une imposte, placée dans un coin. L'aménagement est d'une austérité spartiate. Les ornements des tableaux sont sciemment évités. La forte impression qu'exhale cet intérieur se fait sentir malgré tout. Le plan est du Dipl.-Ing. Wilhelm Holzbauer. La construction fut commencée le 25 octobre 1970 et la consécration effectuée le 22 octobre 1972.

272 Salzbourg – Lehen, le stade de football. Erigé par la ville de Salzbourg. Plan: Architecte Dipl.-Ing. Hanns Wiser, Salzbourg et Dipl.-Ing. Jakob Adlhart, Hallein. Le commencement des travaux remonte au 1er octobre 1969 et l'inauguration du stade au 18 septembre 1971. Au-dessous du terrain de football, garage pour 360 autos. Architecture impressionnante et moderne, cependant le stade est mal situé du point de vue urbanisme.

274/275 Eglise de pèlerinage Maria Plain. Maria Plain, statue de la façade. Grande église de pèlerinage, visible de loin, sur le Plainberg. C'est une fondation de l'archevêque Max Gandolf, comte de Kuenbourg, érigée de 1671 à 1673 afin d'abriter une image de la Vierge acquise par la famille Grimming de Basse-Bavière, qui depuis 1652 déjà était un objet de vénération à Plain. La construction fut exécutée sous la direction de Giovanni Antonio Dario, architecte de la cour. En 1673 la fondation fut transférée à l'université de Salzbourg. Après la clôture de celle-ci, en 1810, Maria Plain devint en 1824 et 1825, selon les statuts de la fondation, propriété de l'abbaye Saint-Pierre. Les statues des quatre évangélistes dans les niches de la façade furent terminées en 1673. On n'a pu établir jusqu'à présent le nom de leur maître, encore fortement lié au maniérisme. Attribuer les statues à G. A. Dario, qui était aussi sculpteur, paraît douteux, à cause de son excès de travail comme architecte de la cour (Pretzel).

276–281 Château de Hellbrunn.
L'archevêque Marcus Sitticus, comte de Hohenems, fit construire de 1613 à 1615, par Santino Solari, l'architecte du Dôme, près de Waldemsberg (la montagne de Hellbrunn) un château de plaisance. A cet endroit il y avait déjà au XVe siècle un parc pour les animaux. Comme modèle pour l'ensemble servirent surtout les villas baroques italiennes de l'époque, particulièrement celles des environs de Rome et de Venise. Pendant la première moitié du XVIIIe siècle le jardin, situé au sud du château et adapté selon la manière italienne, fut remanié en style français et vers la fin du même siècle un petit jardin du genre anglais fut ajouté à l'est. Le château, d'un extérieur plutôt modeste, entoure, avec ses deux ailes avancées, une cour d'honneur presque carrée dans laquelle aboutit la longue route d'accès; des deux côtés de celle-ci se trouvent les bâtiments de l'économie. Le jardin de plaisance avec les jeux d'eau est situé à l'est et au nord du château. La disposition du jardin est conçue de façon que son axe s'aligne sur le château avec les grottes aménagées du côté ouest, au rez-de-chaussée (grotte de Neptune, grotte des oiseaux chantants, grotte des miroirs et grotte des ruines) et que le jardin soit directement relié au bâtiment. Du côté nord de petites pièces d'eau conduisent vers une paroi, d'un genre d'exèdre, comme mur de clôture décoré de statues. Devant le mur se trouve une grande table en pierre avec des tabourets qui, comme les autres jeux d'eau, ont des obturateurs cachés et peuvent déclencher des surprises inattendues. Les

sculptures en marbre, qui se trouvent placées près des pièces d'eau, dans le parc et dans les grottes, sont des œuvres de différents artistes. Tel que l'indique Franz Wagner de Salzbourg il se peut qu'avec Santino Solari, qui était aussi sculpteur, et quelques autres artistes italiens, les meilleurs maîtres du pays (Hans Waldburger, Konrad Asper etc.) aient pris part à l'élaboration des statues. La salle des fêtes qui se trouve du côté nord à l'étage supérieur du château et l'octogone adjacent furent décorés de fresques de haute qualité par Fra Arsenio (Donato Mascagni) de l'ordre des servites, originaire de Florence. L'archevêque Marcus Sitticus l'avait fait venir exprès pour les tableaux du nouveau Dôme. La salle des fêtes est conçue comme un hall; dans les galeries on voit des personnages allégoriques (symboles des vertus et des qualités) qui se promènent; sur les murs longitudinaux sont peints avec une admirable maîtrise des perspectives avec des vues sur des rues et des édifices, tels le musée des Offices de Florence et la basilique Saint-Marc de Venise en arrière-plan. Le «petit château d'un mois», ainsi nommé, sur la montagne de Hellbrunn, abrite le musée ethnologique de Salzbourg, digne d'être vu. Le château prend son nom du fait qu'il fut construit en un mois. Par cette courte période de construction l'archevêque surprit grandement son hôte, l'archiduc Maximilian, gouverneur du Tyrol. Plus loin, vers le sud, c'est le théâtre de pierre qui est situé sur la montagne. Une excavation naturelle du rocher fut transformée en scène à ciel ouvert sur l'ordre de l'archevêque, amateur de musique et de théâtre. On s'en servit aussi à maintes reprises pour représenter les drames musicaux qui venaient d'apparaître en Italie, particulièrement à Mantoue, depuis la fin du XVIe siècle. Par la représentation d'un tel drame musical en 1618, le théâtre de pierre de Hellbrunn est, ce qui est prouvable, la première scène de ce côté des Alpes où un opéra fut donné.

282/283 Le château de Klesheim.
Erigé sur l'ordre de l'archevêque Johann

Ernst, comte de Thun, de 1700 à 1709, d'après les plans de J. B. Fischer von Erlach. Cependant ce n'est que sous l'archevêque Leopold Anton, baron von Firmian, que le bâtiment, en 1732, après certains changements de construction et l'avancement du passage avec la terrasse, fut terminé et prêt à être habité. Les salles de parade sont concentrées au milieu du bâtiment et réparties d'une façon symétrique autour de l'axe principal. Le stucage, d'une distinction retenue, est une œuvre de Paolo d'Allio et de Diego Francesco Carlone, datant de 1707. Les cerfs allongés (animaux des armes de la famille Firmian), au pied de la rampe de l'entrée principale, furent créés par J. A. Pfaffinger. Avant la première guerre mondiale le château était la demeure d'un frère de l'empereur François-Joseph Ier, l'archiduc Ludwig Viktor. En 1921 le château devint propriété du Pays de Salzbourg et de 1938 à 1945 fut une propriété d'état. En 1940 et 1941 il fut restauré par les architectes Strohmayr et Reiter et un nouvel intérieur fut aménagé. Le rez-de-chaussée vers le jardin fut remanié et une terrasse ajoutée au dos du château. Après la deuxième guerre mondiale Klesheim redevint propriété du Pays de Salzbourg. Actuellement, il sert pour les réceptions offertes par le gouvernement du Pays de Salzbourg à ses hôtes et pour d'autres manifestations représentatives.

284 Vue vers le sud. Panorama du couvent de Nonnberg vers le sud, sur l'église Saint-Erhard dans le Nonntal (vallée de religieuses) et la plaine du bassin de Salzburg, sur Hellbrunn et sur les montagnes (le massif du Hoher Gœll), le col de Lueg et le Tennengebirge. Dans une lettre à son frère Ferdinand, Franz Schubert parle de «la beauté inexprimable» de ce paysage, qu'il compare à un vaste jardin, rempli de châteaux et d'habitations et formé d'une façon charmante par les collines, les bois et de longues allées. Une «chaîne des plus hautes montagnes l'entoure à perte de vue», on dirait les gardiens «de cette vallée céleste».

Literaturnachweis

„Der Dom zu Salzburg"   Symbol und Wirklichkeit.(Herausgegeben von der erzbischöflichen Domkustodie und Seelsorgeamt. Verlag Österreichisches Borromäuswerk, Salzburg 1959)

F. Fuhrmann   „Das historische Stadtbild Salzburgs" in „Das Salzburg-Buch", herausgegeben von Max Kaindl-Hönig (Festungsverlag Salzburg, 1961/62).
„Salzburg" in Reclams Kunstführer „Österreich" Bd. 2 (Stuttgart 1961)
„Salzburg in alten Ansichten"
(Residenzverlag Salzburg 1963)

Adolf Hahnl   „Studien zu Wolfgang Hagenauer"
(Dissertation Universität Salzburg 1969)

Herbert Klein   „Juvavum". Gesammelte Aufsätze von H. Klein. Festschrift. Mitteilungen der Gesellschaft für Salzburger Landeskunde, 5. Ergänzungsband 1965

F. Martin   „Salzburg"
Ein Führer durch seine Kunst und Geschichte (Verlag „Das Berglandbuch", Salzburg 1952)
„Kunstgeschichte von Salzburg" (Österreichischer Bundesverlag, Wien 1925)
„Kleine Landesgeschichte von Salzburg"
(Zaunrith, Salzburg 1938)

Mitteilungen der Gesellschaft für Salzburger Landeskunde. Einschlägige Aufsätze vor allem in den Bänden:
94/1954, 98/1958, 99/1959, 100/1960, 101/1961, 104/1964, 106/1966, 107/1967, 108/1968, 109/1969

Österreichische Kunsttopographie (Verlag Schroll, Wien)

Band 7   Die Denkmale des Benediktiner Frauenstiftes Nonnberg in Salzburg
Band 9   Die kirchlichen Denkmale der Stadt Salzburg
Band 11   Die Denkmäler des politischen Bezirkes Salzburg
Band 12   Die Denkmale des Benediktinerstiftes St. Peter in Salzburg
Band 13   Die profanen Denkmale der Stadt Salzburg

Bernhard Paumgartner „Salzburg" (Residenzverlag Salzburg 1966)

Lothar Pretzell   „Salzburger Barockplastik" (Deutscher Verein für Kunstwissenschaft, Berlin 1935)

Kurt Rossacher   „Der Schatz des Erzstiftes Salzburg (Residenzverlag Salzburg 1966)

Wilhelm Schaup   „Altsalzburger Photographien", Salzburger Verlag für Wirtschaft und Kultur
(jetzt SN-Verlag, Salzburg) 1967

Richard Schlegl   „Veste Hohensalzburg"
O. Müller-Verlag, Salzburg 1952

Wolfgang Steinitz   „Salzburg" Kunst- und Reiseführer, Residenzverlag Salzburg 1971

F. V. Zillner   „Geschichte der Stadt Salzburg"
(Salzburg 1885)

Einschlägige Kirchenführer, Ausstellungskataloge und Aufsätze in Zeitungen und in verschiedenen Zeitschriften.